De dodenkamer

Van dezelfde auteur:

Denk aan Sarah
Vermist
De geheime vriend

Chris Mooney

De dodenkamer

the house of books

Oorspronkelijke titel
The Dead Room
Uitgave
Penguin Books, Londen

Vertaling
Wil van der Terp
Omslagontwerp
Studio Jan de Boer BNO, Amsterdam
Omslagillustratie
© plainpicture/whatapicture
Foto auteur
© Vin Catania
Opmaak binnenwerk
ZetSpiegel, Best

ISBN 978 90 443 2829 5
D/2011/8899/77
NUR 332

www.thehouseofbooks.com

Voor John Connolly en Gregg Hurwitz

Dag 1

I

Darby McCormick stapte over het lichaam van de dode bodyguard en verwisselde razendsnel de twee lege magazijnen van dertig patronen elk uit het semi-automatische Heckler & Koch-machinepistool. Tegen de tijd dat de lege patroonhouders de vloer raakten, zaten de twee volle alweer op hun plaats.

Terwijl het zweet over haar rug en haar gezicht gutste, sloop ze behoedzaam naar de deurpost, waar ze gespannen luisterde of ze behalve het doffe, floppende geluid van de helikopterrotorbladen op het dak nog andere geluiden kon onderscheiden.

Hoewel ze niets hoorde, wist ze dat Chris Flynn elk ogenblik deze kant op moest komen. Toen ze beneden op de laadvloer achter een stapel kisten dekking zocht voor de salvo's uit de automatische wapens van Flynns twee bodyguards, had ze Flynn de trap op zien rennen, vlak voordat haar partner van het SWAT-team de elektriciteit in het pakhuis uitschakelde. Ze stormde de gammele metalen trap naar de eerste verdieping op om Flynn de pas af te snijden naar het trappenhuis... zijn enige ontsnappingsmogelijkheid.

Darby wist bijna zeker dat hij daar nog niet kon zijn. Ze wierp een snelle blik om de deurpost en tuurde over haar wapen door de lange, halfdonkere gang, vaag verlicht door een beetje licht dat via de ramen binnenviel. Maar het was niet genoeg. Ze schoof de nachtkijker voor haar ogen.

De duisternis in het pakhuis lichtte spookachtig groen op. Op haar hoede liep ze door de gang in de richting van het trappenhuis.

Opeens zwaaide een deur open. Daar stond Flynn, verscholen achter een doodsbange vrouw. Met zijn ene arm om haar keel geklemd, hield hij de loop van een Glock tegen de zijkant van haar hoofd gedrukt. Behalve zijn ene oog boven haar schouder, ging hij volledig schuil achter de vrouw.

Verdomme, geen kans op een gericht schot. Ze wilde hem niet doodschieten, alleen maar verwonden om te voorkomen dat hij de helikopter zou bereiken. Haar orders waren duidelijk geweest: ze moest Flynn levend in handen krijgen. Dood was hij waardeloos.

'Ik weet wat jullie schoften van me willen!' riep Flynn. Zijn stem galmde door de verstikkend warme lucht. 'Maar ik zeg niks.'

'Ik ben hier om u te beschermen,' zei Darby, en ze kwam voorzichtig dichterbij. 'Het kartel...'

'Geen stap verder en laat je wapen vallen.'

Darby bleef staan, maar liet haar wapen niet zakken. 'Het kartel wil je vermoorden, Chris. Je weet te veel. Ze kunnen het zich niet veroorloven je in leven te laten. We kunnen je bescherming aanbieden in ruil voor...'

'IK MEEN HET! GOOI NU JE WAPEN NEER OF IK ZWEER JE DAT IK HAAR VERMOORD.'

Darby twijfelde er geen ogenblik aan dat de achtendertigjarige Amerikaanse bankier meende wat hij zei. Hij had zijn vriendin gewurgd, met wie hij al twaalf jaar een relatie had, toen hij had ontdekt dat ze aan de politie van Boston had verteld dat Flynn zijn incassobureau had gebruikt om bijna een half miljoen aan drugsdollars wit te wassen voor de Mendula-familie, een Colombiaans drugskartel.

Flynn deed een plotselinge beweging naar voren, waardoor de vrouw die hij als schild gebruikte bijna struikelde. Haar belachelijk hoge hakken schraapten over de vloer en ze greep Flynns arm om haar evenwicht te bewaren. Haar lange, zwarte haar bedekte het meeste van haar gezicht. Ze ging totaal anders gekleed dan het overige magazijnpersoneel. De riempjes van haar pumps waren bezet met flonkerende rijnsteentjes en een chic, wit maatpakje zat als gegoten rond haar slanke, welgevormde lichaam.

Het SWAT-team kan de helikopter volgen, dacht Darby. *Misschien lukt het ze mensen ter plaatse te hebben tegen de tijd dat het toestel landt.*

'Doe als hij zegt, alsjeblieft!' riep de vrouw met een zwaar accent. 'Thuis twee kindjes. Ik wil terug naar huis om weer te zien.'

'Oké, Chris,' zei Darby luid en duidelijk. 'Jij je zin. Ik ga weg bij de trap.'

'Laat je wapen vallen.'

Darby aarzelde nog steeds.

'Laat je gijzelaar gaan en je hebt mijn woord.'

De vrouw uitte een gesmoorde kreet.

'Voor de laatste keer, ik dóe het...!'

'Oké, Chris.' Darby liet haar wapen zakken en klikte het los van haar draagriem.

Flynn schuifelde in de richting van de trap. In het vlijmscherpe, contrastrijke beeld van de nachtkijker kon Darby de kleine, wormvormige littekens op Flynns kale schedel onderscheiden en ook de diamanten ringen van de vrouw en haar kunstzinnig bewerkte armband.

Darby liet haar wapen vallen en schopte het rechts van haar een stukje de gang in. Mocht Flynn toch besluiten te schieten, dan kon ze er misschien met een duik weer bij. Onder haar camouflagepak droeg ze een kogelvrij vest en metalen beschermplaten voor haar scheen- en bovenbenen.

Hopelijk richt hij niet op mijn hoofd.

'Jouw beurt,' zei Darby.

'Ik vertrouw je nog steeds niet,' zei Flynn, die dichterbij kwam. 'Op je knieën... en geen plotselinge bewegingen.'

'Wat je maar wilt, zolang je maar belooft de gijzelaar geen kwaad te doen.'

'Doe het dan, nú, langzaam op je knieën. En geen geintjes, anders mol ik haar, begrepen?'

'Begrepen.' Darby liet zich op haar knieën zakken en bracht langzaam haar handen naast haar gezicht.

'Geen beweging verder,' zei Flynn. 'Blijf precies waar je bent en ik laat haar gaan.'

Flynn bleef staan bij de onderste treden van de trap. In de vochtige, bedompte lucht in de gang, kon Darby de onmiskenbare geur van het parfum van de vrouw onderscheiden, Chanel no 1.

Hij liet de gijzelaar los en Darby hoorde de vrouw de trap op rennen, half struikelend op haar onmogelijke schoenen.

Flynn volgde haar niet. In plaats daarvan deed hij een stap naar voren en richtte zijn pistool op Darby.

Ze werd overspoeld door een enorme angst en het koude zweet brak haar uit. Maar Darby zag niet haar leven aan zich voorbijflitsen of andere flauwekul; ze deed dat waarvoor ze was getraind.

Op het ogenblik dat Flynn vuurde, trok ze met een ruk haar hoofd opzij. De kogel sloeg in de muur in. Haar handen schoten in een flits omhoog. Haar ene hand sloot zich om zijn pols. Met haar andere hand greep ze de loop van de Glock, draaide die zo dat het wapen naar zijn maag wees en trok het toen met een ruk naar zich toe.

Flynn was volkomen overrompeld. Terwijl hij struikelend zijn evenwicht probeerde te bewaren, lukte het Darby het wapen uit zijn hand te wringen. Ze richtte en schoot hem in zijn dijbeen.

Flynn slaakte een kreet en viel op de vloer. Daarna draaide ze zich razendsnel om en richtte het pistool op de gijzelaar die op het platform boven aan de trap stond. De vrouw hield een semi-automatische Beretta met laservizier in haar handen.

Darby vuurde tweemaal, waarbij ze de vrouw in de maagstreek raakte. De vrouw wankelde achteruit tegen de muur en Darby vuurde nog tweemaal.

Flynn krabbelde over de vloer. Darby gooide hem op zijn buik, plantte haar knie in zijn ruggengraat en rukte zijn armen achter zijn rug.

Terwijl ze een paar moderne handboeien van haar riem trok, floepte de verlichting weer aan.

Darby schoof de nachtkijker omhoog op haar voorhoofd en knipperde het zweet uit haar ogen.

'Verdomme,' zei de gijzelaar, en hij staarde naar de donkerrode vlekken op het jasje van haar witte maatpakje. 'Die verfpatronen doen écht gemeen pijn.'

'Zeur niet, Tina,' gromde de man die Chris Flynn had gespeeld. 'Ik ben de afgelopen twee dagen al drie keer om zeep geholpen.'

Kreunend liet hij zich op zijn rug rollen. 'Jezus, McCormick, volgens mij heb je mijn ruggengraat gekneusd.'

In de gang verscheen een boom van een vent met gemillimeterd bruin haar en een verweerd, door de zon gebruind gezicht. John Hang, SWAT-instructeur van het Boston Police Department, knipte met zijn vingers en wees naar de deur.

'McCormick, meekomen.'

2

Darby volgde Haug op enkele passen afstand. De adrenalinekick van de oefening – het eerste gedeelte van haar afsluitend SWAT-examen – maakte geleidelijk plaats voor een dodelijke vermoeidheid. Ze had tijdens de non-stop bewaking van het pakhuis de afgelopen drie dagen nauwelijks een paar uur kunnen slapen.

De eerste week van haar SWAT-opleiding begon elke morgen met een vijftien kilometer lange duurloop onder een brandende augustuszon op Moon Island. Er waren nog acht andere rekruten, allemaal mannen. De resterende ochtenden had ze doorgebracht met de training voor *close combat* en vuurwapentraining.

De late middaguren moest ze met een afgeplakte bril door rioolbuizen kruipen om de grenzen van haar claustrofobie te bepalen. Ze had haar nachtelijke duikoefeningen in Boston Harbor volbracht en was abgeseild uit een Black Hawk-helikopter. Een rekruut had zijn voet gebroken. Twee andere mannen moesten door blessures opgeven. De vijf overgebleven rekruten haalden het tot 'The Yellow Brick Road', een helse beproeving, bedoeld om het menselijk lichaam te breken.

Voorzien van kogelvrij vest en gevechtslaarzen, en gebukt onder een met vijftien kilo zand gevulde rugzak en met een voor haar borst gegespt of boven haar hoofd geheven machinegeweer, had ze in de verstikkende hitte gerend tot haar knieën het dreigden te begeven. Maar ze had zich vermand en verbeten doorgezet. Ze was door modder gekropen, had in touwen en netten geklommen, hindernissen bestormd en in volledige gevechtsuitrusting door rivieren gewaad. Weer op de oever was ze met haar rugzak, die door het water tweemaal zo zwaar was geworden, verder gestrompeld tot haar benen het hadden begeven. Het lunchpakketje dat ze na afloop als beloning had gekregen – twee flesjes water, wat brood en een appel – had ze verorberd op weg naar de schietbaan, waar ze had geschoten tot de spieren in haar onderarmen waren verkrampt. 's Avonds om tien uur, na afloop van het trainingsprogramma, na een snelle douche, had ze zich in de mannenslaapzaal uitgeput op haar brits laten vallen, waar ze de volgende ochtend om vier uur werd gewekt om het allemaal nog eens over te doen.

Darby wist dat het tweede gedeelte van de training bedoeld was om hun geestelijke weerstand te breken. Zonder voldoende slaap kon het lichaam zich niet herstellen, een belasting die zijn psychische tol zou eisen, wat zou leiden tot frustratie, woede, en, in sommige gevallen, tot verstandsverbijstering.

Nog eens twee mannen vielen uit. Ze konden het niet langer opbrengen.

De drie overblijvers haalden de praktijktest.

Haug liep snel de laatste traptreden af, waar Darby's SWAT-partner op zijn rug een sigaar lag te roken. Zijn borst en een schouder waren besmeurd met bloedrode verf. Hij zwaaide naar haar toen hij haar zag. De leden van Haugs team die de rollen van Chris Flynns bodyguard toebedeeld hadden gekregen, zaten met sigaretten en sigaren tussen kratten en magazijnstellingen te praten. Ze keken niet naar Haug; ze keken naar haar. Ze voelde hun blikken op haar huid branden.

Ze balen ervan dat ik ze heb gedood. Ze grijnsde.

Haug liep de parkeerplaats op. Zijn grijze T-shirt was doortrokken van het zweet. Hij stak een dikke prop pruimtabak achter zijn kiezen. Zoals gewoonlijk viel er niets van zijn gezicht af te lezen. De emoties van de man gingen schuil achter een masker dat hij tijdens zijn jaren als marinier zorgvuldig had opgebouwd. Met soepele pas liep hij langs de zijkant van het magazijn. Zijn gevechtslaarzen knerpten op het grind. Oorverdovend getsjirp van krekels vulde de zinderende avondlucht.

'De vrouw die je hebt gedood,' zei hij na een lange stilte, in het donker voor zich uit starend. 'Hoe wist je dat ze geen echte gijzelaar was? Wat viel je op?'

Darby had de vraag verwacht. 'Ik vroeg me af wat een chic geklede dame als zij nog zo laat in een magazijn als dit zou moeten doen.'

'Kwam het niet in je op dat ze de eigenaar zou kunnen zijn? Tijdens de briefing heb ik jullie verteld dat de vrouw van de eigenaar de dagelijkse leiding had en regelmatig overwerkte.'

'U hebt ook verteld dat Ortiz een gierig stuk vreten was.'

'En?'

'Die vrouw droeg een armband van Cartier.'

Haug draaide zijn hoofd met een ruk naar haar toe en staarde haar verbijsterd aan. 'Je zag het aan die verdomde ármband van haar?'

'En aan haar pumps van Christian Louboutin. Die moeten zo'n achthonderd dollar hebben gekost. En die armband nog eens drieduizend. Ik weet niet wat dat pakje dat ze droeg heeft gekost, maar het zag er duur genoeg uit. Wat is het? Gucci? Armani?'

'Zie ik eruit als een vent die zoiets zou moeten weten?'

'Zoals u zich kleedt? Nee, meneer, niet echt.'

Haug rende de weg in die naar het beveiligde terrein van de explosievenopruimingsdienst voerde.

'Uit de informatie over het kartel die u me gaf, bleek niet of de leider een man of een vrouw was,' zei Darby. 'Nadat Flynn haar had vrijgelaten, vluchtte ze niet naar een andere ruimte. Ook riep ze niet om hulp, maar rende direct de trap op die naar het dak voerde, dezelfde bestemming als Flynn. Dat vond ik al vreemd, dus zodra ik Flynn had uitgeschakeld, draaide ik me om naar de trap en daar stond ze, met een Beretta in haar handen. Ik neem aan dat zij de baas was van het kartel.'

'Dat klopt.'

'Dus was het kennelijk de opzet haar de rol van gijzelaar te laten spelen, zodat ze nadat Flynn haar had vrijgelaten en mij dan nog niet had gedood, mij alsnog te grazen kon nemen terwijl ik bezig was hem te boeien.'

'Dat was het plan.'

'Hoeveel van de rekruten zijn neergeschoten?'

'Jij bent de enige die het heeft gered.'

'Dat komt ervan als je een vrouw mannenwerk laat doen.'

Haug spuugde een bruine straal tabakspruim uit en sloeg linksaf een andere weg in.

In de verte zag Darby het kleine gebouw liggen waar ze de afgelopen twee weken had gewoond. In de kleedruimte en het slaapverblijf zag ze licht branden.

'Waarom gaan we daarheen?'

'Daar wacht een of andere kerel op je om je in opdracht van de hoofdcommissaris terug naar de stad te brengen,' antwoordde Haug. 'Verder geen vragen. Dat is alles wat ik weet.'

Darby had wel een vermoeden. Ze was hoofd van de CSU-unit van de Boston Police, een speciale eenheid die direct viel onder de verantwoording van hoofdcommissaris Chadzynski. De eenheid was samengesteld uit de beste toprechercheurs en forensisch specialisten van de organisatie en belast met het onderzoek naar geweldsmisdrijven en de opsporing van vermiste personen.

'Ik weet hoeveel moeite je hebt gedaan om op deze opleiding te komen,' zei Haug, na weer een fikse bruine klodder. 'Uiteindelijk hebben je schutterskwaliteiten de doorslag gegeven, je bent verreweg de beste van de groep. En ik moet toegeven dat ik een hoop reserves had om je toe te laten. Naar mijn ervaring ontbreekt het vrouwen aan datgene wat er voor nodig is om deel uit te kunnen maken van een SWAT-team.'

'Gelukkig heb ik bewezen dat u het mis hebt.'

'Je bent de tweede vrouw die ik ooit op de opleiding had. Die eerste griet was een eersteklas kutwijf.'

Haug keek niet op om te zien of hij haar had beledigd. Dat liet hem volkomen koud. De man nam geen blad voor de mond en het interesseerde hem geen zier wie hij daarmee beledigde. Het was een houding die Darby waardeerde.

'Dat mokkel eiste nota bene haar eigen kleedkamer,' vervolgde Haug. 'En ze bleef maar doorzeuren over de oefeningen en dat ze niet zo gebouwd was als een man, niet over dezelfde kracht en uithoudingsvermogen beschikte en meer van dat geouwehoer. Maar de waarheid was dat ze het gewoon niet aankon. Dat weerhield haar er echter niet van om een aanklacht wegens discriminatie tegen ons in te dienen, waarmee ze overigens geen poot aan de grond kreeg.

Maar jíj verlangde geen enkele speciale behandeling. Je sliep, at, douchte, en leefde samen met de jongens. Je loste je eigen problemen op, je viel me niet lastig met wat voor typische vrouwenproblemen dan ook, en bovendien volbracht je zo ongeveer alles waar ik je aan bloot heb gesteld. En dat zonder ook maar één keer te kankeren of er de brui aan te geven. Je hield je mond dicht en je oren open. Je hebt je uit de naad gewerkt.'

Haug spuwde opnieuw. 'Ik heb gehoord dat je een doctorsgraad hebt. Dat je in Harvard bent afgestudeerd in criminologie.'

Darby knikte.

'Ik heb nog nooit een doctor, of welke forensische techneut dan ook, zien doen wat ik jou daarginds heb zien doen. Hebben ze je zo in Harvard leren schieten?'

'Ik heb veel geoefend op de schietbaan.'

'Dat is te zien. Je hebt alle lijfwachten buiten gevecht gesteld, Flynn belet de helikopter te bereiken en de manier waarop je hem te grazen hebt genomen, was gewoon indrukwekkend. Weet je nog wat ik je heb gezegd over het afvuren van je wapen?'

'Op elke kogel staat de naam van een advocaat.'

'Precies. Aangenomen dat wat vanavond heeft plaatsgevonden een echte gijzeling was geweest, dan zou je daar bij Interne Zaken probleemloos mee zijn weggekomen, wat niet betekent dat je niet een of andere advocaat op je dak zou krijgen. Advocaten zijn niet geïnteresseerd in wat recht is of onrecht, of dat je je leven hebt geriskeerd. Waar bloed heeft gevloeid is geld te verdienen en deze advocaten storten zich op je en laten pas los als ze de laatste cent uit je hebben gezogen. Je bent nogal vlot met de trekker, dus je kunt dit feit maar beter in die dikke Ierse schedel van je in gedachten houden, gesnopen?'

'Gesnopen.'

'Wat mij betreft mag je elke dag van de week op mijn hachje letten, McCormick,' zei Haug terwijl hij de deur naar het kantoor voor haar openhield.

3

Darby deponeerde haar uitrusting en wapens op de onbemande balie en liep met rubberen benen naar de kleedkamer. Op een van de aan de vloer geschroefde banken, tussen de rijen grijsstalen lockers, zat Jack Cooper, haar collega van het lab. Onder de stof van zijn poloshirt bolden zijn getrainde rug- en schouderspieren op terwijl hij een beduimelde *Playboy* doorbladerde.

'Hang je altijd rond in mannenkleedkamers?' vroeg Darby, en ze knoopte haar kogelvrij vest los.

'Die instructeur van je, Sergeant IJzervreter, zei dat ik hier moest wachten,' antwoordde Coop, zonder uit het blad op te kijken. 'Gelukkig vond ik dit op de vloer om me bezig te houden. Heb jij het soms laten vallen?'

'Wat is er aan de hand?'

'Een of andere inbraak in een huis in Belham, jouw geboortestad. In Marshall Street. Een vrouw en haar tienerzoon, beiden vastgebonden op een keukenstoel. De vrouw is dood, de jongen ligt in het ziekenhuis.'

'Hoe heten ze?'

'Amy Hallcox. De naam van de jongen weet ik niet.'

Darby kende het gezin niet, maar Marshall Street lag op minder dan drie kilometer van de plek waar ze was opgegroeid. Ze herinnerde zich de buurt als een gebied met statige, in victoriaanse stijl gebouwde huizen, met grote gazons en bosrijk achterland, doorsneden met paden die naar de Salmon Brook Pond liepen. Ooit hadden er artsen en advocaten gewoond. Het werd, tenminste in de tijd van haar jeugd, als een van Belhams veiligste buurten beschouwd.

'Wie heeft de leiding?' vroeg Darby, terwijl ze op een bank ging zitten om de veters van haar laarzen los te maken.

'Een man die Pine heet.'

'Artie Pine?'

'Ja, dat is hem.' Coop keek op en staarde haar aan. Zijn ene oog was blauw, het andere donkergroen. 'Hoe ken je hem?'

'Artie en mijn vader zijn samen als politieagent begonnen. Toen werd hij rechercheur en is hij overgeplaatst. Naar Boston, meen ik...'

'Godallemachtig, wat stink je.'

'Ik heb daarbuiten drie dagen in deze hitte doorgebracht.'

'De meeste vrouwen die ik ken brengen hun vakantie aan het strand door. Samantha, bijvoorbeeld.'

'Wie is Samantha?' vroeg Darby, en ze gooide haar laarzen in een locker.

'Samantha James, Miss September.' Coop hield de opengeslagen middenpagina omhoog. 'Na haar dag te hebben doorgebracht met het redden van jonge hondjes en poesjes uit het asiel in haar geboortestad San Diego, relaxt ze aan het strand onder het genot van een biertje en een goed boek. Ik durf te wedden dat ze zich graag verdiept in de romantische literaire romans van Jane Austen.'

Darby lachte. 'Wat weet jij van Jane Austen?'

'Cheryl, dat kennisje van me, weet je wel? Die vrouw is helemaal weg van Jane Austen.'

'Dat is elke vrouw.'

'Kan zijn, maar zij leeft zich écht helemaal in. Soms voeren we samen wel eens een eh... toneelstukje op en dan laat ze me een pak aantrekken en doen alsof ik die Darcy ben uit die vreselijke film *Pride and Prejudice*.'

Darby stelde zich Colin Firth voor als Mr. Darcy en glimlachte.

'Mis ik iets?' vroeg Coop. 'Je krijgt diezelfde dromerige uitdrukking op je gezicht als Cheryl.'

'Je begrijpt het toch niet. Concentreer je maar weer op je blaadje.' Darby stond op en mikte haar opgepropte sokken in de wasmand.

'Mooi schot. Hoe staat het eigenlijk met die yup van je, die snelle bankjongen?'

'Tim zie ik niet meer,' zei ze, terwijl ze het vochtige T-shirt over haar hoofd trok.

'Hoe komt dat zo?'

'Ach, de gebruikelijke excuses. Ik ben te druk met mijn werk. Ik ben niet bereid me te binden. Ik ben...'

'Lesbisch?'

'Begint erop te lijken.'

'Is hij soms homo?'

'Natuurlijk niet, sufkop. Tim is een aardige vent, maar het klikt gewoon niet tussen ons. Moet je dit eens zien.' Darby pakte haar koppel en trok een klein mes tevoorschijn. 'Dan zit er ook nog scheermesdraad in, vakjes om spullen in te verbergen en...'

'Ik kan gewoon niet wachten tot je trouwt. Dat verlanglijstje van je moet wel héél bijzonder zijn.'

'Dit hoef ik alvast niet meer te kopen. Deze riem mag ik mee naar huis nemen.'

'Gefeliciteerd,' zei Coop, en hij verdiepte zich weer in zijn blaadje.

Darby trok haar broek uit en stond voor hem met alleen haar sportbeha en een sportbroekje aan. Ze voelde geen enkele gêne. Coop had haar talloze keren zo gezien. Ze fitnesten samen en liepen na het werk vaak hard in het park.

De afgelopen twee weken had ze geweigerd de vrouwenkleedkamer te gebruiken. Ze had zich in dit rustige hoekje verkleed, terwijl de mannen zich een stukje verder in dezelfde ruimte bevonden. Ze waren allemaal samen naakt naar de douches gelopen.

Deze macho's hadden nauwelijks enige aandacht aan haar besteed. Eventuele seksuele energie die ze in het begin mochten hebben gehad, werd al gauw verbruikt om 'The Yellow Brick Road' en alle andere lichamelijke martelingen waaraan Haug hen blootstelde, te kunnen overleven.

Ze sloeg een schone handdoek over haar schouders en bracht de bundel zweterige kleren naar de wasmand bij de gootsteen. Terwijl ze het elastiekje van haar paardenstaart lostrok, zag ze haar gezicht in de spiegel, waarbij haar blik werd getrokken naar het smalle, witte litteken dat zich door de camouflageverf boven haar kunstmatige jukbeen aftekende. Een implantaat had het bot vervangen dat door Travelers bijl was verbrijzeld.

Darby maakte een punt van de handdoek vochtig en begon de verf van haar gezicht te poetsen. Ze zag Coop naar haar staren en hun blikken ontmoetten elkaar in de spiegel.

'Mooie strakke buik,' zei hij.

Darby sloeg haar blik neer en kreeg een beklemd gevoel in haar keel. Niet vanwege het compliment, maar vanwege het opgelaten gevoel dat ze de laatste tijd wel vaker kreeg – de manier waarop Coops stem aan het eind van de dag in haar bleef naklinken. Soms betrapte ze zichzelf erop dat ze aan hem dacht wanneer ze alleen in haar flatje was. Coop was bijna familie, zeker sinds de dood van haar moeder. Darby vroeg zich af of dit nieuwe gevoel dat ze voor hem had misschien iets te maken kon hebben met het feit dat hij benaderd was

door een headhunter voor een nieuwe baan bij een bedrijf in Londen dat zich bezighield met de ontwikkeling van de nieuwste techniek op het gebied van vingerafdrukken – zijn specialisme.
'Nog wat gehoord uit Londen?' vroeg ze.
'Ze hebben hun aanbod verhoogd.'
'Accepteer je het?'
'Zeg het.'
'Wat?'
'Dat je me zult missen.'
'Iedereen zal je missen.'
'Maar jij zeker. Ik vertrek en jij zult jezelf opsluiten in dat dure flatje van je op Beacon Hill, waar je luisterend naar John Mayer je verdriet smoort in Ierse whisky.'
'Zeg dat nooit meer.'
'Dat je me zult missen?'
'Nee, dat ik naar John Mayer luister,' zei Darby en ze pakte een schone handdoek uit haar locker. 'Ik ga even snel douchen. Vijf minuten, oké?'
'Doe maar rustig aan, Dirty Harry.'

4

Voordat Darby in Belham aankwam, wilde ze een indruk van de plaats delict hebben. Terwijl ze Boston uit reed, probeerde ze meerdere malen Artie Pine te bereiken, maar elke keer kreeg ze zijn voicemail. Uiteindelijk sprak ze een boodschap in.

WBZ, Bostons 24-uurs radionieuwszender, kwam met *breaking news*. Het was een eerder opgenomen, twintig seconden durende nieuwsflits van een reporter ter plaatse die alleen maar vage details wist te melden. 'Een in Belham woonachtige vrouw en haar zoon waren het slachtoffer geworden van wat de politie omschreef als een amateuristische overval. De vrouw was ter plaatse dood aangetroffen, en de zoon was in kritieke omstandigheden naar het ziekenhuis in Belham overgebracht. De politie van Belham wilde de namen van de slachtoffers niet vrijgeven, maar een nauw bij het onderzoek betrokken zegsman omschreef het als "angstaanjagend en afschuwelijk, het ergste wat ik ooit heb gezien".' Hier eindigde het verslag, om plaats te maken voor het lokale weerbericht: nog meer regen en verstikkende luchtvochtigheid. De mensen lieten hun airconditioners de hele dag op volle kracht draaien, wat een zware belasting vormde voor het elektriciteitsnet. Een woordvoerder had het publiek gewaarschuwd voor meer stroomstoringen.

Een halfuur later draaide Darby met het busje van de forensische dienst, een donkerblauwe Ford Explorer, Marshall Street in. Op de trottoirs van de doodlopende straat verdrongen zich nieuwsgierige toeschouwers. Witte en blauwe zwaailichten reflecteerden op gezichten en ze staarde over de daken van de drie bij de ingang geparkeerde politieauto's naar het einde van de oprit, naar het grote, witte, in koloniale stijl gebouwde huis met een veranda eromheen en een aangebouwde garage voor drie auto's ernaast. Alleen de middelste deur was open.

Aan weerszijden van de voordeur van het huis hing een buitenlantaarn in antieke stijl. Dezelfde lampen sierden de garage. De oprit en een basketbalveldje werden van de achtertuin gescheiden door een minstens twee meter hoge houten omheining.

De oprit was met tape afgezet. Darby parkeerde haar auto tegen de stoeprand, stapte uit en pakte haar uitrustingskoffer uit de bagageruimte. Achter alle ramen aan de straatzijde was de zonwering neergelaten. Over het gemaaide gazon zag ze Coop lopen, die zijn uitrusting met zich meezeulde. Op de veranda bij de voordeur stond, gehuld in een witte Tyvek-overall, Michael Banville van de fotografische dienst, een beer van een vent, met een eeuwige stoppelbaard.

Darby knipte haar zaklamp aan en liep naar de rand van het grasveld om de oprit te bekijken. Bloederige voetstappen glinsterden in het felle licht. Bij een ervan plaatste ze een kegeltje om de plek te markeren.

'Doe geen moeite,' riep Banville vanaf de veranda. 'De technische ambulancedienst heeft de oprit, het voetpad en de treden van het bordes al voor zijn rekening genomen.'

Het moet daarbinnen een bloederige toestand zijn. Darby zette haar koffer op het gras en ging daarna, zorgvuldig lettend op waar ze liep, naar de garage.

Er stonden geen auto's, alleen een paar mountainbikes en een John Deere-grasmaaier. Donkere vlekken op de vloer. Motorolie, was haar eerste indruk, tot ze de lichtbundel van haar zaklamp verplaatste en de bloederige voetstappen zag. Twee afdrukken van een smalle schoen – te oordelen naar het profiel van de zool een sneaker of een sportschoen. Achter in de garage trof ze bloedsporen aan op de houten traptreden die naar een hoger gelegen deur voerden.

'Als de koningin verschijnt,' klonk een mannenstem aan de andere kant van de schutting, 'moeten we dan buigen en haar voeten kussen?'

'Als je een keertje goed naar haar kijkt, dan wil je wel meer dan haar voeten kussen,' antwoordde een andere man. 'Dan wil je je hoofd tussen haar dijen begraven en nooit meer ademhalen. Heb je haar wel eens van dichtbij gezien?'

'Ik heb haar een paar keer op het nieuws gezien,' zei de eerste man. 'Ze doet me denken aan die Engelse actrice waar ik altijd een stijve van krijg – die uit die *Underworld*-films, kom, hoe heet ze ook weer?'

'Kate Beckinsale.'

'Die, ja,' antwoordde de man, en hij knipte met zijn vingers. 'Die griet van McCormick lijkt als twee druppels water op haar, maar dan met dat prachtige donkerrode haar. Daar zou ik wel eens met mijn vingers door willen woelen als ze me op haar knieën een beurt geeft.'

Er klonk luid gelach.

Darby haalde haar schouders op. Ze had al snel begrepen dat een meerderheid van de mannen een vrouw alleen maar als een lustobject beschouwen, uitsluitend bedoeld om hun biologische behoeften te bevredigen. 'Doe je ding en dump ze', was het gezegde dat ze regelmatig op het bureau hoorde wanneer haar mannelijke collega's dachten dat ze veilig buiten gehoorsafstand was.

'Hé, mannen, luister even.'

Artie Pines stem klonk ouder, zwaarder en hees, geteisterd door te veel sigaren, te veel lange nachten en drank. De stem voerde haar terug naar de lange zondagmiddagen waarop haar vader altijd een barbecue had gehouden, tot hij een paar maanden voor haar dertiende verjaardag werd neergeschoten. Pine, een grote skippybal op pootjes, placht dan, gezeten in een tuinstoel sigaren te roken die haar vader stinkstokken noemde. Het waren goedkope, dunne sigaartjes die zo'n scherpe en doordringende stank verspreidden dat het als het donker werd de muggen op een afstand hield. Zo bracht Pine de hele dag in die stoel door, rokend en drinkend, waarbij hij verhalen opdiste die altijd eindigden in bulderend gelach van zijn publiek. En als hij een van de kinderen vroeg hem nog een biertje uit de koelkast te brengen, dan stak hij ze altijd een opgevouwen dollarbiljet toe.

'Jullie hebben het wél over de dochter van Big Red,' zei Pine. 'Als ze hier is, gedraag je dan een beetje.'

Darby knipte haar zaklamp uit en liep terug naar de voorkant van het huis. Aan de overkant van de straat schenen felle filmlampen. Een groepje mediamensen werd door de politie van Belham geplaatste dranghekken op afstand gehouden.

Coop stond op de veranda te praten met Banville. Darby bestudeerde de bloederige schoenafdrukken op het blauwstenen plaveisel van het voetpad. Ze verschilden van de andere afdrukken. Deze kwamen overeen met die op de oprit.

Darby liep naar ze toe. 'De schoenafdrukken op het voetpad en de oprit verschillen van het enkele paar dat ik in de garage heb aangetroffen,' zei ze toen ze zich bij hen had gevoegd.

'Ik ga ermee aan de slag,' zei Banville en hij pakte zijn fotoapparatuur. 'De hal en de keuken heb ik al gehad. Maar vergeet niet voor je daar binnen gaat zo'n fijn pak aan te trekken.'

'Geweldig,' zei Coop. 'Ik zweet me nu al te pletter.'

'En dan nóg iets,' zei Banville. 'De ramen aan de straatkant. Toen ik hier kwam, waren de jaloezieën en rolgordijnen daar al neergelaten. Maar bij de ramen aan de achterkant en de glazen schuifdeur in de woonkamer was alles omhoog. Zoiets noemen we een aanwijzing, Coop.'

'Goed om te weten.'

Darby haalde uit de auto een paar Tyvek-overalls. Toen ze er een aantrok lichtte een flitslicht op over haar schouders. Ze zette een veiligheidsbril op, liep terug over het gazon en duwde de voordeur open.

De hal zag eruit alsof er een aardbeving had plaatsgevonden. Alle foto's waren van de muren getrokken en kapot gegooid. Een antieke secretaire lag met opengetrokken laden op zijn kant. Vrijwel de hele tegelvloer was bezaaid met papieren, familiefoto's en glasscherven. Bloederige schoenafdrukken liepen van de hal naar de keuken en weer terug. De bruine granito aanrechten lagen vol met gebroken borden en versplinterd glaswerk. De keukenkastjes stonden wijd open, voor zover ze dat kon zien. Elke plank was leeggehaald.

Darby staarde Coop aan. 'Heeft Pine je hier iets over gezegd?'

Coop schudde zijn hoofd. 'Als hij dat had gedaan, dan zou ik de "wondertweeling" wel hebben laten opdraven. We redden dit nooit alleen, tenzij we de hele volgende week van 's morgens vroeg tot 's avonds laat willen werken.'

Darby ritste haar overall open, pakte haar telefoon en belde de operationele dienst om de hulp van Mark Alves en Randy Scott in te roepen. De eetkamer bevond zich rechts van de hal. Iets wat een porseleinkast leek te zijn en een dressoir lagen op hun kant. Alle laden waren eruit getrokken en de inhoud lag verspreid over een met versplinterd glas bedekt Perzisch tapijt.

'Laten we via de eetkamer gaan,' zei ze nadat ze had opgehangen. 'Dat lijkt me de meest logische route.'

Terwijl ze behoedzaam haar weg door de eetkamer zocht, rook ze cordiet, met vaag op de achtergrond bloed. Het was een penetrante, koperachtige geur waar haar ogen altijd van gingen tranen.

Een boogvormige ingang leidde naar de keuken. Links van haar bevond zich de woonkamer en daar ging ze eerst naar binnen. Op de vloer lag een omgegooide flatscreentelevisie met console. Vanaf een versplinterde glazen schuifdeur liepen modderige voetstappen over het beige tapijt. Op het hardhouten plankier buiten zag ze een paar van dezelfde modderige voetstappen en ze vroeg zich af of die misschien van een van de gealarmeerde agenten konden zijn.

Toen liep Darby via de boogvormige ingang links de keuken in.

Het eerste wat ze zag waren de vingers van de vrouw. De vingers die nog aan haar hand vastzaten, waren achterovergebogen en gebroken, zodat ze in de meest vreemde hoeken stonden. Haar polsen en onderarmen waren met breed plakband vastgebonden aan de armleuningen van de keukenstoel. Meer plakband was gebruikt om haar enkels vast te maken aan de stoelpoten. Haar keel was van oor tot oor opengesneden, zó diep dat ze bijna was onthoofd. Haar ogen waren dichtgeplakt en drie van haar afgehakte vingers waren in haar mond gepropt.

'Jezus,' zei Coop achter haar.

Ondanks de airconditioner begon Darby te zweten. Onder de stoel hadden zich grote plassen bloed gevormd die zich als vingers over de witte tegels uitspreidden. Een tweede stoel, met daarop stukken doorgesneden plakband, lag op zijn kant. Een van de repen fladderde in de koude luchtstroom van de ventilator.

Overal op de vloer waren bloederige voetstappen te zien. Twee helderrode bloedsporen liepen van de vloer via de gang naar de toegangsdeur van de garage. Een zwarte handtas lag open op de grond en de inhoud lag verspreid over de tegelvloer.

Elke vierkante centimeter van de keuken was grondig doorzocht. Elke la was opengetrokken, de deur van de koelkast stond open en de schappen waren schoongeveegd. Ook de vaatwasser en de ovendeur stonden open; de roosters waren eruit getrokken. Het keukeneiland was losgeschroefd en omgekeerd. De bloederige schoenafdrukken in de gang liepen zowel heen als terug. Iemand was meerdere malen tussen de keuken en de garage heen en weer gelopen.

Coop veegde met zijn arm over zijn voorhoofd. Zijn gezicht zag zo wit als een doek.

'Ga buiten even een frisse neus halen,' zei Darby terwijl ze naar de woonkamer liep. 'Ik ga even met Pine praten.'

Darby liet haar blik langs de met bloed bespatte witte muren gaan. Ze dwong haar blik weer naar de stoelen en ze vroeg zich af of deze zo waren geplaatst dat de vrouw haar zoon had kunnen zien.

5

Aan het gewelfde plafond van de woonkamer hingen twee draaiende ventilatoren. Iemand had met een mes de zwarte leren bank en de twee bijpassende fauteuils opengesneden. De bekleding was opengescheurd, waardoor veren en houtwerk zichtbaar waren. Elk kussen was opengereten. Witte katoenen vulling en schuimrubber waren als een dunne deken witte sneeuw neergedwarreld over het omvergegooide meubilair en de kapot gesmeten fotolijstjes.

Bloeddruppels op het beige tapijt. Glasscherven staken als haaientanden uit de vloerbedekking omhoog en uit de zijkanten van de glazen schuifdeur die naar het plankier leidde.

Darby vond de schakelaar van de tuinverlichting en ze bekeek opnieuw de modderige voetstappen op het plankier en de trap. Over de rechtertrapleuning liep een bloederige veeg, alsof iemand zich daaraan had vastgeklemd.

Darby trok aan de hendel van de schuifdeur. Op slot. In de geleidingsrail op de vloer zat een vergrendelingspen om inbraak te voorkomen. De enige manier om via de deur binnen te komen, was door het glas te breken.

Binnen, op het tapijt, lag veel glas, maar op het plankier buiten lag vrijwel niets. Ze keek naar de andere kant van de woonkamer. In het stucwerk van de kale witte muren zaten twee gaten, van het soort dat door kogels wordt veroorzaakt.

Iemand had staande op het plankier op de deur gevuurd; wat het versplinterde glas op het tapijt verklaarde. Vervolgens was de schutter het huis binnengedrongen, om daarna... de slachtoffers te knevelen? Onwaarschijnlijk. Er was een melding geweest van iemand die geweerschoten had gehoord. Een enkele schutter zou nooit in zijn eentje hebben kunnen schieten, om daarna de slachtoffers te bedwingen en de vrouw te martelen. Dat zou veel te lang hebben geduurd.

De volgende twintig minuten doorzocht Darby de woonkamer, op zoek naar een kogelhuls. Niets te vinden. Ze onderzocht de keukenvloer. Zonder succes. Had de schutter de tijd genomen om de hulzen mee te nemen?

Ze verwijderde de vergrendelingspen, opende de tuindeur en stapte het plankier op. De zonweringen waren niet neergelaten, wat ook niet nodig was want hier aan de achterkant waren geen huizen, alleen maar een grote tuin met een zwembad en een schuur en, achter het hek, het bos dat doorliep tot Salmon Brook Pond.

Pine stond met twee politieagenten vlak bij het hek dat de afscheiding vormde tussen de achtertuin en de oprit. Hoewel hij langer was dan ze zich herinnerde, was zijn lichaam nog steeds een combinatie van vet en spieren, zoals bij een rugbyspeler op zijn retour. De haren die zijn inmiddels kale schedel omringden, waren gemillimeterd.

Ze hielden alle drie een telefoontje tegen hun oor gedrukt. Pine had haar niet in de gaten, maar de lange, bleke agent met het gemillimeterde haar zag haar wel en hij staarde naar haar terwijl ze het plankier onderzocht.

Behoedzaam liep Darby dicht langs de schone trapleuning de trap af, maar bleef uit de buurt van het bloed en de modderige voetstappen. Af en toe stond ze stil om een markeerpijltje te plaatsen. Nadat ze de achtertuin had bereikt, draaide ze zich om. Toen ze het licht van haar zaklamp over het grind onder het plankier liet schijnen, zag ze een metaalachtige schittering. Darby bukte zich onder het plankier. Naast een lege patroonhuls zag ze een markeerkegeltje staan; Banville had hem al gefotografeerd. Ze stak haar balpen in de lege huls en bekeek de onderkant. In de metalen rand rond het slaghoedje stond de codering '44 REM MAG' gestanst.

Een Remington Magnum-patroon. Kaliber .44. Een enkel schot was genoeg om een beer te vellen.

Darby legde de huls voorzichtig weer terug op het grind en doorzocht de directe omgeving van het plankier. Ze vond geen andere hulzen.

Ze liep terug naar de trap en liet haar zaklamp over het door de zon vergeelde gras en de grote plassen modderig regenwater glijden.

Daar, zo'n vijf meter van de trap, zag ze bloed op het gras.

Vanuit haar ooghoek zag ze Pine en de twee agenten op haar afkomen.

'Jongens,' zei Pine, 'mag ik jullie voorstellen aan...'

'Blijf waar je bent,' zei Darby. Ze plaatste een markeerpijltje en vervolgde haar zoektocht, waarbij ze dacht aan de sleepsporen in de keuken en de gang; twee parallel lopende lijnen die veroorzaakt kunnen worden wanneer een lichaam versleept wordt. Bloedsporen liepen via de garagetrap door de garage en hielden daar opeens op. Was het lichaam in een voertuig getild?

De jongen was naar het ziekenhuis vervoerd en de moeder bevond zich in het huis. Was er een derde slachtoffer?

De bloeddruppels op het gras hielden op bij een poort. Die bleek niet op slot. Toen ze het hek langzaam openduwde, zag ze op het hout de bloederige afdruk van een hand.

In het bos liepen voetafdrukken omhoog tegen een met dode bladeren en dennennaalden bedekte steile helling.

'Zet een paar pluchen oren op en je lijkt net de paashaas,' zei Pine.

Ze draaide zich om. Hij stond vlak achter haar. De onderkant van de mouwen van zijn witte overhemd waren donker van het zweet. Hij rook naar sigarenrook.

'Hoelang is het nu alweer geleden dat ik je voor het laatst heb gezien? Een jaar of drie?'

'Dat was op de begrafenis van mijn moeder,' antwoordde Darby. 'Hoe is het met de jongen? Ik hoorde dat hij in het ziekenhuis ligt.'

'Lichamelijk is hij in orde, maar hij verkeert in een soort shocktoestand. Toen een poliarts hem een kalmeringsmiddel wilde toedienen, sloeg hij helemaal op tilt. We hebben hem even de tijd gegeven om een beetje tot rust te komen. Een paar van mijn mensen bewaken zijn kamer in het St. Joe, zodat er iemand is als hij wil praten.'

Het St. Jozef was Belhams grootste ziekenhuis. 'Op het nieuws zeiden ze dat hij in het Mass. General lag.'

'Klopt,' zei Pine met een fonkeling in zijn waakzame ogen. 'Dat was bedoeld om de persmuskieten richting Boston te sturen. De meeste zijn erin getrapt, maar een aantal van hen heeft, zoals je ongetwijfeld bij je komst hebt gezien, hiertegenover zijn tenten opgeslagen.'

Slimme zet, Artie. 'Hoe heet de jongen?'

'John Hallcox. De moeder heet Amy Hallcox – we vonden haar rijbewijs van Vermont in haar handtas. Volgens de buren zijn zij en haar zoon hier ongeveer een week geleden aangekomen. Zijn naam kenden ze niet. Ze waren nogal op zichzelf. Sommige van de buren hebben hem wel eens kort bij het huis zien rondscharrelen, maar meestal bleven ze binnen. De vrouw reed in een rode Honda Accord. Ik heb het kenteken via alle radiostations laten verspreiden, maar tot dusver heeft niemand iets gezien. Heb je de sleepsporen in de gang naar de keuken gezien?'

Darby knikte.

'Volgens mij heeft iemand een lichaam naar een auto gesleept en is toen weggereden,' zei Pine. 'Voor zover we nu weten, waren alleen de vrouw en haar kind hier. Over deze derde persoon is ons niets bekend.'

'Het huis staat op naam van een zekere Martin en Elaine Wexler, een ouder echtpaar. De man is een gepensioneerd arts. Hij moet goed hebben geboerd, want ons is verteld dat ze momenteel ergens in Zuid-Frankrijk op vakantie zijn. We proberen achter hun verblijfplaats te komen.'

Darby knipte haar zaklamp uit. 'Waarom heb je de operationele dienst niets verteld over de omvang van de schade hier? Dan had ik hier voor ik aankwam meer mensen aan het werk gehad.'

'Ik heb niet zelf gebeld. Maar maak je geen zorgen, ik weet wie het was. Ik zal hem laten vervangen. Sorry dat ik je telefoontje niet kon aannemen. Het was hier een gekkenhuis.'

Darby voelde de drukkende avondhitte en de vermoeidheid op haar lichaam inwerken en tegen de achterkant van haar schedel kloppen. Ze wilde het beetje energie dat ze nog had niet verspillen aan een nodeloze discussie.

'Het bos heb ik al gehad,' zei Pine. Hij wees naar zijn modderige schoenen en broekspijpen. 'Daar hoef je niet meer heen. Maak je geen zorgen, ik heb niets verstoord. Ik ben de voetsporen helemaal tot aan Blakely Road gevolgd, daar hielden ze op. Degene die daar heeft gelopen, is allang verdwenen.'

Darby vroeg zich af of het voertuig op de weg of in de berm geparkeerd had gestaan en besloot daar later naar bandensporen te zoeken.

'Ik neem aan dat je al in het huis bent geweest.'

'Nou en of,' antwoordde Pine. 'Wat ik daarbinnen heb aangetroffen zal ik niet licht vergeten.'

'Wie is daar nog meer binnen geweest, behalve jij?'

'Alleen Quigly en Peters, de twee opgeroepen agenten. Daar staan ze, in de hoek. Ik heb ze even hier gehouden voor het geval je nog vragen had.'

'Hebben ze het hele huis doorzocht?'

'Dat is hun werk.'

Dat wist ze, maar het beviel haar niet. Stel dat iemand per ongeluk een belangrijke aanwijzing onder een schoenzool mee naar buiten had genomen en daar weer was verloren?

'Zijn die modderige schoenafdrukken op de trap van hen afkomstig?'

'Laten we het ze gaan vragen.'

'Ik kom er zo aan.' Darby knipte haar zaklantaarn aan en liep terug naar de poort. Ze hoorde hoe Pine moeizaam ademend en schommelend wegliep.

Aan de rand van het bos zag ze vlak achter het hek twee hopen droog gras. Muggen dansten rond haar oren en in het licht van haar zaklamp.

Terwijl ze naar de helling liep bedacht ze hoezeer ze dit bos haatte. Vijf jaar geleden had ze de begraven overblijfselen van een vrouw gevonden, opnieuw een slachtoffer van Daniël Boyle en van... die andere... Traveler, Boyles leermeester en medemoordenaar. Veel van hun slachtoffers, vrouwen, mannen, kinderen, en haar jeugdvriendin Melanie Cruz, waren nooit gevonden en moesten hier nog steeds ergens begraven liggen.

Darby bleef staan en luisterde. Ergens in de duisternis voor haar klonk de ringtone van een mobiele telefoon.

6

Darby rende de heuvel op. Haar laarzen zakten diep weg in de drassige bodem en het licht van haar zaklantaarn zwiepte heen en weer door het donker. Snel en zonder veel inspanning kwam ze boven, waar de helling afvlakte in een glooiend, hobbelig terrein, bezaaid met half uit de grond stekende rotsblokken en afgebroken boomtakken. Het mobieltje ging opnieuw over, een zacht klingelend geluid dat haar aan een windgong deed denken. Het kwam van ergens recht voor haar.

Ze haastte zich, bukkend voor laaghangende boomtakken. Dode takken knapten en kraakten onder haar laarzen.

Voor de derde keer klonk het geluid. Nu van erg dichtbij.

Daar, op zo'n tien meter recht voor haar, zag ze een in het donker oplichtend vierkantje. Ze richtte haar zaklantaarn erop. Afgaande op de vorm en afmetingen leek het een BlackBerry. Ze tastte in haar achterzak naar een bewijszakje.

Ergens in het donker voor haar knapten takken. Ze bewoog het licht van haar zaklantaarn langs de bomen in de richting van het geluid, en een volgende steile helling die verder omhoog voerde.

Een man, van top tot teen gekleed in het zwart, wierp iets in de lucht. Voordat hij achter een boom wegdook, zag ze nog net de nachtkijker die hij om zijn kaalgeschoren schedel droeg en de gehandschoende hand waarmee hij een machinepistool omklemd hield tegen een met handgranaten behangen kogelvrij vest.

Darby liet haar zaklantaarn vallen en begon te rennen, wetend wat er ging komen. *Wat je ook doet, draai je niet om, draai je niet...*

Een explosie, gevolgd door een verblindend licht, lichtte het bos fel op. *Flitsgranaat,* dacht ze, en ze zocht dekking achter een boom.

Het licht doofde. Ze trok haar overall uit. Met witte kleding aan kon ze zich nergens verschuilen en in een overall kon ze niet rennen.

Vanuit de achtertuin klonken stemmen, dichterbij kraakte dood hout en gestalten renden langs bladeren en takken. *Hoeveel mensen zijn hier eigenlijk?*

Darby knipte het laserlicht van haar SIG aan en draaide zich met een snelle beweging achter de boom vandaan. Tussen bladeren en boomtakken door zag ze twee mannen een lichaam tegen de helling op slepen. Twee blanke mannen, gekleed in een pak. Ook het lichaam droeg een kostuum. Ook hij was een blanke man. Zijn witte overhemd was doordrenkt van het bloed. Terwijl hij werd versleept, sleepte een in een blauwe latex handschoen gestoken hand over de grond.

'Staan blijven, politie!'

In de boombast boven haar hoofd sloeg een salvo uit een automatisch wapen in, gedempt door een geluiddemper.

Darby liet zich op haar knieën vallen en drukte haar lichaam zo dicht mogelijk tegen de boomstronk. Stemmen schreeuwden: 'Ga liggen en zoek dekking!' Ze meende Pines stem te herkennen. Ze draaide naar de andere kant van de boom en hield haar wapen in de aanslag.

Zaklantaarns flitsten heen en weer door de duisternis en tussen de bomen op de eerste helling zag ze dikke wolken grijze en witte rook hangen. De man die de flitsgranaat had geworpen, die met het kaalgeschoren hoofd en de nachtkijker, was uit zijn schuilplaats gekomen en stond vlak bij de plek waar ze het mobieltje had gevonden. Hij wierp nog een granaat, deze keer in de richting van de achtertuin. Darby draaide zich om, sloot haar ogen en wachtte.

Opnieuw was er ergens boven haar een inslag. Toen de explosie klonk, opende ze haar ogen en rende onder dekking van de bomen in de richting van de kale man, die naar het leek een tweede helling op rende en toen uit het zicht verdween.

Darby zette de achtervolging in. De week ervoor had ze in de verstikkende hitte met een zak vol zand op haar rug gerend. Die hoefde ze nu niet mee te zeulen. Zelfs in de modder liep ze snel en soepel.

De man had een grote voorsprong. Dat gat zou ze nooit kunnen dichten. Net toen ze overwoog te blijven staan om te schieten, verloor ze hem uit het oog.

Ze hoorde een autoportier dichtslaan, gevolgd door het gierende geluid van slippende autobanden. Toen ze eenmaal de top had bereikt, zag ze alleen nog maar de rode achterlichten van de auto, die in de duisternis verdween. In de verte hoorde ze het gejank van politiesirenes. Iemand moest per mobilofoon hulp hebben ingeroepen en het leek erop dat de alarmcentrale meerdere teams had gestuurd.

Maar hoe geïmponeerd ze ook was door de snelle reactie, het zou weinig helpen. Blakely Road, wist ze, sloot aan op Route 135. Vandaar kon de auto snelweg Route 1 nemen en zo verdwijnen.

En wat erger was, ze kon niet eens een beschrijving geven. Ze had noch de auto noch het kenteken gezien. En wat de mannen betrof; het enige wat ze met zekerheid kon zeggen, was dat het drie blanke mannen betrof. Wacht, het waren er vier. Het lichaam was ook van een blanke man geweest.

Darby stak haar pistool weer in de holster en liep met slappe benen van de wegstromende adrenaline de helling af. Tientallen zaklantaarns zwaaiden heen en weer in de dichte nevel van grijze en witte rook die tussen de bomen hing. Overal hoorde ze mannen hoesten.

Ze bracht haar handen naar haar mond en riep: 'Blijf waar je bent. Ik herhaal, blijf waar je bent!'

Een groepje agenten rende met getrokken wapen op haar af. Hun ogen waren rood en betraand van de rook. Hoestend probeerden ze hun armen stil te houden.

Toen een van de mannen de goudkleurige badge aan haar riem en het plastic identificatieplaatje om haar nek zag, gebaarde hij naar de anderen dat ze hun wapen moesten laten zakken.

'Is rechercheur Pine daar ergens?' vroeg Darby hen.

De lange, hij had een kuiltje in zijn kin, knikte en wreef in zijn ogen, die hij nauwelijks kon openhouden.

'Zoek hem en meld dat de schutters zijn verdwenen,' zei Darby. 'Zeg hem dat hij me voor het huis kan vinden en dat hij iedereen als de donder terughaalt uit het bos tot de rook is weggetrokken. Waarschuw een ambulance en laat ze veel zuurstof meenemen. Aan de slag... wacht, jij daar,' zei ze, en ze greep een kleine, dikke agent bij zijn mollige arm. 'Ik heb even je zaklamp nodig.'

Hij gaf haar zijn lamp en strompelde toen kokhalzend weg.

Het kostte haar enkele minuten om de plek terug te vinden waar ze voor het eerst de man had gezien die de flitsgranaat had gegooid. De dicht op elkaar staande bomen maakten de plek tot een ideale schuilplaats en uitkijkpost. Van hieruit kon ze de achtertuin zien.

Haar ogen begonnen te tranen en haar keel brandde toen ze met haar zaklantaarn over de grond scheen. Ze zag veel voetafdrukken – geen enkele bruikbaar – en een aluminium doordrukstrip.

Bukkend voor de boomtakken, bewoog ze zich over de zachte, met dennennaalden en bladeren bedekte grond. Ze plaatste een markeerpijltje naast de doordrukstrip. Ze hoorde stemmen roepen om het bos te verlaten. Een ervan bleef haar naam roepen.

'Coop, Coop, ik ben oké. Ik zie je zo in de achtertuin!' Ze liep terug naar de helling en zag dat de meeste zaklampen waren gedoofd. De enkele die nog aan waren, bewogen zich in de richting van het huis.

Een agent, steunend op handen en knieën, hapte hijgend naar adem. Darby hielp hem opstaan en hij sloeg zijn arm om haar schouder. Ze pakte het laatste markeerpijltje uit haar zak en volgde toen langzaam haar voetstappen terug naar de plek waar ze het mobieltje had gezien. Het was verdwenen.

7

Een uur later liep Darby naar de hoek van de achtertuin waar Pine water uit een tuinslang over zijn gezicht liet stromen. Hij had te veel rook ingeademd en ze kon hem boven het gespetter van het water op de stenen van het tuinpad moeizaam horen ademen. Zijn kleren waren al doorweekt en zaten onder de modder.

Coop was ook in de tuin. Hij stond bij Michael Banville en keek toe hoe de fotograaf een serie foto's van de achterpoort maakte. Coop had geen enkele reden om de fotograaf op zijn vingers te kijken, maar Darby kende de ware reden: door te doen alsof hij druk bezig was, kon hij haar ondertussen in het oog houden. Zowel Coop als de fotograaf droeg een gezichtsmasker en een veiligheidsbril. Grijze en witte rookwolken dreven vanuit het bos de achtertuin in. Op de terugweg had ze een granaat gezien die nog steeds sissend rook uitbraakte. Deze granaten hadden een lange brandtijd. Het zou nog minstens een uur duren voordat iemand weer het bos in kon gaan.

Als door een wonder had geen van de agenten tijdens de bestorming van het bos de bloederige handafdruk verstoord – wat niet gezegd kon worden van het bloed dat ze op het gras had gevonden. Het markeerpijltje was vertrapt.

Slechts één agent was tijdens de schermutselingen behoorlijk gewond geraakt. Een flitsgranaat was vlak bij zijn hoofd geëxplodeerd.

'Jezus, dat spul brandt,' zei Pine. 'Wat is het?'

'Hexachlorethaan. Het is een chemisch product dat wordt gebruikt in rookgranaten. Blijf je ogen spoelen.'

'Het lijkt wel of mijn longen in brand staan.'

'Je kunt beter even bij de ambulance wat zuurstof gaan halen.'

'Zo dadelijk,' antwoordde Pine, en hij gooide weer stromend water in zijn gezicht. 'Iets explodeerde vlak voor me. Er was een fel licht en toen zag ik niets meer.'

'Dat was een flitsgranaat. Die veroorzaakt tijdelijke blindheid.'

'Hoe komt het dat jij zoveel van dat spul weet?'
'Door mijn SWAT-training.'
Pine dronk van de slang, pijnlijk slikkend.
'De man die je zag, droeg die een nachtbril?'
'Een nachtkijker,' antwoordde Darby.
'Wat dan ook. Heb je hem goed kunnen zien?'
'Nee, ik ving maar een glimp van hem op voordat hij wegdook achter een boom. Zwarte kleding, zwarte handschoenen en een kogelvrij vest met daaraan granaten.'
'Is er een mogelijkheid om na te gaan waar ze vandaan komen?'
'Flitsgranaten exploderen bij impact. Als we genoeg fragmenten kunnen vinden, kunnen we misschien een serie- of een typenummer achterhalen. En wat de rookgranaten betreft, we kunnen de nummers aan de fabrikant geven en vragen waar ze zijn verkocht. Misschien zijn ze uit een wapendepot gestolen bij een politiebureau of een legerbasis.'
'Je klinkt niet al te zeker.'
'Je kunt ze op de zwarte markt kopen. Ga naar een willekeurige wapenbeurs in het Zuiden, en je vindt ze te kust en te keur. Kerels die in het weekend soldaatje spelen, verzamelen ze. We zullen de nummers laten nagaan, maar waarschijnlijk levert het niets op. De man met de nachtkijker is te slim om bewijsmateriaal achter te laten.'
'Hoe weet je dat hij zo slim is en niet een of andere amateur-Rambo?'
'Hij was goed voorbereid.'
'Op wat? Een schietpartij in het bos?'
'Hij was voorbereid op een gevecht, Artie. Hoe laat kwam de 911-melding binnen?'
'Om twintig over tien.'
'En hoe laat arriveerden de eerste agenten?'
'Om tien uur drieëndertig. Er was een patrouillewagen in de buurt.'
'Hebben de agenten het bos doorzocht?'
Pine schudde zijn hoofd onder de waterstraal. 'Ik ben als enige daar gaan kijken.'
'Hoe laat was dat?'
Pine dacht even na. 'Zo rond kwart over elf, zou ik zeggen.'
'Dus er zit ongeveer een uur tussen de 911-melding en het ogenblik dat je het bos in ging,' zei Darby. 'Als die mannen daar op dat moment waren geweest om het huis in de gaten te houden, dan zouden ze ruimschoots de tijd hebben gehad om het lichaam weg te slepen.'

'Maar je hebt het zelf gezien.'

'Zijn hemd zat onder het bloed. Als deze persoon getroffen is door een van die Magnum-patronen, dan heb je het wel over veel bloedverlies in een korte tijd. Hij kan tijdens zijn vlucht door het bos zijn leeggebloed.'

'Waar zijn kameraden hem op de een of andere manier hebben gevonden.'

'Wat me brengt bij de mogelijkheid dat hij het was die de melding heeft gedaan voordat hij buiten kennis raakte,' zei Darby.

Pine gooide de tuinslang neer, draaide de kraan dicht en tastte in zijn zak.

'Dus jij denkt dat die gasten hier op hetzelfde moment zijn gearriveerd als jij?' vroeg hij, terwijl hij zijn gezicht met een zakdoek droogde.

'Ze waren in het bos terwijl wij stonden te praten bij de achterpoort. Volgens mij wachtten ze tot we weggingen, om daarna het lichaam te gaan halen. Waren ze eerder begonnen, dan had dat te veel lawaai gemaakt en zouden we ze hebben gehoord.'

'Toen ik door het bos liep, heb ik daar geen lichaam gezien. Er was daar niemand.'

'Misschien heeft de man met het bebloede hemd wel een plek gevonden om zich te verbergen. Ik geloof niet dat de anderen daar waren op het moment dat jij daar was. Die man met de nachtkijker, weet je nog? Ik ben er zeker van dat de pistoolmitrailleur die hij droeg een Heckler & Koch MP6 was – met viziertelescoop. Als hij daar op hetzelfde tijdstip was geweest als jij, dan had hij je gemakkelijk met een schot door het hoofd kunnen uitschakelen. Het was zijn bedoeling om uit zijn schuilplaats te komen, het mobieltje te pakken en dan te vertrekken. Niemand zou iets gemerkt hebben.'

'Wil je daarmee zeggen dat al die heisa ging om een vervloekte telefoon?'

'Hij is verdwenen, toch?'

Pine gaf geen antwoord. Zijn ogen waren rood en gezwollen, zijn gezicht was bleek.

'Een mobieltje is een uiterst belangrijk bewijsstuk. Het registreert in- en uitgaande gesprekken en soms bevat het zelfs een adressenlijst met allerlei contacten. Wie weet wat we zouden hebben gevonden? De man met de nachtkijker vond het kennelijk belangrijk genoeg om ervoor te zorgen dat ik het niet in handen kreeg. Hij kwam uit zijn schuilplaats om me op een flitsgranaat te trakteren. Daarna schermde hij met gasgranaten en kogels het bos af om iedereen op afstand te houden.'

'Wat heb je gevonden?' vroeg Pine, en hij wees op het plastic bewijszakje in haar hand.

'Een doordrukstrip voor nicotinekauwgum. De man met de nachtkijker is kennelijk nogal bezorgd om zijn gezondheid op lange termijn. Dat zou jij ook moeten zijn. Je staat nogal onvast op je benen.'

'Ik heb niet meer zo gerend sinds... nou ja, sinds lang geleden.'

'Laat me je naar de ambulance helpen.'

'Het lukt wel.' Pine opende de poort en staarde naar een caleidoscoop van rode, blauwe en witte knipperlichten.

'Artie, is de FBI hier voor jou?'

'In verband met wat?'

'Nou, in verband met een of andere lopende zaak in Belham, een surveillance, of zoiets.'

'Nee.' Arties mond zakte open en op zijn voorhoofd verschenen denkrimpels.

'Wacht eens even, je wilt toch niet beweren dat de FBI betrokken is bij wat hier vanavond is gebeurd?'

'Ik noem alleen maar een mogelijkheid. Die kerels die dat lichaam wegsleepten, droegen pakken. En de man met de nachtkijker droeg een kogelvrij vest met flits- en rookgranaten en het machinepistool dat hij had wordt door de Bijzondere Bijstandseenheid gebruikt. Hij was beslist geen amateur. Hij wist precies wat hij deed.'

'Je beweert daar nogal wat.'

'Misschien, maar hij had me daar gemakkelijk kunnen uitschakelen. Daar had hij ruimschoots de kans toe voor ik bij dat telefoontje kon komen. Volgens mij schoot hij opzettelijk in de boom boven mij. Hij wilde me niet doden, alleen maar daar vastpinnen tot hij het telefoontje had. Heb je de modderige voetstappen op het plankier gezien?'

Pine knikte en depte zijn ogen met zijn zakdoek. 'Ik heb de jongens van de patrouilledienst gesproken. Ze zijn niet van hen.'

'Ze zijn ook te vinden op het tapijt in de woonkamer, vlak voor de glazen schuifdeur. Ik denk dat iemand door de achtertuin naar het huis is gerend, waarbij moddersporen op de traptreden zijn achtergebleven. Daarna heeft hij de glazen schuifdeur kapot geschoten om in het huis te komen. In de tegenoverliggende muur heb ik twee gaten gevonden. Wie zou zich schietend toegang tot een huis willen verschaffen?'

'De persoon die de vrouw heeft gemarteld en vermoord.'

'Iemand kan in zijn eentje nooit twee mensen overmeesteren en vervolgens een heel huis doorzoeken. En zeker niet een huis als dit. Daarvoor moet je minstens met z'n tweeën zijn, en ze zouden zich zeker geen weg naar binnen hebben geschoten. Ze moesten een manier vinden om geruisloos binnen te komen, zonder te worden opgemerkt. Ze hadden tijd nodig om de moeder en de zoon te overmeesteren en het huis te doorzoeken. Je een weg naar binnen schieten is niet bepaald geruisloos of onopvallend. Dat is meer iets voor een reddingspoging, denk je niet?'

Pine liet nadenkend zijn tong over zijn tanden glijden.

'Ik zeg alleen maar dat ik de FBI niet zou willen uitsluiten,' zei Darby. 'We moeten elke mogelijkheid bekijken.'

'Ik zal eens rondvragen.'

En anders ik wel, dacht Darby.

8

Met een van de schone handdoeken die Darby achter in haar forensisch busje had liggen, veegde ze de modder van haar gezicht, armen en handen. De zwoele nachtlucht rook naar uitlaatgassen en haar kleren roken naar cordiet. Waar ze ook keek, overal zag ze gezichten oplichten in zwaailichten van hulpdiensten; gezichten achter televisiecamera's, achter in flitslicht exploderende fotocamera's. In een kakofonie van krakende mobilofoons en een spervuur van ratelende fotocamera's klonken stemmen. Het vrat aan haar zenuwen die toch al gespannen waren. Te veel gedoe, te veel lawaai, te veel mensen op straat, te dichtbij. Ze zou willen dat iedereen opdonderde. Ze snakte naar een koude douche en een fikse borrel. Ze wilde even alleen zijn om haar geest wat rust te gunnen voordat ze het huis weer binnenging.

Maar dat zou niet gebeuren. Het was tijd om het huis aan een grondig onderzoek te onderwerpen.

Darby veegde de laatste modder van haar laarzen. Ze gooide de handdoek op de vloer in het busje en trok een schone overall aan. Uit de bergruimte pakte ze de nieuwe Canon-spiegelreflexcamera waarmee een digitaal negatief kon worden gemaakt, een RAW-bestand dat niet kon worden gemanipuleerd. Teruglopend over het gazon, stopte ze haar haren onder de capuchon. In de verte rommelde de donder. Ze hoopte dat de wondertweeling er zou zijn voordat het ging regenen. Ze moesten zo snel mogelijk het bos in. Ze kon niet wachten. Ze trok een paar latex handschoenen aan, stapte de hal in en bekeek de muren. Geen kogelgaten. Daarna inspecteerde ze de eetkamer en de keuken. Ook daar geen kogelgaten.

Coop keek op van zijn klembord.

'Ik ben boven,' zei ze.

Coop knikte en ging verder met zijn notities en maakte geen aanstalten om haar te volgen. Ze werkten nu al zo lang samen dat hij wist dat ze er de voorkeur aan gaf om eerst in haar eentje een indruk van een plaats delict te krijgen, zonder dat iemand over haar schouders meekeek, notities maakte en voortdurend vragen stelde.

Darby stond alleen op de overloop van de eerste verdieping. De ventilator boven haar blies een koele luchtstroom langs haar heen. Haar vochtige kleren plakten aan haar huid. Ze bleef maar transpireren.

Vijf deuren. Elke deur stond open. In elke kamer brandde licht. Kledingstukken waren in de hal gegooid. Toiletspullen, een tube haargel, haarlak, tampons en pillen, lagen verspreid over de lichteiken vloer voor haar.

Toen ze in de badkamer keek, zag ze een medicijnkastje waarvan de deurtjes openstonden en de schappen waren leeggehaald. In de badkuip lagen flacons van mondwater, shampoo en pillenpotjes. Alles was leeggegooid en onderzocht. In het toilet dreven twee medicijnflesjes.

Ze zijn op zoek geweest naar iets kleins. Een sleutel, misschien.

De kleine kamer aan de overkant van de gang had kamerbreed tapijt en was als kantoorruimte ingericht. De zonwering was neergelaten, het bureau lag op zijn kant en de kastplanken waren schoongeveegd. Elke vierkante centimeter was nauwgezet doorzocht.

Had de inbraak al plaatsgevonden voordat de moeder en de zoon waren gearriveerd? En hadden ze daarna, gefrustreerd omdat ze niet gevonden hadden wat ze zochten, de moeder gemarteld om haar aan de praat te krijgen?

Haar vingers achterovergebogen tot ze braken?

Zeg ons waar het is.

Haar vingers een voor een afgesneden.

Zeg ons waar het is.

Had ze het verteld? Had ze iets geweten?

Darby liep naar de twee kamers aan het einde van de gang.

In de eerste kamer, die hoog en smal was, stonden alleen maar een stoel en een naaimachine. De zonweringen waren neergelaten.

In de tweede kamer was het matras van een kingsize bed gesleept, met een mes opengesneden en doorzocht. Geen zonwering voor de ramen; ze kon zien dat leden van de fotografische dienst nog steeds bezig waren met het fotograferen van de achterpoort. Er lagen kleren op de vloer; het soort kleren dat een puberjongen draagt – T-shirts van Abercrombie & Fitch, spijkerbroeken, sportbroekjes, sneakers en teenslippers. Onder een omgegooid nachtkastje vond ze een lege rode weekendtas.

Darby nam foto's en liep toen door de gang naar de grote slaapkamer, die tot haar verbazing vrijwel geheel op orde was. Aan de muur tegenover een kingsize bed hing een grote flatscreentelevisie. De dubbele kersenrood gebeitste ladekast was niet omgegooid of doorzocht en de laden waren ongemoeid gelaten. Net als bij alle andere kamers met ramen aan de straatkant was de zonwering neergelaten.

Het enige wat doorzocht was, was een koffer op een leren voetenbankje. Er zaten kleren in; een paar kledingstukken waren in een leren clubfauteuil in de hoek gegooid.

Waren ze bij het zoeken gestoord? Had daar iemand gestaan toen de geweerschoten hadden geklonken?

Tussen de metalen tanden van een ritssluiting vond Darby een blauw stukje latex. In gedachten zag ze de dode man in het bos, met de latex handschoenen aan zijn handen.

Heb je deze koffer aangeraakt?

Ze stelde zich voor hoe hij daar met zijn gehandschoende handen elke zak doorzocht toen het eerste schot had geklonken. Ze zag hem naar de schouderholster onder zijn jasje grijpen. Ze zag hem de trap af rennen en zich naar de keuken haasten om daar te zien... om wát te zien?

Wat heb je gezien?

Darby wreef over de brug van haar neus, sloot haar ogen en probeerde zich te concentreren op de gezichtsloze man die deze koffer had aangeraakt. Beelden van wat in het bos was gebeurd – flitsgranaten die exploderen in verblindend wit licht, de man met de nachtkijker, twee mannen die een lichaam tegen de helling op slepen naar de wachtende auto. De dode man droeg een pak en latex handschoenen. Zijn witte overhemd was doordrenkt met bloed. Iemand had hem neergeschoten.

Je was in het huis, hè? En ik weet dat je hier niet alleen bent gekomen. Er was minstens nog iemand voor nodig om zo'n groot huis als dit te kunnen doorzoeken. Werd deze persoon neergeschoten en weggesleept?

Heb je geholpen de vrouw en haar zoon te overmeesteren? Heb je ze vastgebonden en ben je toen naar boven gegaan om de kamers te doorzoeken terwijl je partner haar martelde? Of heb je geholpen? Was je in de keuken toen de geweerschoten klonken en je het glas hoorde versplinteren? Volgens mij was je daar inderdaad. Want als je boven was geweest toen er werd geschoten, dan had je de tijd gehad om je wapen te trekken. Je zou schietend de trap af zijn gekomen en ik zou bewijzen van een schotenwisseling hebben moeten vinden.

Ik denk dat je verrast werd, dat je in de keuken was toen iemand je in de borst schoot. Ik denk dat je geen tijd had om je wapen te trekken.

Darby deed haar ogen weer open en vroeg zich af wat er gebeurd was met de partner van de dode man. Lag ergens in het bos nóg een lichaam? Of hadden de man met de nachtkijker en zijn team het tweede lichaam al eerder versleept?

Ze wist vrijwel zeker dat de man met de nachtkijker en zijn twee collega's in pak op het moment dat de schoten vielen niet in het bos waren. Als ze vandaaruit het huis hadden geobserveerd, waren ze allang vertrokken tegen de tijd dat de eerste opgeroepen agenten arriveerden.

Vanaf de vloerbedekking in de woonkamer liep via de traptreden van de veranda een bloedspoor over het gras. Op de achterpoort zat een bloederige handafdruk. Ze stelde zich de man voor, rennend door het donkere bos. Had hij geprobeerd de helling te vinden die naar de weg voerde? Had hij ergens op die weg een auto geparkeerd? In de berm had ze geen enkele auto kunnen ontdekken.

En iemand moest de mannen in het bos hebben gewaarschuwd. Ze dacht aan het mobieltje op de grond en stelde zich de man met het witte overhemd voor, bloedend uit zijn borst terwijl hij opbelde. Had hij het telefoontje laten vallen toen hij een plek zocht om zich te verbergen en te wachten? Waarom had hij de weg niet bereikt? Was hij onderweg door bloedverlies buiten bewustzijn geraakt?

Darby vroeg zich af of hij misschien nog iets anders in het bos had verloren.

Waarom ben je niet door je partner of partners in het huis geholpen? Wat is er gebeurd?

Darby hoorde autoportieren dichtslaan. Ze trok de zonwering omhoog en zag langs de stoeprand het tweede lab-busje geparkeerd staan. Twee mannen, een soort Mini & Maxi, staken voor het busje de straat over. Randy Scott, mager, onberispelijk gekleed, donker haar en gedistingeerd grijzend bij de slapen, was een kop groter dan Mark Alves, zijn ietwat gedrongen partner.

Ze had het duo laten overkomen van het San Francisco Crime Laboraty, waar ze naam hadden gemaakt met het opsporen van bewijsmateriaal dat eerder bij een aantal geruchtmakende zaken over het hoofd was gezien. Mocht er nog iets in het bos zijn achtergebleven, dan zouden zij het weten te vinden.

Iemand klopte op de slaapkamerdeur. Ze draaide zich om. Het was Coop.

'De wondertweeling is gearriveerd,' zei ze.

'Ik weet het. Randy belde net om te zeggen dat hij er was.'

'Ik zal ze bijpraten.'

'Dat doe ik wel. Jij moet naar het Sint-Jozef ziekenhuis in Belham. Ik heb de operationele dienst aan de lijn gehad. Een politieagent uit Belham was naar je op zoek. De jongen zegt dat hij wil praten met een agent uit Belham, een zekere Thomas McCormick. Is dat niet...'

'Ja,' zei Darby. Het bloed bonsde in haar oren. 'Dat is mijn vader.'

9

Op de hoek bij een verpleegsterspost, stonden Darby, Pine en iemand van de politie van Belham naast een karretje vol vuile dienbladen. De lucht van verzuurde melk en gestoomde groenten was weer eens wat anders dan Pines sigarenstank.

De naam van de agent was Richard Rodman. Zijn keurig gekamde grijze haar paste niet bij zijn jeugdige uiterlijk. Hij kwam bij Darby over als een aspirant-politicus in een blauw politie-uniform. In zijn hand hield hij een witpapieren zak, besmeurd met bloed afkomstig van het bloederige T-shirt van de tiener. De arts van de Spoedeisende Hulp die het T-shirt van de jongen had opengesneden, was zo slim geweest het in een papieren zak te stoppen. Plastic zakken braken het DNA af. Lang niet alle artsen wisten dit.

'Ik zat op een stoel voor zijn kamer toen hij de deur opendeed en vroeg of ik een agent uit Belham kende die Thomas McCormick heette,' zei Rodman. 'Toen ik hem zei dat ik die niet kende, zei de jongen dat McCormick door iedereen Big Red werd genoemd en dat hij alleen met hem wilde praten. Hij wilde me niet zeggen waarom.'

Rodman keek Darby aan. 'Ik herinnerde me dat ik je vorig jaar op de televisie heb gezien, vanwege die mafkees die je toen gepakt had, hoe heette hij ook weer, die gast die vrouwen in het hoofd schoot, Mariabeeldjes in hun zak stopte en in de rivier dumpte.'

'Walter Smith.'

'Die bedoel ik,' zei Rodman, en hij knipte met zijn vingers. 'Wat is er met hem gebeurd?'

'Hij zit in een psychiatrische inrichting, waar hij de rest van zijn leven zal blijven.'

'God zij geloofd. Ik heb toen die profielschets over je gezien en ik herinnerde me iets over dat je in Belham was opgegroeid en dat je vader politieagent was. Dus ben ik naar de verpleegsterspost gegaan. Daar heb ik op een computer wat gegoogeld, waarna ik de afdeling Operaties heb gebeld. En hier zijn we dan.'

'Heb je de jongen verteld dat Thomas McCormick dood is?'
'Nee. Het leek me beter dat jij dat zou zeggen. Je weet wel, als een opening om contact met hem te krijgen.'
'Is er iemand voor hem geweest?'
Rodman schudde zijn hoofd. 'Ook geen telefoontjes.'
'Volgens mij is het beter als ik alleen met hem praat.'
'Mee eens. Hoe minder mensen hoe beter, lijkt me. Het joch is behoorlijk van streek.'
Darby keek Pine aan.
'Het lijkt me een goed idee,' stemde Pine in.
Darby zette zich af tegen de muur en pakte haar kleine digitale recorder uit haar achterzak.
'Waar vind ik hem?'
'Helemaal aan het eind van de gang,' zei Rodman.
Darby opende de deur. De jongen had het licht in zijn kamer uitgedaan.
In het vage licht dat door het raam naast zijn bed naar binnen viel, zag ze dat iemand hem behoorlijk had toegetakeld. De linkerkant van zijn gezicht was gezwollen en het oog zat bijna dicht.
Hij zat rechtop in bed, met een deken over zijn benen. Zijn verbonden arm zat in een mitella en rustte tegen zijn zongebruinde smalle borst. Zijn lichaam was lang en tenger, nog onvolgroeid.
'Hallo, John. Mijn naam is Darby McCormick. Ik heb begrepen dat je mijn vader wilt spreken.'
'Waar is hij?'
Zijn stem klonk schor. En jong.
'Mag ik binnenkomen?'
Hij overwoog de vraag. Zijn blonde haar was kortgeknipt. Zijn voorhoofd was vochtig van het zweet. Een leuk Amerikaans joch. De poliarts had zwaluwstaartpleisters gebruikt om zijn gescheurde huid te hechten.
Uiteindelijk knikte hij.
Ze sloot de deur en ging op het voeteneinde van het bed zitten.
De huid rond zijn polsen en ogen was rood en boven zijn oren ontbraken plukken haar. Ze kon zien dat hij had gehuild.
'Waar is je vader?' vroeg hij weer.
'Die is dood.'
De jongen slikte. Zijn ogen werden groot alsof iemand net een deur voor zijn gezicht had dichtgeslagen.
'Wat is er met hem gebeurd?'

'Mijn vader liet tijdens een patrouilledienst een auto stoppen,' zei Darby. 'De bestuurder was een schizofrene man die kort daarvoor uit de gevangenis was ontslagen. Toen mijn vader naar de auto liep, schoot de man hem om onduidelijke reden neer.'

'En toen was hij dood?'

'Het lukte mijn vader nog om via de mobilofoon om hulp te vragen, maar tegen de tijd dat hij naar het ziekenhuis werd vervoerd, had hij te veel bloed verloren. Hij was inmiddels hersendood. Mijn moeder nam de beslissing om hem van de hart-longmachine te halen, en toen stierf hij.'

'Wanneer was dat?'

'Voordat jij werd geboren,' antwoordde Darby. 'Hoe oud ben je?'

'In maart word ik dertien.'

Twaalf. Iemand had een twaalfjarige jongen op een keukenstoel vastgebonden en tegenover zijn moeder gezet.

'Wat is er met je arm gebeurd?'

'Ik heb een spier verrekt of zoiets en de dokter heeft me deze mitella gegeven. Mag ik u iets vragen?'

'Je mag me vragen wat je wilt.'

'De man die uw vader heeft gedood, hebben ze die gepakt?'

'Ja, dat hebben ze. Hij zit in de gevangenis.'

'Bent u een agent?' vroeg de jongen, met een blik op het pistool aan haar riem.

'Ik ben een speciaal onderzoeker bij de Criminal Service Unit. Ik help slachtoffers van gewelddadige misdrijven. Kun je me iets vertellen over de mensen die jou op de keukenstoel hebben vastgebonden?'

'Hoe weet u...?' Hij klemde zijn lippen op elkaar.

'Door de striemen op je polsen en je wangen,' zei Darby. 'Dat soort plekken komt van plakband.'

Hij draaide zijn hoofd van haar weg naar het raam en knipperde tegen de tranen in zijn ogen.

Darby legde haar hand op zijn knie. Die trilde.

'Ik ben hier om je te helpen. Je kunt me vertrouwen.'

De jongen antwoordde niet. Buiten de kamer klonken het aanhoudend gepiep van een of andere machine en de gedempte stemmen van Pine en de politieagent. Het gepraat verstomde. Darby vroeg zich af of ze vlak bij de deur stonden en probeerden te luisteren.

'Hoe kan ik dat weten?'

'Wat?'

'Dat ik u kan vertrouwen.'

'Je hebt naar mijn vader gevraagd.'
'En u zei dat hij dood was.'
'Ik ben zijn dochter.'
'Dat zegt u.'
Darby pakte haar portefeuille uit haar zak. Ze haalde er een gekreukelde foto uit en legde die op zijn schoot.
'Dat is een foto van mijn vader,' zei ze.
Hij pakte de foto van haar vader in uniform. Op zijn schoot zat een zesjarig meisje met ontbrekende voortanden, een kastanjebruine paardenstaart en smaragdgroene ogen.
'Bent u dat?'
Darby knikte. 'Herken je hem?'
'Ik heb uw vader nooit ontmoet.' Hij gaf de foto aan haar terug. 'Deze foto kan net zo goed nep zijn.'
'Zie je dat plastic kaartje dat ik om mijn nek draag? De foto daarop is precies dezelfde als op mijn rijbewijs. Hier, kijk maar.'
De jongen keek.
'Ik ben de dochter van Thomas McCormick,' zei ze zacht; ze wilde niet te confronterend overkomen. 'Je kunt me vertrouwen. Maar als je wilt dat ik je help, moet je wel eerlijk tegen me zijn.'
De jongen zei niets.
'Hoe heet je vader?'
'Ik weet het niet,' zei John. 'Ik heb hem nooit ontmoet.'
'Heb je een stiefvader?'
'Mijn moeder is nooit getrouwd.'
'Heb je nog andere broers of zussen?'
'Nee.'
'Tantes, ooms, neven of nichten?'
'Mijn moeder... Het was alleen zij en ik.'
Hij zweeg weer en kneep zijn ogen dicht. Zijn borst zette op en hij begon te trillen.
Darby pakte zijn hand. 'Rustig maar,' zei ze. 'Het geeft niet.'
'Mijn moeder...' Hij schraapte zijn keel en probeerde het opnieuw. 'Ze zei dat als haar ooit iets zou overkomen, als ik ooit in moeilijkheden zou komen of bang zou zijn, dat ik dan Thomas McCormick moest bellen. Ze zei dat hij de enige politieman was die ik kon vertrouwen en dat ik nooit met iemand anders moest praten.'
Hij begon te huilen.
'Mijn moeder is dood en ik weet niet wat ik moet doen,' snikte hij. 'Ik weet echt niet meer wat ik moet doen.'

10

Darby pakte een pakje zakdoekjes van het nachtkastje. In plaats van dat aan te nemen, greep John Hallcox haar hand en hield die snikkend vast. Regendruppels spetterden tegen het raam. Ze vroeg zich af of de wondertweeling inmiddels iets in het bos had gevonden. Het was gemakkelijker om uit het raam te kijken en te denken aan Randy en Mark, op zoek naar bewijzen op de modderige bosgrond, of aan het overhoopgehaalde huis met al het bloed en gebroken glas, dan om het gezicht van deze twaalfjarige jongen te zien.

Er kwam een herinnering in haar op: ze omklemde de grote, eeltige hand van haar vader. Een grote hand, als een kolenschop. Hij lag in een ziekenhuisbed als dit, verbonden met slangen en monitoren. Ze had haar nagels tot bloedens toe in zijn huid begraven, ervan overtuigd dat hij wakker zou worden voordat de dokter hem van de hartlongmachine zou halen.

'Het spijt me, John. Ik vind het afschuwelijk voor je wat je moet doormaken.'

Eindelijk hield het hartverscheurende huilen op. Hij pakte een paar zakdoekjes en veegde de tranen van zijn gezicht.

Ze legde haar digitale recordertje op het bed. 'Wanneer je zover bent om te praten, dan zou ik als je dat goedvindt dit gesprek graag willen opnemen, zodat ik naar je kan luisteren zonder notities te hoeven maken. Is dat goed?'

John knikte.

'Ik help je hier doorheen. Misschien onderbreek ik je soms met een vraag, of vraag ik je iets te verduidelijken, om zeker te weten dat ik alle feiten goed op een rijtje heb. En als jij iets niet begrijpt, vraag het dan. Oké?'

Hij schraapte zijn keel. 'Oké.'

De jongen wist niet waar hij moest beginnen.

'Vertel me over de mensen die jullie huis binnenkwamen,' zei ze vriendelijk.

'Ze waren met z'n tweeën... twee mannen. Ik zat op de bank televisie te kijken toen ik de deur open hoorde gaan. Ik dacht dat het mijn moeder was die thuiskwam, dus ik ben niet opgestaan.'

'Was je alleen thuis?'

'Ja.'

'En waar was je moeder?'

'Ze had gezegd dat ze een paar sollicitatiegesprekken had en nog wat boodschappen moest doen en dat ze pas laat zou thuiskomen. Ze zei dat ik binnen moest blijven tot ze terug was.'

'Waarom? Was je moeder ergens bang voor?'

'Ze was altijd bang. Waar we ook woonden. Ze zei altijd tegen me dat ik er goed op moest letten dat alles in huis goed was afgesloten. En voordat ze naar bed ging, controleerde ze altijd eerst of de ramen goed dicht waren. Elke dag als ik thuiskwam van school, vroeg ze voordat ze me binnenliet eerst of alles in orde was. Ik dacht... mijn moeder verdiende niet veel en we woonden nooit in de allerbeste buurten. Toen een keer in ons appartement in Los Angeles werd ingebroken, was ze in alle staten. Twee weken later woonden we in Ashbury Park. Dat is in New Jersey.'

'Zijn jullie vaak verhuisd?'

'Heel vaak.'

'Weet je ook waarom?'

'Volgens mij had het iets met haar ouders te maken,' zei John. 'Ze werden vermoord voordat ik werd geboren. Ze praatte er verder nooit over. Het enige wat ze me ooit heeft verteld, is dat de mensen die het gedaan hadden, nooit zijn gepakt. Volgens mij was ze bang dat ze ook achter haar aan zouden komen, of zoiets.' Hij slikte en ademde diep in. 'En dat hebben ze ook gedaan. Ze hebben ons gevonden en haar vermoord.'

'Je had het over "ze". Waren het er meer dan een?'

'In mijn huis, bedoelt u?'

'Daar komen we nog op. Ik heb het nu over de mensen die je grootouders hebben vermoord.'

'Ik weet geen namen of zo. Het enige wat mijn moeder heeft verteld, was dat er mensen het huis van haar ouders waren binnengekomen en ze in hun slaap hebben doodgeschoten. Mijn moeder zei dat ze daar toen niet was, en ik weet niet waar ze wél was. En ze vertelde dat de daders nooit zijn gepakt.'

'Wat is de achternaam van je grootouders?'

'Dat weet ik niet. Mijn moeder praatte nooit over ze... ik weet niet eens waar ze woonden. Ik heb het haar wel gevraagd, gewoon uit nieuwsgierigheid, om te weten wat er was gebeurd, maar ze wilde geen bijzonderheden vertellen. Ik denk dat ze daarom niets van computers moest hebben.'

'Wat bedoel je?'

'Ze kocht nooit iets via internet. Niet dat het zou hebben gekund, want ze had geen creditcard. Ze betaalt altijd alles contant. Ze dacht dat als je op internet zat, dat mensen je konden bespioneren.'

'Was ze bang dat de mensen die je grootouders hebben vermoord haar zo zouden kunnen vinden?'

'Ik denk het... tenminste, dat idee had ik.'

'Weet je misschien hoe oud je moeder was toen haar ouders stierven?'

'Nee.'

'Waar ging ze wonen?'

'Dat weet ik niet. Het spijt me.'

'Je hoeft je niet te verontschuldigen, John. Je doet het fantastisch. Laten we het hebben over waarom je naar Belham kwam. Je had het over sollicitatiegesprekken. Voor wat voor werk was dat?'

'Daar heeft ze me nooit over verteld. Mijn moeder... Ze is best aardig hoor en ze neemt me overal mee naartoe, maar over bepaalde dingen is ze nogal gesloten. Tegenover mij, tenminste.'

'Zoals over wat er met haar ouders is gebeurd.'

'Precies. Ze heeft me verteld dat ze waren vermoord voordat ik was geboren. Ze was altijd bang dat er iets zou gebeuren... terwijl ze niet gauw haar gevoelens laat blijken. Die houdt ze binnen. En als je dan vraagt wat haar dwarszit, dan zal ze het je niet vertellen.'

John sprak over zijn moeder in de tegenwoordige tijd, alsof ze elk moment de kamer binnen kon komen, naast hem op het bed kon gaan zitten, hem knuffelen en zeggen dat alles weer goed zou komen.

'Vertel eens wat over de vrienden of kennissen van je moeder,' zei Darby.

'Ik heb ze nooit ontmoet. Voor zover ik weet had ze die niet.'

'Hoelang woon je al in Belham?'

'Pas een paar dagen,'antwoordde John. 'We zouden hier maar een week of zo blijven.'

'Weet je hoe de mensen heten van wie dit huis is?'

'Nee.'

'Goed, laten we teruggaan naar het ogenblik dat je op de bank zat. Je vertelde dat je de deur open hoorde gaan.'

'Het was de deur aan het eind van de gang die naar de keuken loopt, de deur naar de garage. Dat weet ik, omdat die bij het opengaan altijd zo'n zoevend geluid over de vloer maakt.'

'Had je moeder een van de garagedeuren opengelaten toen ze wegging?'

De jongen dacht even na.

'Ik... ik geloof dat mijn moeder toen ze wegging heeft gezegd dat ik de deur aan het eind van de keukengang op slot moest doen, maar ik weet het niet zeker. Het is allemaal zo verwarrend. Het is alsof mijn hoofd vol met beelden zit en ik kan ze niet uit elkaar houden.'

'Dat is heel normaal.'

'Dus toen ik later die deur open hoorde gaan, dacht ik dat het mijn moeder was. Ik lag half in slaap op de bank. Ik weet nog dat het donker was, door de glazen schuifdeur in de woonkamer zag ik de achtertuin. Dat was toen ik hem zag... de man met het pistool. Hij stond aan de andere kant van de bank en zei dat ik me koest moest houden.'

'Beschrijf hem voor me. Vertel me alles wat je is opgevallen, ook als je denkt dat het niet belangrijk is.'

'Hij droeg geen bivakmuts, of zoiets. Wat ik nogal vreemd vond. Ook de andere man droeg geen masker. Ik bedoel... zoiets doe je toch als je ergens inbreekt?'

'Zeker.' Darby's hart bonsde van opwinding. Twéé mannen waren het huis binnengedrongen en de jongen had hun gezicht gezien. Hij zou hun uiterlijk aan een politietekenaar kunnen beschrijven. Een kleine kans, maar misschien dat de tekeningen door iemand zouden worden herkend, als ze op de televisie werden getoond.

'Hij was een blanke man,' zei John. 'En hij droeg een trainingspak... net zo een als de Celtics dragen. Met bijpassende baseballpet. Hij zag eruit als een opa, maar met zijn gezicht was iets vreemds.'

'Vreemd? Hoezo?'

'Hij had geen rimpels. De huid was helemaal glad. Alsof die strak was getrokken. Het deed me denken aan mevrouw Milstein... onze buurvrouw toen we in Toronto woonden. Haar huid was heel strak en glimmend. Mijn moeder zei dat mevrouw Milstein een facelift had gehad. Deze Celtics-man had hetzelfde soort gezicht, en zijn handen... daar was ook iets mee. Het leek alsof ze van iemand anders waren – helemaal gerimpeld en behaard, met bovenop van die dikke aderen. Ze deden me denken aan de handen van echt oude mensen in verpleeghuizen.'

'Wanneer zag je de handen van deze man van zo dichtbij?'

'Toen hij me... Ik moest van hem opstaan van de bank en op een van de keukenstoelen gaan zitten. Toen zag ik ook de andere man. Hij stond in de keuken en hield een 9 millimeter-pistool op me gericht terwijl de Celtics-man me met plakband aan de stoel vastbond.'

'Je herkende zijn pistool?'

'Ik kijk veel naar politieseries, zoals CSI en *Law and Order*. Daarin draagt de politie altijd 9mm's. En wanneer ze de slachtoffers ondervragen, willen ze altijd details weten.' Zijn stem klonk heel broos. 'Dus toen ik... toen dit allemaal gebeurde, was er ergens in mijn achterhoofd een stemmetje dat zei dat ik goed op alles moest letten. Het zijn de kleine details die dit soort mannen verraden.'

'Je doet het geweldig, John. Hier kunnen we écht iets mee. Vertel me over de man die in de keuken stond.'

'Hij droeg een pak... geen trainingspak... ik bedoel een kostuum, zoals bankiers of advocaten dragen. Maar hij had geen das om. Hij was blank en... niet echt dik, maar hij had wel een grote buik. Ik weet nog dat hij steeds op zijn horloge keek.'

'Droeg hij handschoenen?'

John knikte. 'Blauwe. Zoals die forensische technici op de televisie dragen.'

'Weet je de kleur van zijn overhemd nog?'

'Wit.'

Het lichaam dat ze in het bos had gezien, had een wit overhemd en blauwe handschoenen gedragen.

'Hebben deze mannen iets tegen je gezegd?'

'Alleen de man met het Celtics-pak,' antwoordde John. 'Hij zei dat hij alleen maar in het huis wilde rondkijken en dat hij dat niet kon als hij tegelijkertijd mij in de gaten moest houden. "Geen paniek, knul", zei hij, "het is voorbij voor je het weet". Toen plakte hij plakband over mijn ogen en klopte me op mijn schouder. Daarna heeft hij niets meer tegen me gezegd.'

'Herinner je je of je verder iets gehoord hebt? Heb je ze namen horen noemen of iets wat ze tegen elkaar zeiden?'

'Ik heb geen namen gehoord. Ze vloekten veel. Ze begonnen met de keuken te doorzoeken. Ze rukten laden open en gooiden borden op de grond. Het enige wat ik nog hoorde waren dingen die stukvielen op de vloer.'

'Waar zochten ze naar?'

'Weet ik niet. Wel weet ik bijna zeker dat ik een telefoon hoorde overgaan, toen hielden ze op met dingen kapot gooien. Ook hoorde ik de garagedeur opengaan. Op dat moment werd alles doodstil. En toen grepen ze mijn moeder.'

Weer slikte hij en zijn ogen werden groot van angst toen zich in zijn hoofd opnieuw afspeelde wat er met zijn moeder was gebeurd.

'Waarom heb je speciaal naar mijn vader gevraagd?' vroeg Darby, om van onderwerp te veranderen.

De jongen gaf geen antwoord. Hij staarde omlaag naar de tot propjes geknepen zakdoeken in zijn vuist en zijn ogen schoten schichtig heen en weer alsof hij de antwoorden op die vraag wilde ontlopen.

Ze boog zich dichter naar hem toe. 'Je kunt me vertrouwen, John.'

Zijn hand ging naar de memorecorder en schakelde die uit.

11

Darby wachtte tot de jongen zou gaan praten, bang dat hij zou dichtklappen als ze verder aandrong.

Twee minuten later begon hij te praten.

'Ik heb mijn moeder beloofd dat ik de waarheid alleen aan Thomas McCormick zou vertellen,' zei hij, waarbij hij haar blik vermeed.

'De waarheid over wat?'

'Over mijn grootouders,' antwoordde hij. 'Over waarom ze werden vermoord.'

Nu niet aandringen, anders klapt hij dicht.

Ze wachtte.

'Ik weet wie het heeft gedaan,' zei hij. 'Ik weet hun namen.'

'Kijk me aan, John.'

Toen hij haar aankeek zei ze: 'Je staat er niet meer alleen voor. Wat er ook is gebeurd, ik kan je helpen. Je kunt me vertrouwen.'

'Sean.'

'Is dat de naam van een van de mannen die je grootouders hebben vermoord?'

'Nee, dat is mijn echte naam. Die zou behalve je vader niemand moeten weten. Mijn moeder...'

Hij stopte abrupt met praten en luisterde gespannen naar schreeuwende stemmen op de gang. Er verscheen een angstige uitdrukking op zijn gezicht.

De deur ging open. De jongen veerde op van schrik en bonkte met de achterkant van zijn hoofd tegen de muur.

Laaiend van woede veerde Darby op van het bed. Toen het licht aanging stond ze op haar benen.

In de deuropening stonden Pine en de politieman. Ze leken buiten adem. Ze spraken tegen haar, maar ze hoorde hen niet. Haar aandacht was gericht op de man die bij het voeteneind van het bed stond. Hij droeg een smetteloos, lichtbruin kostuum met een fleurige das. Zijn kortgeknipte zwarte haar was nat van de regen.

FBI. Ze zag het aan de zelfingenomen uitdrukking op zijn gezicht, zelfs al voordat hij haar zijn badge had getoond.

'Ik ben Special Agent Phillips,' zei hij met een kalme, enigszins vrouwelijke stem. 'Dr. McCormick, ik ga u vragen deze kamer te verlaten. Ik neem dit onderzoek officieel van u over.'

Darby duwde de FBI-agent weg bij het bed en kwam vlak voor hem staan. 'De jongen gaat nergens heen.'

'Ik verzoek u uw mening te herzien. Zijn moeder wordt gezocht. Ze zijn in verschillende staten verbleven, wat het een FBI-aangelegenheid maakt. U zou trouwens beter moeten weten dan hem zonder aanwezigheid van een volwassene te ondervragen.'

'Hij is geen verdachte, imbeciel.'

Phillips richtte zijn blik op de jongen. 'Ik neem je mee naar ons kantoor in Albany, New York. Daar brengen we je onder bij...'

'Je mag het zeggen,' zei Darby. 'Óf je gaat hier lopend de deur uit, óf ik gooi je eruit. Wat wordt het?'

Pine schraapte zijn keel en deed aarzelend een stap naar voren. 'Hij heeft een opsporingsbevel, Darby.'

'Hier heb ik geen tijd voor,' zei Phillips, en hij duwde haar opzij.

Dat had hij niet moeten doen. Ze greep hem bij zijn pols en draaide zijn arm op zijn rug. Met haar andere hand greep ze hem bij de kraag van zijn overhemd, trok hem over de vloer en smakte hem met zijn gezicht tegen de muur.

De FBI-man kermde van pijn, maar ze liet niet los. Ze drukte zijn arm nog verder omhoog zodat ze die bijna brak. Toen boog ze zich naar hem toe en zei: 'Luisteren is niet je sterkste punt, geloof ik.'

Ze trok hem weg van de muur, duwde hem richting deur en smeet hem de gang op. Hij viel op de vloer. Zweet parelde op zijn voorhoofd en zijn ogen schoten vuur toen hij haar knarsetandend van woede aankeek.

'Maak als de donder dat je hier wegkomt,' zei ze.

De uitdrukking in zijn ogen had ze al bij zoveel mannen gezien, die van een onzekere jongen, gevangen in een mannenlichaam. Iemand als Phillips zou in stilte zijn wonden likken en zijn gekrenkte ego koesteren. Hij zou zijn vernedering slikken en het dan een plaats geven dankzij het enige talent waarover hij beschikte: het vinden van de meest spectaculaire gelegenheid om wraak te nemen.

'Rustig maar,' klonk Pines stem achter haar. 'Niemand hier wil je kwaad doen.'

Toen Darby zich omdraaide zag ze agent Rogman naar zijn pistool grijpen.

De jongen had een wapen in zijn hand, een kleine .38 revolver. Hij hield het wapen op Pine gericht.

Waar haalde hij die in godsnaam vandaan?

'Blijf waar je bent,' gilde John/Sean. 'Ik ga niet met hem mee.'

'Je hebt gelijk,' zei Darby terwijl ze met haar handen naast haar hoofd voor Pine ging staan. 'Je gaat niet met hem mee.'

'Jullie kunnen me niet dwingen. JULLIE KUNNEN ME NIET DWINGEN.'

'Kijk me aan,' zei Darby. 'Kijk me aan.'

Hij keek haar aan, met trillende lippen. Het wapen schokte in zijn hand.

'Je hoeft niet met hem mee te gaan, dat beloof ik je.' Haar hart ging als een razende tekeer, maar ze was niet bang. 'Ik heb beloofd dat ik je zou helpen, weet je nog? Je kunt me vertrouwen.'

Hij gaf geen antwoord. Zijn blik flitste heen en weer tussen de gezichten die hem aanstaarden.

'Iedereen de kamer uit,' zei Darby over haar schouder.

Pine aarzelde.

'Doe het,' zei Darby. 'Nu!'

Toen ze alleen waren, liep Darby langzaam achteruit en sloot de deur.

De jongen wierp een angstige blik naar de kleine memorecorder op de omgewoelde deken.

'Hij staat uit,' zei Darby. 'Het is nu alleen jij en ik, Sean.'

Hij begon te huilen, maar liet het wapen niet zakken.

'Je hebt het vanavond zwaar te verduren gehad,' zei Darby. 'Je bent bang, je bent boos, en je bent helemaal overstuur. Ik begrijp wat je doormaakt. Mijn vader is vermoord. Maar wat er ook gaande is, ik zal je helpen het op te lossen.'

'Dat kun je niet.'

'Dat kan ik wel. En ik zal het doen ook. Ik heb je mijn woord gegeven. Ongeacht waar het om gaat, je kunt me vertrouwen.'

Hij bleef snikken.

'Leg de revolver op het bed,' zei Darby. 'Leg hem daar neer en dan praten we. Jij en ik samen, oké?'

Met een ruk bracht hij de loop onder zijn kin en haalde toen de trekker over.

12

Jamie Russo klikte de kofferbak open en overwoog toen welk van de twee wapens ze zou kiezen die op de passagiersstoel naast haar lagen: voor haar eigen .44 Magnum, of voor de Glock met de verlengde patroonhouder. Het werd de Magnum. Ze liet het wapen in haar schouderholster glijden en stapte uit de auto. De rechterkant van haar gezicht klopte en achter in haar keel had ze nog steeds de smaak van bloed.

Boven de rotswanden van de oude Belham Quarry scheen een volle maan. In het licht van de koplampen die ze had laten branden, kon ze de rand van de groeve zien. Bang om te worden gezien was ze niet. Kilometers in de omtrek viel geen huis te bekennen en ze betwijfelde of hier ooit nog iemand kwam, en al zeker niet op dit uur van de nacht.

Ze liep terug naar de auto, waarbij haar sneakers wegzakten in de zachte, modderige grond.

De man die ze alleen als Ben kende, lag op zijn rug in de kofferbak. Zijn kleren en gezwollen gezicht waren besmeurd met bloed en glassplinters. Zijn staalblauwe ogen waren open, knipperend tegen het vage licht.

Godzijdank, dacht ze, met een zucht van opluchting. Voordat ze uit het huis was vertrokken, had ze de schotwond in zijn dijbeen met plakband afgebonden om te voorkomen dat hij zou doodbloeden. Tijdens de lange rit door de buitenwijken en een moeizame zoektocht over kronkelige landweggetjes naar de steengroeve was ze misselijk geworden bij de gedachte dat hij zou sterven.

Een combinatie van ziekmakende angst en opwinding was door haar heen gegaan toen ze hem bij de kraag van zijn Celtics-jack had gepakt en hem in een zittende positie had gehesen. Ze was niet bang geweest dat hij haar opnieuw zou slaan. Ze had met plakband zijn enkels aan elkaar en zijn handen achter zijn rug gebonden voordat ze hem via de keukengang naar de garage had gesleept.

Met een ruk trok ze de stukken plakband weg die zijn mond bedekten, waarbij stukjes huid van zijn lippen en plukken haar meekwamen.

Ben kneep zijn ogen dicht en knarsetandde, probeerde een schreeuw van pijn binnen te houden. Ze staarde hem aan en nam opnieuw zijn trekken in zich op: zijn onverzorgde, zwarte haar, dof afstekend tegen zijn bezwete, gebruinde gezicht; zijn gebroken neus, zijn grote flaporen en zijn spierwitte tanden.

Implantaten, dacht ze. Haar blik ging naar zijn nek. Toen ze hem voor het eerst zag, bij haar thuis, had hij een 'kippennek' gehad, plooien van loshangend vel onder zijn kin. Die plooien waren nu weg en de huid op zijn gezicht was glad en strak. Nergens een rimpeltje te bekennen. *Hij had een facelift gehad en zijn ogen... Ze had durven zweren dat ze bruin waren geweest.*

Ben opende zijn ogen. Ze waren bloeddoorlopen en vochtig. Nadat hij haar in het huis had teruggeslagen – een keiharde rechtse directe die haar bijna omver had geblazen, had ze hem weten te vloeren en zijn gezicht tweemaal in het gebroken glas geramd.

Ben steunde met zijn achterhoofd tegen het geopende kofferdeksel. Rond het lampje van de binnenverlichting dansten insecten.

'Sinds wanneer volg je me?' vroeg hij schor.

Bij het horen van zijn stem was het alsof de stalen band rond haar hart minder knelde. Voor het eerst sinds jaren had ze het gevoel alsof ze weer vrij kon ademhalen.

'Ga je nog antwoord op mijn vraag geven?'

'Vandaag,' zei ze. 'Vanmorgen...'

'Waar?'

'Drogist.'

'Drogist... drogist... Die in Wellesley Center?'

'Ja.'

'En je bent me de hele dag gevolgd?'

Ze knikte. Nadat hij de drogist had verlaten, was hij als passagier ingestapt in een zwarte BMW met getint glas. Ze was de auto op de snelweg gevolgd toen Ben en zijn partner naar Charlestown reden. Toen de BMW een uur later de smalle oprit van een hoekhuis op reed, had ze Ben en de bestuurder in de achteruitkijkspiegel van haar auto zien uitstappen. De bestuurder, zo'n tien centimeter groter dan Ben, ongeveer 1 meter 85, had grijs, krullend haar en een donkere huidskleur. Over een korte, witte broek, droeg hij een opzichtig hawaïhemd dat zijn enorme buik niet kon verbergen.

Ze vond een parkeerplaats aan de overkant van de straat en hield het huis de rest van de morgen en de middag in de gaten. Ze verliet maar één keer haar auto om bij de drogisterij aan de overkant van de straat wat mueslirepen, een fles water en een doos met latex handschoenen te kopen. 's Avonds om halfnegen reed de auto weg van de oprit. Hij stopte nog een keer, voor een armoedig woonhuis in Dorchester, om daar de blanke man in het pak op te pikken, waarna de drie mannen direct naar het huis in Belham reden.

'Je hebt me de hele dag gevolgd, zonder dat ik dat heb gemerkt,' zei Ben hoofdschuddend. 'Ik word nog slordig op mijn oude dag. Hoe heet je, liefje?'

'Zeg... het.'

'Als ik je naam wist, dan zou ik je die wel zeggen, denk je niet?'

Hij knipperde een paar keer met zijn ogen en kneep ze toen een beetje dicht alsof hij zich op haar gezicht probeerde te concentreren. Dunne, witte littekens van meerdere plastische operaties liepen over haar kaak, wang en voorhoofd. De bijverschijnselen van steroïden en anti-epileptica hadden haar gezicht dik gemaakt en pafferig, iets wat door een dieet of fitness niet kon worden verholpen.

'Vijf... eh... jaar,' hakkelde ze. 'Vijf jaar... eh... geleden, kwam... je... eh... eh... en...'

'Wat is er met je stem? Ben je achterlijk, of zo?'

'Nee.'

'Wat is het dan? Een soort geboorteafwijking?'

Jamie wist precies wat ze wilde zeggen, maar de woorden kwamen niet over haar lippen: *Vijf jaar geleden drong je mijn huis binnen en schoot me in mijn hoofd. Je schoot mijn kinderen dood terwijl je collega's beneden mijn man martelden.* Haar probleem was haar spraakgebrek. De via haar onderkaak binnengedrongen .32-kogel was, na een verbrijzeld jukbeen en beschadigde oogzenuwen van haar linkeroog te hebben achtergelaten, blijven steken in de frontale hersenkwab – het gebied van Broca – het gedeelte waar zich, hadden de neurologen haar verteld, het motorisch spraakgedeelte bevindt. Hoewel ze perfect begreep wat er werd gezegd en probleemloos in staat was woorden en complete zinnen in haar hoofd te vormen, had deze hersenbeschadiging haar opgescheept met een ernstige vorm van afasie, een gekmakend en onherstelbaar gebrek dat haar beperkte tot het op dicteersnelheid uiten van hoogstens vier opeenvolgende, hoofdzakelijk zelfstandige naamwoorden of werkwoorden – als ze een goede dag had.

'Schoot,' zei ze.

'Iemand schoot je in je gezicht?'

'Ja... eh... jij...'

Ben staarde haar aan alsof hij haar niet herkende. Alsof hij het zich niet herinnerde.

'Je... eh... schoot op mij... en... eh... op mijn kinderen... Carter en... eh... eh... Michael. Je... eh... twee collega's... eh... vermoordden... mijn... eh... man Dan... Dan Russo.'

'Die naam zegt me niets.'

'Hij was... eh... eh... aannemer. Wellesley.'

'Heette zijn bedrijf zo? Wellesley?' vroeg Ben, met een grijns op zijn gezicht.

'Woonden... eh... in... eh... Wellesley. Je... eh... collega's... vermoordden hem. Gewurgd... Touw... om zijn... eh... nek. Afvalvernietiger... mijn huis. Wellesley. Vijf... eh... vijf jaar... eh... geleden.'

'Volgens mij verwar je me met iemand anders.'

Nee. Dat deed ze niet. Uitgesloten.

Nadat ze deze morgen haar recept had afgegeven, had ze toen ze zich omdraaide, aan het einde van het gangpad, voor de schappen met pijnstillers, een man zien staan. Deze man had dezelfde dunne, bijna vrouwelijke lippen als de man die haar huis was binnengedrongen, de leider, de man die zij uitsluitend als Ben kende.

Nee... nee... had ze gedacht. *Dat kan hij niet zijn.* Waarom zou Ben na al die tijd terugkomen in Wellesley? Ben en zijn trawanten, de twee mannen met bivakmutsen die Dan in de keuken hadden vermoord, waren vijf jaar geleden van de aardbodem verdwenen. Deze mannen waren nooit gevonden en dat zou ook niet gebeuren.

En Ben, wist ze zich nog duidelijk te herinneren, was blond geweest, kortgeknipt blond haar, met een beetje grijs erdoor.

De man in het gangpad droeg een donkerblauwe baseballpet op lang, zwart haar dat rond zijn oren krulde. Ben was bleek. Deze man had een zongebruinde huid en was gekleed als iemand die zijn tijd doorbrengt met luieren op een boot. Bootschoenen, een korte kakibroek, en in de openstaande kraag van zijn witte, loshangende overhemd hing een pilotenbril. Aan zijn hand droeg hij een brede gouden trouwring en om zijn pols een gouden Rolex Yacht Master. Ben had geen trouwring om.

Jamie wist nog dat ze had gekeken toen de man iets uit het bovenste schap pakte en ze herinnerde zich het grillig gevormde litteken op zijn rechterarm. Het was wit en rubberachtig en het liep van zijn pols naar zijn handpalm.

Ben had precies zo'n litteken. Ze had het gezien toen hij haar mond dichtplakte met plakband. De twee andere mannen die het huis binnen waren gegaan, had ze niet gezien. Even later had ze een van hen 'Laten we gaan, Ben!' naar boven horen roepen.

'Partners,' zei Jamie en haalde de Magnum onder haar windjack vandaan. 'Ik wil... eh... hun namen.'

Ben spuwde een rode fluim over de rand van de auto en liet zich weer terugzakken tegen het kofferdeksel. Zijn ogen waren kil en levenloos, twee glimmende, glazen knikkers waaruit geen enkel gevoel sprak. Zielloos.

'Partners,' zei ze. 'Namen.'

Hij antwoordde niet.

Ze drukte de loop tegen zijn voorhoofd. Het bloed gierde door haar lichaam.

Ben vertrok geen spier.

'Ik... eh... ik doe het...'

'O, ik twijfel er niet aan dat je me zult vermoorden. Gezien de manier waarop je in het huis tekeer bent gegaan, mij in mijn dijbeen hebt geschoten en zoals je mijn kameraad hebt afgemaakt. Je bent een echte Calamity Jane, de schrik van het Wilde Westen.' Zijn stem klonk verrassend beheerst. 'Niemand leert zo schieten, tenzij hij bij de politie zit. Werk je nog steeds bij de politie, kindje? Ik neem aan van wel, als ik die grote blaffer zie.'

Ze gaf geen antwoord. Twee dagen nadat Carter was geboren, had ze afscheid van haar partner bij de patrouilledienst genomen. Na de dood van Dan had ze de Magnum overal ter bescherming bij zich.

'Waarom... een... eh... vrouw en... eh... jongen...?'

'Wat ik in dat huis moest, bedoel je?'

Ze knikte.

'Het spijt me, maar dat is vertrouwelijke informatie.'

'Man... eh... eh... die jou... eh... reed, was... eh... hij... eh...'

'Verplaats jezelf nu eens in mijn positie. Ik heb iets wat jij graag wilt hebben. Laten we zeggen het ontbrekende stukje van de puzzel. Ik geef het aan jou, jij schiet mijn kop aan flarden en laat mijn lichaam hier in de kofferbak achter. Is dat het idee?'

Jamie antwoordde niet. In haar fantasie had ze zich altijd voorgesteld hoe Ben om zijn leven zou smeken. Ze had zich hem huilend voorgesteld, tierend. Een enkele keer had ze zich voorgesteld hoe hij, als een zielig hoopje ellende, al zijn zonden zou opbiechten. Maar in werkelijkheid, in de verstikkende warmte en duisternis van een door muggen vergeven bos, gedroeg Ben zich alsof het de gewoonste zaak van de wereld was dat de loop van een pistool tegen zijn hoofd werd gedrukt. Het was alsof hij een dergelijke situatie al eerder had meegemaakt en precies wist hoe hij daarmee om moest gaan.

'Ik zal je een geheimpje vertellen,' zei Ben. 'Ik ben een smeris.'

13

'Een smeris,' herhaalde Jamie.

Ben grijnsde zijn bloederige tanden bloot. 'Nog een geluk dat je door die kogel die ik je door het hoofd heb gejaagd tenminste geen gehoorschade hebt opgelopen.'

Het was of vlijmscherpe scheermessen langs haar ruggengraat omhoog naar haar schedel liepen om zich daarna een weg door het vlees van haar verminkte brein te snijden. Het bracht haar terug naar de plek waar ze zich sinds de schietpartij elke dag had bevonden – een plek waar eeuwige duisternis heerste en de lucht als lood op haar lichaam drukte, zo zwaar, dat haar botten bij elke ademtocht dreigden te breken.

'Badge,' zei ze.

'Ik ben meer van het undercovertype, dus draag ik er geen bij me. Slecht voor de gezondheid.'

Haar hart bonkte in haar borst.

'Ik verwacht niet dat je me op mijn woord gelooft,' zei Ben, en hij likte over zijn gezwollen, bebloede lippen. 'Dus stel ik het volgende voor: ik geef je een telefoonnummer dat je kunt bellen. De persoon in kwestie kan je alles vertellen wat je wilt weten. Heb je een mobieltje?'

Het lag nog in haar auto. Onderweg naar Belham had ze Michael gebeld om hem te zeggen dat ze nog steeds in het ziekenhuis was en dat ze pas laat thuis zou zijn. Ze had hem gevraagd Carter in bad te doen. Daarna had ze, geconcentreerd op het schaduwen van de BMW, het telefoontje naast zich op de passagiersstoel gegooid en er tot dat moment niet meer aan gedacht.

'Een simpel ja of nee volstaat,' zei Ben.

'Mijn... eh... man.'

'Danny.' Ben zei het alsof ze de beste vrienden waren geweest.

'Waarom... eh... heb je...?'

'De man die je zo gaat bellen kan je alles uitleggen. Zeg het maar als je zover bent. En als je geen telefoon hebt, dan kun je die van mij nemen. Hij zit in mijn rechterborstzak.'

Jamie, plotseling bang om zich te bewegen, verroerde zich niet. De manier waarop Ben het initiatief naar zich toe had getrokken en de rustige toon waarop hij haar nu vertelde wat ze moest doen, maakten haar achterdochtig.

'Zeg... het me.'

'Het nummer is zes, een, zeven...'

'Nee,' zei ze. 'Mijn man... Waarom?'

'Dat zul je mijn contactpersoon moeten vragen. Hij kan...'

'Nee. Ik wil... eh... van jou... horen.'

'Ik begrijp dat je woedend bent en dat je meteen antwoord op je vragen wilt hebben. Dat kan ik je niet kwalijk nemen. Ik bedoel, je hebt al zo lang om dit ogenblik gebeden, dat het nu ook op jouw manier moet gebeuren.' Ben sloot even zijn ogen en zuchtte toen diep.

In haar gedachten doemde de gesloten deur op aan het einde van de gang – de dodenkamer. Ze had het tapijt vervangen en de muren opnieuw gesaust. Alles rook en leek nieuw, maar telkens als ze binnenkwam meende ze nog steeds bloed te ruiken. Opnieuw hoorde ze Michael schreeuwen vanachter het plakband over zijn mond. Ben had hun ogen dichtgeplakt, maar het was haar gelukt de stoel te laten kantelen. Terwijl ze worstelde op de vloer om zich te bevrijden, was het plakband voor haar ogen verschoven, zodat ze had gezien hoe Ben een pistool pakte en op Michael schoot.

Maar er had slechts een droge klik geklonken. Michael had haar aangekeken en haar eerste gedachte was geweest – ze had zich geschaamd om het te moeten toegeven – om Carter te beschermen. Hij was jonger, kwetsbaarder. Ze wist nog dat Ben een leesbril opzette en nadat hij het pistool had gecontroleerd zei: 'Verdomme, het magazijn is leeg. Krijg nou wat.'

Ze herinnerde zich alles. Elk ogenblik, elk geluid, elke schreeuw.

Ben opende zijn ogen. 'Dan zitten we met een probleem,' zei hij. 'Door bloedverlies en het feit dat je mijn kop tegen de vloer hebt geslagen, kan ik niet zo goed denken, waarmee ik wil zeggen dat de details nogal wazig zijn. Dus als je antwoord op je vragen wilt hebben, stel ik voor dat je nu gaat bellen, want ik denk dat ik ga flauwvallen.'

'Partners,' zei ze. 'Namen.'

'Je zult met mijn chef moeten praten. Hij zal je alles vertellen wat je wilt weten. Dat zweer ik, met God als mijn getuige.'

Niet vluchten of gillen, mevrouw Russo. Alstublieft.

Dat had Ben gezegd toen hij met Carter in zijn armen bij haar in de keuken stond. Haar achttien maanden oude zoontje hield zijn vingertjes om de loop van de Colt geklemd en probeerde die in zijn mondje te stoppen.

Doe nu maar gewoon wat ik zeg, mevrouw Russo, dan laten we u en uw kinderen ongemoeid. Dat zweer ik, met God als mijn getuige. We willen als Danny thuiskomt alleen maar even een praatje met hem maken, oké?

Jamie ramde Bens hoofd tegen de zijkant van de kofferbak. Hij viel opzij. Zijn neus begon opnieuw hevig te bloeden.

'Jezus, het is je wel ernst, hé?' wist hij kokhalzend uit te brengen.

'Namen,' zei Jamie.

'Bel nu maar op.'

Nee. Het was een valstrik. Wat zou de persoon die hij haar wilde laten opbellen gaan doen? Zou hij het gesprek laten traceren? Met een volmacht kon een politieagent dat laten doen. Was het een telefoon met GPS, waarmee hij kon worden gelokaliseerd?

En als iemand over de juiste apparatuur en software beschikte en het toestel was ingeschakeld, dan kon dat iedereen zijn. Stond het op dit moment ingeschakeld?

Ze zocht in zijn zak en pakte het apparaatje. Palm Treo, stond erop vermeld. Een klein, groen lichtje gaf aan dat hij stond ingeschakeld. Ze verwijderde de batterij en stopte alles in de zak van haar jack.

Op Bens gezicht verscheen een andere uitdrukking... die van angst.

'Bel nou maar,' zei hij weer. 'Dat is de enige manier waarop het werkt.'

Tranen welden op in haar ogen en stroomden over haar wangen. In haar gedachten zag ze Carter in het bad zitten. Op zijn rug, daar waar de kogels naar buiten waren gekomen, zag ze de twee harde, witte littekens, rond, zo groot als een halve dollar.

Ze drukte de loop van de Magnum tegen Bens knieschijf en vuurde.

Hij schreeuwde het uit van de pijn, een geluid dat iets losmaakte in haar borst. Iets wat haar bloed verkilde en haar lichaam liet sidderen.

'NAMEN.'

Ben kon geen antwoord geven. Kronkelend in de kofferbak brulde hij het uit. De aderen in zijn nek zwollen op tot kabeltouwen.

Ze liet de Magnum terugglijden in de holster en greep hem vast bij zijn jack. Ben probeerde zich te verzetten, ondanks zijn gebonden polsen en enkels, maar hij was te zwak en had te veel pijn. Ze wierp hem op de grond.

'N-N-N-NAMEN!'

Zijn lippen trilden en hij spuwde bloed. Er kwam geen antwoord.

Ze keek naar zijn knie en stampte toen met haar voet op de bloederige massa van gescheurde huid en verbrijzelde botten.

Opnieuw schreeuwde Ben het uit. Zijn gezicht werd purper, dezelfde kleur die Dans gezicht had toen ze hem in de keuken met zijn hoofd voorover in de gootsteen had gevonden.

Ben maakte een vreemd, gorgelend geluid. Alsof hij bezig was te verdrinken. Ze pakte hem vast onder zijn armen, tilde hem op en sleepte hem over de vochtige grond. Zijn lichaam schokte en hij gaf bloed op.

Ze schoof zijn benen over de rand van de groeve en trok hem omhoog tot zithouding. Ze duwde zijn hoofd naar voren, zodat hij ver onder zich het maanlicht in het olieachtige water kon zien schemeren.

'N-n-n-n-namen,' stotterde ze in zijn bebloede oor. 'P-p-p-partner... n-n-namen.'

Ben snakte naar adem. Braakte.

'Zeg het me. Zeg op... eh... eh... of...'

Hij gaf geen antwoord.

Ze schudde hem heen en weer. 'Over rand... gooi je... water...'

Ben antwoordde niet.

'Verdrinken... in... eh... verdrinken. Je zult verdrinken.'

Ben weigerde te spreken. Ze liet hem los en pakte haar Magnum, klaar om zijn andere knieschijf kapot te schieten, om hem aan flarden te schieten totdat hij zou praten.

Zijn lichaam smakte tegen de grond. Ben hoestte en bewoog niet meer. O, jezus, nee, dát niet. Ze liet zich op haar knieën vallen en drukte haar vingers tegen zijn glibberige, bloederige nek.

Ze voelde een zwakke hartslag.

'N-N-N-NAMEN!'

Jamie schudde hem heen en weer. Zijn ogen staarden naar haar omhoog, zijn hoofd wiegde als van een lappenpop heen en weer.

Ze sloeg hem in zijn gezicht.

Hij kreunde. Zijn lippen trilden.

'Zeggen... eh... zeg me...'

Ben gaf geen antwoord, maar zijn lippen bleven bewegen. Uit zijn oren druppelde bloed. Hij was aan het doodbloeden, aan het doodgaan.

De antwoorden die ze nodig had, zaten ergens opgesloten in zijn schedel en tenzij hij weer bijkwam, zou zij ze nooit te weten komen. Hij móést bijkomen.

Ze drukte haar lippen tegen zijn glibberige, bloederige mond en begon lucht in zijn longen te blazen tot ze er duizelig van werd. Kokhalzend trok ze haar mond weg en begon toen met haar vuisten ritmisch op zijn borstkas te duwen, drie keer kort na elkaar, zoals het haar was geleerd. Ben bewoog zich niet en maakte geen geluid.

Opnieuw perste ze lucht in zijn longen. Maar Ben verroerde zich niet. Jamie bleef zijn borstkas met haar vuisten bewerken en hem in zijn gezicht slaan, schreeuwend dat hij wakker moest worden, zelfs toen ze al wist dat het hopeloos was.

14

Met een halve fles water en wat papieren zakdoekjes die ze achterin op de vloer van de Honda had gevonden, veegde Jamie het bloed van haar gezicht en haar geschaafde en gezwollen handen.

Ze inspecteerde haar gezicht in de zijspiegel. De linkerkant was gezwollen maar schoon. Aan het bloed op haar kleren en sneakers kon ze pas wat doen als ze weer thuis was.

Je kunt maar beter tot God bidden dat je niet wordt aangehouden.

Ze gooide de bebloede zakdoekjes in de kofferbak, waar Ben haar aanstaarde met vragende ogen. *Waarom zo triest, liefje? Had je nu echt verwacht dat ik je zou vertellen wat je wilde weten? Je zou me sowieso hebben vermoord, dus waarom zou ik?*

Ben had haar alles kunnen vertellen en dan nog zou ze hem hebben gedood. Dat had ze geweten vanaf het moment dat ze had besloten hem vanuit de drogisterij te volgen.

Jamie stak haar hand in de kofferbak en kneep in zijn oog. Een helderblauwe contactlens kwam los. Bens echte ogen waren bruin, precies zoals ze zich herinnerde.

Ze doorzocht zijn dichtgeritste zakken en vond een Tiffany-sleutelhanger en een portefeuille. Ze vroeg zich af of een van de sleutels toegang bood tot het huis in Charlestown. Misschien dat de dikke man met het hawaïhemd daar woonde. Misschien was hij het geweest die haar man had vermoord.

Ze stopte Bens spullen in haar zak, sloeg de kofferbak dicht, zette haar handen op de bumper en begon te duwen. De vochtige grond was drassig maar liep omlaag, zodat de auto na een ogenblik sneller begon te rollen.

Ik zal je een geheimpje vertellen, had Ben tegen haar gezegd. *Ik ben een smeris.*

Gelul. Een undercoveragent of iemand van de FBI zou niet een huis binnendringen en in koelen bloede twee kinderen neerschieten. Een agent zou niet toestaan dat twee mannen een hand van iemand in een draaiende afvalvernietiger duwen en hem met een touw om zijn nek wurgen. Een agent zou nooit een huis binnendringen om een vrouw de keel door te snijden. Ben moest het verzonnen hebben, een laatste poging om zijn hachje te redden.

De voorbanden knersten over de rand. Jamie gaf nog een laatste duw en liet toen los. Met haar handen steunend op haar knieën, terwijl ze hijgend de vochtige nachtlucht inademde, zag ze hoe de auto in de diepte verdween.

Even was het enige geluid dat ze hoorde het getsjirp van de krekels in het bos. Toen klonk ver weg een luide plons. Het was alsof het ergens anders gebeurde, in een andere tijd. Staande op de rand van de groeve, zag ze hoe de auto in een draaikolk van in maanlicht oplichtende luchtbellen wegzonk. Opgegroeid in Belham moest ze denken aan die keer dat een dronken man in het water was gevallen. Duikers hadden dagenlang naar het lichaam gezocht. Het was nooit gevonden.

Stel dat de auto bleef drijven? bedacht ze opeens geschrokken. Haar spieren verstijfden en haar huid werd koud. Stel dat het water niet diep genoeg was? In de hectiek van die avond had ze niet aan die mogelijkheid gedacht.

Maar algauw bleek haar angst ongegrond. Het zwarte water sloot zich, rimpelend in het maanlicht, boven de auto en kwam toen weer tot rust.

Ze liep terug naar het pad, warm en niet op haar gemak in het met bloed bevlekte windjack. Ze wilde dat ze het kon uitdoen, maar het bedekte haar schouderholster en Bens Glock die ze in de achterzak van haar spijkerbroek had gestoken. De verlengde patroonhouder drukte voortdurend tegen haar onderrug.

Ze had een flinke wandeling voor de boeg. Ze had haar auto geparkeerd in Kale, een dichtbevolkte buitenwijk van Blakely, met veel soortgelijke eengezinswoningen met minivans als die van haar. Ze wist dat ze hen niet in de buurt zelf in de gaten kon houden. Dat zou te riskant zijn geweest. Te opvallend. Bovendien hadden Ben en zijn maten aan de voorkant van het huis de zonweringen neergelaten. Maar gelukkig was ze bekend in Belham, zodat ze wist waar ze kon parkeren.

Jamie hoopte dat met de jongen alles goed was.

Ze had eerst niet geweten dat hij thuis was geweest. Staande in het donkere, benauwde bos, had ze even overwogen dichter naar het hek te gaan, om vandaar af beter zicht te hebben. Maar ze had het niet aangedurfd. De huizen stonden te dicht op elkaar. Iemand die toevallig uit het raam zou kijken, zou haar kunnen zien en de politie bellen. De boel vanuit het bos in de gaten houden was veiliger.

Behalve de Magnum had ze ook de verrekijker bij zich die ze altijd in het handschoenenvak van haar auto had liggen (Michael speelde er graag mee en Dan had hem ooit gekocht voor sportevenementen en als hij af en toe ging jagen). Vanaf de plek waar ze zich bevond, kon ze maar een gedeelte van de keuken zien. Maar ze had een uitstekend uitzicht op de glazen schuifdeuren en de eetkamer erachter en ze had een hele tijd kunnen zien hoe Ben nauwgezet de kamer doorzocht en zelfs de kussens van de fauteuil en de bank had opengesneden. Maar geen enkele keer had ze de jongen gezien die vastgebonden op de stoel had gezeten.

Dat veranderde toen ze een auto hoorde die de oprit kwam op rijden en het jankende geluid van de elektromotor hoorde toen die de garagedeur omhoogtrok.

Jamie wist nog dat ze geprobeerd had een beter waarnemingspunt te vinden, maar boomtakken bleven haar het zicht belemmeren. Haastig rondlopen in een donker bos zonder zaklantaarn was niet erg handig. Ze struikelde voortdurend en liep overal tegenop. Het was moeizaam en vervelend.

Tegen de tijd dat ze een betere plek had gevonden, zat de blonde vrouw met het blauwe T-shirt met plakband vastgebonden op een stoel tegenover haar zoon. Hun ogen waren afgeplakt met plakband. Bij de jongen was ook de mond afgeplakt, maar bij de vrouw niet; Jamie kon haar horen gillen toen de man in het pak haar vingers begon te breken. Ben, die achter hem stond, hield in zijn hand een opengeklapt scheermes.

Jamie had haar telefoon willen pakken, maar herinnerde zich toen dat ze die in haar auto had laten liggen. Niet dat het veel had uitgemaakt. Zelfs al had ze hem bij zich gehad, dan zouden de vrouw en de jongen al dood zijn tegen de tijd dat ze haar 911-oproep had gestameld.

Jamies eerste prioriteit, had ze tot haar schaamte moeten toegeven, was om geen bewijsmateriaal achter te laten. Als voormalig politieambtenaar waren haar vingerafdrukken in een databank opgeslagen, dus de politie mocht geen vingerafdrukken of welk ander bewijs dan ook van haar vinden; in het belang van haar kinderen. Ze ritste haar zak open en pakte een paar latex handschoenen.

Wat daarna was gebeurd, herinnerde ze zich alleen maar als een aaneenschakeling van fragmentarische beelden; de helling af rennen, wegglijden en struikelen. Opkrabbelen en opnieuw struikelen. Uiteindelijk de poort vinden. Dan rennen over het gazon, ondertussen haar jack openritsen om haar Magnum te pakken. De trap van de veranda beklimmen, behoedzaam, zodat Ben en zijn maat het niet horen, om dan te merken dat de glazen schuifdeuren zijn afgesloten. Het gillen van de vrouw. Twee schoten en versplinterend glas. Naar binnen klimmen en vanuit de woonkamer twee kogels afvuren in de borst van de man in het pak. De snelle zwenking van de Magnum in de richting van Ben en zien dat de keel van de vrouw is doorgesneden. Het schot in het dijbeen. Ben die achterovervalt op de jongen, waarbij de stoel omvalt. Ben in zijn maag schoppen en de handboeien grijpen van de man in het pak die bloedend uit zijn borst op de vloer ligt. De worsteling met Ben op de vloer en hem de handboeien omdoen. Daarna de lege hulzen oprapen.

Een snelle inspectie van de zakken van de vrouw had de autosleutels van de Honda opgeleverd. Nadat Ben, geboeid met handboeien en plakband, in de kofferbak lag, was Jamie teruggekomen. Ze had het scheermes opgeraapt en de boeien van de jongen doorgesneden. Het plakband dat zijn ogen bedekte, had ze laten zitten. Ze had de draadloze telefoon die ze op de vloer had gevonden in zijn hand gestopt en was toen snel naar de wachtende auto gelopen.

Jamie wilde dat ze met de jongen had kunnen praten. Dat ze zijn hand had kunnen vasthouden en haar verhaal met hem had kunnen delen. Als een reisgids die hem kon helpen zijn weg te vinden in een nieuwe wereld vol verdriet.

Jamie reed ruim onder de maximumsnelheid om te voorkomen dat ze zou worden aangehouden. Ze zette de radio aan en stemde af op WBZ, de nieuwszender van Boston.

Ze moest vijftien minuten wachten voor ze wist wat er in Belham was voorgevallen.

De politie had geen namen vrijgegeven van de vrouw of de jongen. Een verslaggever ter plaatse maakte melding van een hevig vuurgevecht in het bos achter het huis, waarbij ook flits- en rookgranaten zouden zijn gebruikt. Verdere details kon de verslaggever niet geven omdat 'de politie zich verder van elk commentaar onthield'.

Jamie vroeg zich af of de dikke man met het hawaïhemd hierbij betrokken was. Hij had de auto aan het eind van de straat geparkeerd. Had de politie hem op de een of andere manier weten te vinden? Of misschien geprobeerd zijn BMW klem te rijden? Of had meneer Hawaï geprobeerd door het bos te ontsnappen?

De verslaggever wist een belangrijke ontwikkeling te melden. Een van de slachtoffers, een jongen die naar het ziekenhuis was gebracht, had kennelijk zelfmoord gepleegd. Verdere details ontbraken nog, maar de verslaggever adviseerde met klem te blijven luisteren.

Zelfmoord. De jongen had ongeveer net zo oud geleken als Michael, haar dertienjarige zoon. Als verdoofd reed Jamie de rest van de weg naar huis.

Veertig minuten later stopte ze op haar oprit. Omdat ze de kinderen niet wakker wilde maken, liet ze de garagedeur dicht en liep naar de achterkant van het huis om via de kelderdeur naar binnen te gaan. Voordat het inbraakalarm afging toetste ze de code in en legde toen Bens Glock en de spullen in haar zakken op Dans oude bureau – een plaat multiplex op twee stalen dossierkasten. Toen hij nog leefde, kwam Dan hierbeneden om papierwerk te doen of een van zijn hobbybladen over houtbewerking door te lezen.

Ze pakte Bens portefeuille. Geen creditcards, alleen maar een rijbewijs op naam van Benjamin Masters. Met een verblijfplaats: Boston. *Had hij daar al die tijd gewoond?*

Ze nam de Glock in haar handen en bekeek hem van alle kanten. Drie veiligheidspallen, drie instellingen: veilig, automatisch en semiautomatisch. Op het frame was een laservizier gemonteerd. Ze bekeek de loop en vond het modelnummer: Glock 18. Ze had er nooit van gehoord. Ze hield het verlengde magazijn omhoog en las de woorden die in de metalen cassette waren gestanst: BEPERKT GEBRUIK IN DE USA.

In de punt van de kogels zat een kuiltje. De haren in haar nek gingen recht overeind staan. Ze wist wat kogels met een holle punt konden aanrichten, hoe ze bij het raken van het slachtoffer onder druk van huid en vlees vervormden tot roterende paddenstoelen met vlijmscherpe loden tanden die tijdens hun weg door het lichaam organen en weefsel kapot maalden. Kogels met een holle punt waren 'stopkogels', bedoeld om zoveel mogelijk schade toe te brengen. Zelfs als ze onmiddellijke medische hulp kregen, stierven de slachtoffers gewoonlijk door ernstig bloedverlies.

Als Ben op me geschoten had, dacht ze, terwijl ze de Glock terruglegde op het bureau, *zou ik nu niet meer leven.*

In de keuken gooide ze al haar kleren en de lege hulzen in een afvalzak en bracht die naar de garage. Ze zou hem later wel ergens dumpen. Daarna liep ze terug door de gang om te gaan douchen. Toen ze zich had afgedroogd, trok ze uit de droger een slipje en een T-shirt en ging vervolgens naar boven om te zien hoe het met de kinderen was.

Eerst naar Michaels kamer. Ze gaf hem een kus op zijn voorhoofd. Michael, met zijn zandkleurige haar en zijn slanke, sportieve bouw, leek zoveel op zijn vader dat het pijn deed.

Carter was niet op zijn kamer.

Ze vond hem slapend in haar bed.

Ze gleed onder de lakens en kroop dicht tegen hem aan. Hij rook schoon. Mooi. Michael was niet vergeten hem in bad te doen.

Ze sloeg haar arm om Carters smalle middeltje en trok hem dicht tegen zich aan. Zijn blonde, kortgeknipte haren kietelden tegen haar kin.

Ze was te gespannen om te kunnen slapen. Terwijl ze uit het raam naar de donkere lucht staarde, wreef ze met haar vingers over de dikke littekens op zijn maag – blijvende herinneringen aan de scalpels waarmee hij was opengesneden om zijn leven te redden. Het was de artsen van de Spoedeisende Hulp gelukt het bloeden te stelpen en de schade aan zijn maag en longen te herstellen.

'Dood,' fluisterde ze bij Carters oor. 'Heb hem gedood.'

Haar zoon ademde rustig naast haar. Hij werd niet meer geplaagd door nachtmerries, in elk geval niet zoals in het eerste jaar, toen hij midden in de nacht gillend wakker werd. Soms was hij bij haar in bed gekropen. Soms was ze wakker geschrokken, om hem bij het raam van haar slaapkamer te zien staan, kauwend op een punt van zijn rafelige, blauwe dekentje. En als ze hem dan vroeg wat eraan scheelde, dan was het antwoord altijd hetzelfde geweest: *Ik kijk of ik die slechte mannen zie, mama. Denk je dat ze terugkomen?*

Jamie knuffelde haar zoon.

'Ik... zal... zijn... maten vinden,' fluisterde ze. 'Doden.'

Ze sprak de woorden tegen Carter, tegen de koele lucht in het afgesloten huis. Tegen God. 'Ik... zal... ze doden... zodat... jij... en... Michael... veilig zijn.'

Dag 2

15

De volgende morgen om halfnegen zat Darby in haar bureaustoel met haar voeten op een hoek van het bureau. Terwijl ze uit het raam naar opnieuw een grijze lucht staarde, luisterde ze naar dokter Aaron Goldstein, een neuroloog uit Boston, die was ingeroepen om de jongen John/Sean Hallcox te behandelen. De stem van de man klonk gortdroog en monotoon, alsof hij voorlas uit een medisch handboek.

'De kogel is via de onderzijde van de kin binnengedrongen,' zei dokter Goldstein. 'In plaats van via de hersenen het hoofd van de jongen aan de bovenkant te verlaten, is de kogel aan de binnenkant van de schedel afgeketst, wat ernstige weefselschade heeft veroorzaakt door de schokgolven. Met als gevolg dat...'

'Dokter, ik wil niet onbeleefd zijn, maar ik was erbij in de ziekenhuiskamer toen John Hallcox zichzelf door het hoofd schoot en ik weet dat de kogel de schedel niet heeft verlaten. Wat ik wil weten, is hoe zijn toestand is.' Ze stak een paar aspirines in haar mond en spoelde ze weg met een slok koud water.

'We hebben een debridement uitgevoerd,' zei Goldstein. 'Wat inhoudt dat we bot- en kogelfragmenten uit de hersenen hebben verwijderd. Het meeste hebben we kunnen weghalen, maar tot mijn spijt moet ik zeggen dat enkele fragmenten zo diep zaten, en te dicht bij vitale gedeelten, dat ik ze heb moeten laten zitten. Waar ik me meer zorgen over maak, zijn de zogeheten secundaire effecten.'

'Zwellingen en bloedingen van gescheurde bloedvaten.'

'Inderdaad.' De stem van de man klonk verrast, alsof het hem verbaasde dat ze dit soort dingen wist. 'Bij schotwonden in het hoofd bestaat altijd een groot risico van oedeem, en, in het geval van de jongen Hallcox, infectie. We behandelen hem met sterke antibiotica, maar dit soort infecties zijn, zeker als het de hersenen betreft, uitermate moeilijk te behandelen. Gelukkig heeft hij nog geen epileptische aanval gehad, maar hij is nog steeds in coma.'

'Waar staat hij op de Glasgow Coma Schaal?'

'Een exacte GCS-waarde kan ik u op dit moment niet geven. Vanwege de beademing en ernstige gezichtszwellingen kan hij niet praten en ik kan zijn oogreflexen niet testen.'

'Denkt u dat hij nog zal kunnen praten?'

'Tegen u?'

'Tegen iedereen, dokter.'

'Die mogelijkheid bestaat altijd, maar ik ben geneigd nee te zeggen. Ik betwijfel of hij het zal overleven, niet vanwege de schotwond, maar vanwege de infectie. Woont er hier in de buurt familie van hem? Ik heb begrepen dat zijn moeder nogal tragisch om het leven is gekomen.'

'Ze is vermoord.'

'Nou, mocht u familie vinden, laat het ons dan weten. Er moeten bepaalde zaken worden geregeld. Goed, meer kan ik u op het moment niet vertellen, mevrouw McCormick.'

'Mocht zich een verandering voordoen, hoe klein ook, zou u me dan willen bellen? Ik zou graag... Ik wil weten hoe het verder met hem gaat.'

'Natuurlijk. Hoe bent u het beste te bereiken?'

Ze wisselden telefoonnummers uit. Darby bedankte de arts, zwaaide haar benen van het bureau en belde de telefoondienst om het nummer van het FBI-kantoor in Albany New York op te vragen.

Ze vertelde wie ze was aan de vrouw die de telefoon opnam en vroeg of ze Special Agent Dylan Phillips kon spreken.

'Ik zal u doorverbinden met zijn kantoor,' zei de vrouw.

Phillips was nog niet in zijn kantoor. Darby liet bij zijn secretaresse een boodschap achter.

Pine had haar verteld dat hij bezig was de eigenaars van het huis op te sporen, dokter Wexler en zijn vrouw Elaine. Maar Darby, die niet wilde wachten, ging achter haar computer zitten. Toen ze had gevonden waar ze naar zocht, pakte ze de telefoon.

Een uur later had ze een van Wexlers kinderen weten te vinden. David, zijn oudste zoon, die in Wisconsin woonde, had het telefoonnummer van het huis van zijn ouders in Zuid-Frankrijk. De namen Amy en John Hallcox zeiden hem niets.

Ze toetste het nummer in. Ze kreeg een antwoordapparaat, met een Franse stem. Ze sprak een gedetailleerde boodschap in, met vermelding van haar kantoor- en mobiele nummers en ze vroeg hen haar terug te bellen, ongeacht het tijdstip.

Darby hing op. In de stilte van haar kantoor gingen haar gedachten naar John Hallcox – *Sean,* corrigeerde ze zichzelf. De twaalfjarige jongen lag in coma. Haar vader had een maand in coma gelegen. Zijn GCS-getal was 1 geweest. Hij had nooit enig verbaal geluid voortgebracht of zich bewogen. Hij was hersendood.

Ze herinnerde zich dat ze zijn hand in de hare had genomen toen de arts haar moeder uitlegde wat er met Big Red zou gebeuren nadat de hart-longmachine was afgezet. Ze wist nog hoe ze haar vingernagels tot bloedens toe in zijn handpalm had gedrukt. Hoe ze had gehoopt – nee, gelóófd – dat de pijn haar vader zou doen ontwaken. Toen werd het apparaat uitgeschakeld en ze hadden gewacht tot hij was gestorven. Darby zette haar ellebogen op haar bureau en staarde naar haar handen. Ze waren nu groter. Het eelt op haar handpalmen en vingers was bevlekt met opgedroogd bloed. Seans bloed. Ze had hem vastgehouden terwijl ze om hulp had geroepen.

Er werd zacht op de deur geklopt. Toen ze opkeek, stond hoofdcommissaris Christina Chadzynski in de deuropening.

'Mag ik binnenkomen?'

Darby knikte. Chadzynski nam plaats op een van de stoelen aan de andere kant van het bureau, sloeg haar benen over elkaar en vouwde haar handen in haar schoot. Ze droeg deze ochtend een modieus, zwart mantelpakje. Het was de enige kleur die ze leek te dragen. De vrouw was slank en afgetraind – ze was een fervent hardloopster – maar alle sport, slaap en make-up waren niet toereikend om de vermoeidheidsrimpeltjes rond haar ijsblauwe ogen te verhullen.

'Het is stil hier,' zei Chadzynski.

'Het hele lab zit in Belham, bezig met het onderzoek van het huis. Heb je mijn rapport gelezen?' Darby had het de avond daarvoor nog laat doorgestuurd voordat ze uitgeteld op de bank in haar kantoor in slaap was gevallen.

'Ik heb het vanmorgen direct gelezen,' zei Chadzynski. 'Het is uitgebreid op het nieuws wat er gebeurd is in Belham, het ziekenhuis, alles.'

'Werd er op het nieuws nog iets gezegd over dat de FBI het onderzoek zou overnemen?'

'Nee, niet dat ik weet.' Chadzynski leek haar woorden zorgvuldig te kiezen.

'Die mannen die je in het bos hebt gezien, heb je daar verder nog iets van gehoord?'

'Geen enkel ziekenhuis heeft gemeld een blanke man met een kogelwond te hebben behandeld, maar Pine en zijn mannen trekken dat voor de zekerheid na. Hij is nu op weg naar Vermont, om daar samen met de plaatselijke politie een kijkje in Amy Hallcox' appartement te nemen.'

'Je vermeldde dat de ouders van de vrouw waren vermoord, maar details ontbraken.'

'Van haar zoon kreeg ik ze niet en ik kan nergens een moordzaak vinden waarin de naam Hallcox wordt vermeld.'

'Heb je nog nieuws over de toestand van de jongen?'

'Ik heb net de neuroloog aan de lijn gehad,' antwoordde Darby. Ze vertelde Chadzynski over haar gesprek met dokter Goldstein.

'Hoe is die jongen aan die revolver gekomen?' vroeg Chadzynski. 'Het stond nergens in je rapport.'

'Dat heb ik pas vanmorgen gehoord. Hij had een dijbeenholster. Die was onder zijn slobberbroek niet te zien.'

'Ik kan niet geloven dat iemand dat over het hoofd heeft gezien.'

'Hij was geen verdachte, dus er was geen reden hem te fouilleren. En toen de ambulance hem naar het ziekenhuis bracht, weigerde de jongen zich door iemand te laten aanraken. Volgens de arts werd hij helemaal hysterisch, dus hebben ze hem iets gegeven om te kalmeren. Afgaande op wat de jongen me afgelopen nacht heeft verteld, zou het me niet verbazen als zijn moeder hem die revolver heeft gegeven.'

'En waarom wilde de jongen per se je vader spreken?'

'Geen flauw idee,' antwoordde Darby. Ze wreef met haar handen over haar gezicht en haalde haar vingers door haar haren. Ze kon zich niet herinneren dat ze ooit zo moe was geweest. 'Wie het weet mag het zeggen.'

'Heb je nog wat kunnen slapen?'

'Een paar uur misschien. Steeds als ik mijn ogen dichtdeed, zag ik dat kind die loop onder zijn kin steken. Als die eikel van de FBI niet was binnengekomen, dan zou Sean nu niet in coma liggen.'

'De jongen was in shock, Darby. Alleen de commotie al kan genoeg zijn geweest om...'

'Sean praatte tegen me. Ik had eindelijk zijn vertrouwen gewonnen. Hij had me verteld dat zijn echte naam Sean was en hij wilde me net de waarheid over zijn grootouders gaan vertellen, waarom ze waren vermoord en de namen van de mensen die het hadden gedaan, toen die eikel binnenkwam om wapperend met zijn badge te laten weten dat hij het onderzoek overnam en het joch mee zou nemen.'

'Dat kan allemaal best waar zijn, maar het roept, met alle respect, wel vragen op over je professionaliteit.'

Darby liet zich achteroverzakken in haar stoel en wachtte op wat er verder zou komen. Chadzynski mocht dan blauw politiebloed door haar aderen hebben stromen, ze had het hart van een politicus. Ze was in stilte al bezig zich te omringen met mensen die haar zouden helpen bij haar verkiezing tot gouverneur. De werkelijke reden van haar komst was dan ook schadebeperking.

'Ik begrijp dat je hem hebt aangevallen,' zei Chadzynski.

'Is dat hoe hij het noemde?'

'Ik vraag het jou.'

'We hadden een kleine aanvaring. Het staat in mijn verslag.'

'Dat is me bekend. Net als je persoonlijke ervaringen met de FBI. Vertel me wat er is gebeurd.'

'Hebt u het gedeelte gelezen waarin staat dat Special Agent Phillips nergens meer in het ziekenhuis was te bekennen? En dat hij er met mijn memorecorder vandoor is gegaan?'

'Kun je die beschuldiging hard maken?'

'Ik ben het bij iedereen nagegaan die daar toen was, behalve bij Phillips natuurlijk. Tegen de tijd dat ik met hem klaar ben, zal hij zeven kleuren stront schijten.'

'Even subtiel als altijd. Aangezien ik Specials Agent Phillips zelf niet heb gesproken, noch iemand anders van de vestiging in Albany, wil ik dat je me precies vertelt wat er gebeurd is, zodat ik weet hoe ik het moet aanpakken.'

Darby's telefoon rinkelde. 'Over de duivel gesproken,' zei ze toen ze het nummer herkende. 'Darby McCormick.'

'Dylan Phillips hier. U had me gebeld. Wat kan ik voor u doen, mevrouw McCormick?'

Darby gaf geen antwoord.

De stem aan de andere kant van de lijn klonk donker, een beetje hees. De FBI-agent die ze gisteravond had ontmoet had een beetje geslist en zijn stem had hoger geklonken, bijna vrouwelijk.

'Mevrouw McCormick?'

'Spreekt u mee. Ik neem aan dat u niet weet wie ik ben.'

'Zou dat moeten?'

'We hebben elkaar gisteravond in het St. Jozefziekenhuis ontmoet.'

'Ik ben bang dat u me met iemand anders verwart. Gisteravond was ik uit eten met mijn dochter en haar verloofde.'

'Bent u op zoek naar een voortvluchtige met de naam Amy Hallcox?'

'De naam zegt me niets. Waar gaat dit over?'

‘Dat weet ik nog niet, maar iemand heeft zich gisteravond voor u uitgegeven. Ik bel u terug zodra ik meer weet.’

‘Graag, ja.’

Darby hing op en draaide zich naar haar computer en logde in op het National Crime Information Center.

‘Shit.’ Darby griste haar autosleutels van haar bureau.

Chadzynski stond op. ‘Wat is er?’

‘De naam Amy Hallcox komt in het bestand van het NCIC niet voor. Er is geen opsporingsbevel.’

‘Waar ga je heen?’

‘Naar het ziekenhuis,’ antwoordde Darby, terwijl ze opstond van haar bureau. ‘Ik moet de beveiligingstapes van gisteravond hebben.’

16

Jamie werd wakker van kibbelende stemmen. Haar slaapkamerdeur was dichtgetrokken en Carter lag niet meer naast haar.

'Hou op met de baas te spelen,' klonk Carters stem van achter de deur.

'Praat niet zo hard,' siste Michael. 'Je maakt mama wakker.'

Te laat, dacht ze, en ze keek op de wekker.

Bijna elf uur.

Shit. Ze had zich verslapen. De jongens hadden de bus naar het kamp gemist. Ze zou ze moeten brengen. Ze sloeg de lakens opzij en stapte uit bed. Ze voelde zich groggy en haar hoofd bonkte.

'Ik kleed me aan wanneer ik dat wil,' zei Carter. 'Je bent niet mijn baas, poffertjes.'

'Hoe vaak moet ik je nu nog zeggen dat "poffertjes" helemaal nergens op slaat, sukkel.'

'Welles.'

Jamie deed de deur open. Haar twee jongens zaten aan het eind van de gang samen voor de deur van de dodenkamer. Carter, met blote voeten, had zijn Batman-pyjama aan. Zijn gezicht ging schuil achter een zwart Batman-masker. Michael droeg een boxershort, gympen, en een van Dans oude Bruce Springsteen-concert T-shirts. Ze vielen veel te ruim om zijn slanke lichaam, maar toch droeg hij ze. Het was zijn manier, vermoedde ze, om de herinnering aan zijn vader levend te houden.

'Jezus, mam,' zei Michael, die dichterbij kwam, 'wat is er met je gebeurd?'

'Gevallen. Gestruikeld in... eh... parkeer... garage... eh... ziekenhuis. Tegen... eh... bumper. Autobumper.'

Michael keek haar aan zoals Dan dat kon doen, met zo'n blik die haar duidelijk maakte dat hij haar op een leugentje had betrapt.

'Ga... eh... je aankleden,' zei ze, wegkijkend naar Carter.

'Oké, mam.' Grijnzend naar zijn oudere broer dook hij weg in zijn slaapkamer.

Jamie liep terug naar haar eigen slaapkamer en begon haar tanden te poetsen. Enkele ogenblikken later zag ze in de spiegel Michael in de deuropening staan, met zijn armen over elkaar geslagen.

'Hoe gingen de tests in het ziekenhuis?' vroeg hij.

'Prima,' antwoordde ze om haar tandenborstel heen. 'Heb je... eh... al gegeten?'

'Ja. En Carter ook.'

'Dank je.'

'Je was lang weg.'

Ze spuugde de tandpasta uit. 'Alles... in orde. Echt waar.'

'Je kwam vannacht pas om drie uur thuis.'

Ze voelde een lichte irritatie opkomen. Michael volgde haar doen en laten altijd op de minuut; hoe laat ze vertok en hoe laat ze weer thuiskwam.

Waarom word je nu boos op hem, Jamie. Eerst was je de hele dag van huis, daarna heb je tegen hem gelogen dat je langer in het ziekenhuis moest blijven om die MRI te laten maken en nu sta je hier met een opgezwollen rechterkant van je gezicht.

'Mam, ik heb nog eens nagedacht en eigenlijk hoef ik niet zo nodig naar dat sportkamp.'

'Waarom niet?'

'Ik ben er een beetje te oud voor en het leek me dat ik je de rest van de zomer beter kon helpen met dingen hier, zoals grasmaaien en opruimen. De garage moet echt weer een keer uitgemest worden. Het huis is niet meer schoongemaakt sinds... je weet wel.'

Sinds je vader werd vermoord.

Het was een aanlokkelijk idee om zowel Michael als Carter nu dicht bij zich te hebben en ze zou eraan hebben toegegeven als Ben er niet was geweest. Ze had tijd nodig om zijn twee partners te vinden. Nadat ze de twee jongens had afgezet, wilde ze naar Bens huis in Boston rijden. Mogelijk vond ze daar iets wat haar verder op weg kon helpen.

'Ik ben niet bang om alleen thuis te blijven,' zei Michael. 'Gisteren, toen je in het ziekenhuis was, ging het prima. Ik kan ook op Carter passen. En we kunnen samen wat dingen doen voor de school weer begint.'

Jamie spoelde haar mond, deed de kraan dicht en draaide zich toen naar hem om. 'Je... eh... moet... eh... moet... eh... onder... eh... vrienden... zijn.'

'Welke vrienden? Ze ontwijken me. Het lijkt wel of ik onzichtbaar ben.'

'Heb... eh... je... gepraat... eh...'

'Mam, ik zei net dat ze me ontwíjken. Ze bellen me niet meer om te komen spelen of wat dan ook te doen. Zelfs hun ouders negeren me. Weet je nog vorige week in de supermarkt, toen met Tommy's moeder?'

Helaas wist ze dat nog.

Ze had met Michael en Carter in het gangpad bij de cornflakes gestaan toen Lisa, de moeder van Tommy Gerrad, haar boodschappenwagentje het gangpad in draaide. Jamie had naar haar gezwaaid en daarna op haar gebrekkige, hakkelende manier voorgesteld dat Tommy een keer bij Michael op de Xbox zou komen spelen. Misschien dat de jongens zelfs een keer samen in Pawtucket een wedstrijd van de Red Sox konden bezoeken. Beide jongens waren gek op honkbal.

Lisa Gerrad was met een onduidelijk excuus gekomen over hoe drukbezet ze deze zomer al was met het sportkamp en andere uitstapjes. Ze had op haar horloge gekeken en gezegd dat ze een afspraak had, en was toen weggelopen alsof er brand was uitgebroken.

'Denk eens aan het geld dat je uitspaart,' zei Michael. 'Ik weet hoe krap we zitten.'

Jamie zuchtte. Ze wilde nu even niet nadenken over geld, over het feit dat de opbrengst van Dans kleine spaarrekeningen en de uitkering van de sociale dienst nauwelijks toereikend was om de maandelijkse rekeningen te kunnen betalen. Met de uitkering van Dans kleine levensverzekering had ze een groot gedeelte van de hypotheekschuld afgelost, maar zelfs na herfinanciering tegen een lagere rente moest ze nog steeds de OZB-aanslag van Wellesley betalen en die ging jaarlijks omhoog.

'Dank... eh... je, maar eh... eh... je... moet... eh... naar... eh... het kamp.'

Michael zei niets, maar zijn ogen spraken boekdelen.

Ze had geen tijd om te bekvechten. Ze liep langs hem naar beneden om Bens spullen te pakken, en dacht er op tijd aan om de vuilniszak met bebloede kleren achter in de auto te gooien.

Tijdens de drieëntwintig minuten durende rit naar het Babson College waren de jongens stil. Carter speelde een spelletje op zijn Nintendo DS. Michael zat voorin met oordopjes in te luisteren naar de iPod die op zijn schoot lag. Hij staarde naar buiten alsof hij op weg was naar zijn eigen begrafenis.

Jamie stopte voor het hoofdgebouw, een bakstenen kolos met een front van witte pilaren. Kinderen tussen vijf en zestien jaar oud dromden de trappen op of renden onder de schaduwrijke bomen over het groene gazon van de campus.

'Neem... eh... bus... eh... eh... naar huis, oké?'

'Goed mam,' zei Carter. Hij gaf haar een kus op haar wang.

'Misschien... eh... ben ik... eh... later thuis.'

Carter pakte zijn rugzakje en opende het portier. Michael bleef zitten en keek uit het raam naar Tommy Gerrad, die met een aantal andere twaalfjarigen bij de trap stond. Ze fluisterden tegen elkaar en keken naar de minivan.

Jamie overwoog even of ze iets tegen Tommy zou zeggen. Ze kende hem al van de peuterspeelzaal. Verwend en soms onuitstaanbaar, maar al met al een leuk joch.

'Mam, waarom haat je me zo?'

Ze draaide zich met een ruk om op haar stoel. Haar maag kromp ineen. Ze wilde iets zeggen, maar de woorden wilden niet komen.

'Oké,' zei hij. 'Haat is misschien het verkeerde woord. Maar echt mogen doe je me niet. Dat voel ik gewoon. Is het omdat ik op papa lijk?'

Het was waar, Michael was inderdaad het evenbeeld van zijn vader. En alsof dat al niet pijnlijk genoeg was, kon Michael net als zijn vader altijd van die confronterende vragen stellen, op een manier alsof het geen gevoelens maar een wiskundige vergelijking betrof. Net als Dan kon Michael zijn ware gevoelens verborgen houden tot ze een keer tot uitbarsting kwamen.

'Ik weet dat ik je aan hem doe denken,' zei Michael. 'En aan wat hij ons heeft aangedaan.'

Ik weet nog steeds niet wat je vader ons heeft aangedaan, wilde Jamie zeggen.

'Ach, laat ook maar,' zei hij, en hij opende het portier. 'Blijf het maar gewoon ontkennen.'

'Ont... eh... eh... ontkennen?'

'Dat je wilde dat ik dood was.'

Het koude zweet brak haar uit. 'Ik... ik... eh... wil niet... eh... eh...'

'Sinds zijn dood is het alsof je me niet meer om je heen kunt verdragen... en zeg niet dat het niet waar is, want we weten allebei dat het zo is. Ik lijk meer op papa en Carter heeft meer van jou. Als ik dood was, zou je verder zijn gegaan.'

Met wat? wilde Jamie zeggen. *Waarheen?*

'Ik weet dat je het huis niet zou hebben gehouden. Ik weet dat je hier weg wilde, maar dat vanwege mij niet hebt gedaan. Ik moest je smeken om te blijven.'

'Niet... eh... niet waar.'

'Wat? Dat van het huis, of dat je wilde dat ik dood was?'

Ze begon te praten, struikelend over haar woorden, zoals gewoonlijk.

Michael, ongeduldig, of niet bereid te luisteren naar wat ze te zeggen had, duwde het portier open. Ze probeerde hem nog bij zijn arm te pakken, maar hij stond al naast de auto.

'Michael... niet doen... eh... wacht...'

Hij gooide het portier dicht en liep weg. Ze staarde hem na, vechtend tegen haar tranen.

Ze haatte hem niet en ze wilde niet dat hij dood was. Jezus, hoe kon hij zulke afschuwelijke dingen zeggen?

Zeker, na de moord op Dan had ze hier willen vertrekken. Michael had zich fel verzet, maar zelfs al had hij wél willen verhuizen, dan zou het niet hebben uitgemaakt. Het huis bleek onverkoopbaar. Ze had diverse makelaars gebeld, die allemaal geïnteresseerd waren tot ze het adres hoorden.

Maar je geeft niet om me. Je voelt iets... *het is alsof je me niet om je heen kunt verdragen, en zeg niet dat het niet waar is, want we weten allebei dat het zo is...*

Michael was nooit een aanhankelijk kind geweest, zelfs niet als baby. Hij had haar borst geweigerd en de voorkeur aan de fles gegeven. En na het eten was hij gaan huilen, om bij haar weg te komen. Michael huilde nooit als Dan hem eten gaf. Michael en Dan hadden een speciale band gehad. Ze communiceerden in een soort geheimtaal die grotendeels bestond uit gebaren, knikjes en een soort gegrom. En nu was Dan weg, en had daarmee Michael zonder gids of kompas achtergelaten in een vreemd soort wildernis.

Jamie moest aan het werk. Ze haalde Bens mobieltje uit haar zak, met de bedoeling de batterij terug te plaatsen en in het bestand te kijken. Misschien dat er iets interessants...

Er werd op haar raam geklopt.

Ze keek geschrokken op. Naast haar auto stond een lange, magere man met wit, kortgeknipt haar en een bril met zwaar montuur. Het was pater James Humphrey, haar achtenzestig jaar oude pastoor.

Ze deed haar raampje open. 'Wat... eh... doet... eh... u hier?'

'Ik help bij de sportwedstrijden.' Zijn zachte stem droeg nog steeds sporen van zijn Ierse tongval. Zijn grootouders waren hier met de boot gekomen en alle Humphrey-kinderen, negen broers, verspreid over het hele noordoosten, hadden het accent in ere gehouden.

Hij scheen te wachten tot ze iets zou zeggen, of misschien wist hij niet hoe hij moest beginnen. Ze had hem sinds de moord op Dan niet meer gezien en was ook niet meer naar de kerk gegaan.

'Kan... nu... eh... niet praten. Geen... eh... tijd... Druk vandaag...'

'Wat is er met je gezicht gebeurd?'

'Ongeluk,' antwoordde ze. 'Gevallen.'

'Tegen een mannenvuist?'

Ze kreeg een kleur.

'Mijn broer Colm, hij ruste in vrede, was bokser. Ik herken een blauw oog als ik er een zie.'

In de milde, vriendelijke ogen van Humphrey viel geen enkele afkeuring te lezen. 'Wat is er gebeurd, kindje? Wie heeft je geslagen?'

'Ongeluk,' zei ze weer. 'Ik moet... eh... gaan. Afspraak.'

Hij knikte en verplaatste zijn blik naar Carters autozitje.

'Bezoek je nog steeds de psycholoog?'

'Ja.' Humphrey had haar de naam van een psycholoog gegeven die gespecialiseerd was in slachtofferhulp. De vrouw, dokter Wakefield, was bereid geweest haar diensten pro Deo te verlenen. Jamie had de vrouw een maand bezocht en was daarna niet meer gegaan.

Humphrey richtte zijn blik weer op haar.

Hij weet het, dacht ze. *Hij weet dat ik tegen hem heb gelogen. Het staat op zijn gezicht te lezen.*

'Moet nu... eh... gaan. Tot ziens... pastoor James.'

Jamie schakelde haar auto in de versnelling en reed weg.

17

Darby legde de beveiligingstapes op de passagiersstoel naast haar. Een machtiging was niet nodig geweest. De ziekenhuisdirectie had alle medewerking verleend.

Voordat ze vertrok, had ze naar Seans toestand geïnformeerd. De neuroloog, dokter Goldstein, was weer teruggegaan naar Boston, dus had ze het gevraagd aan een van de verpleegkundigen van de intensive care, een oudere, gezette vrouw met zilvergrijs haar.

'Hij is hersendood,' zei ze vol medeleven, en ze voelde aan het kleine, gouden kruis aan de ketting die tegen haar jasschort hing. 'Mocht u familie van hem vinden, dan kunt u ze misschien beter vragen de begrafenis te regelen.'

Darby verliet de parkeerplaats via de zuidelijke uitgang, weg van de horde verslaggevers die zich bij de hoofdingang had verzameld in de hoop een arts of verpleegkundige te treffen die bereid was iets over Seans toestand te vertellen.

Terwijl ze terugreed naar de stad, controleerde ze regelmatig in haar achteruitkijkspiegel of ze het bruine busje met de gedeukte voorbumper zag.

Tien minuten later kreeg ze het in de gaten, zes auto's achter haar, op een druk kruispunt in het centrum. Het busje had voor het eerst haar aandacht getrokken toen ze Boston verliet. Het was nooit echt dichtbij gekomen, wat ook niet nodig was. Haar donkergroene Ford Falcon GT Coupe '74 viel op in het drukke verkeer en was gemakkelijk te volgen.

Darby keek op haar dashboardklokje. Kwart voor twaalf. De autopsie van de vrouw stond gepland om drie uur die middag. De rit terug naar Boston duurde veertig minuten. Dat gaf haar ruim twee uur om het lichaam op bewijsmateriaal te onderzoeken. Dus genoeg tijd om eerst naar het huis in Belham te gaan en dan terug te rijden naar de stad.

Walton Street werd versperd door nieuwsbusjes. Ze reed door en sloeg daarna links af Boynton Street in. Ze reed langzaam, met haar aandacht gericht op de achteruitkijkspiegel. Het busje sloeg niet af. Het passeerde Boynton en vervolgde zijn weg.

Ze reed door naar Marshall en draaide de oprit op. De politie van Belham had meer dranghekken geplaatst om het groeiende aantal verslaggevers op een afstand te houden.

De politieagent die de voordeur bewaakte had een door de zon gebruind gezicht. Nadat ze hem haar badge had getoond, zette hij zijn koffiebekertje neer en schreef haar naam op een klembord.

'Is de FBI binnen geweest?' vroeg Darby.

'Nee, mevrouw.'

'Heeft iemand van de FBI gevraagd of hij het huis binnen mocht, of hebt u iemand in de buurt van het huis zien rondscharrelen?'

'Ook dat niet. Niemand heeft gevraagd hier binnen te mogen. En wat uw tweede vraag betreft: ik heb ze hier ook niet zien rondscharrelen. Ik heb niemand gezien en ik ben hier al vanaf zes uur.'

'Mag ik even op uw klembord kijken?'

'Ga uw gang.'

Haar blik gleed over de lijst met namen. Labmedewerkers en rechercheurs van de politie van Belham. Ze gaf de agent het klembord terug, bedankte hem en ging het huis binnen.

In de hal waren technici van het lab bezig poeder aan te brengen om vingerafdrukken zichtbaar te maken. Op de trap stonden zakjes met bewijsmateriaal. Ze wurmde zich erlangs en liep naar de grote slaapkamer. Overal op de muren zat vingerafdrukpoeder.

Ze vond haar koffertje op dezelfde plek als waar ze het had achtergelaten toen Coop haar had gevraagd naar het ziekenhuis te gaan: naast de leren fauteuil. Ze pakte haar camera en ging weer terug naar beneden.

Technici in witte, van zweet doorweekte overalls, onderzochten stoelen op bewijsmateriaal. Coop had ze gelabeld, om aan te geven dat de stoelen moesten worden overgebracht naar het lab. Lopend door de keuken met opdrogend bloed, stelde ze tot haar tevredenheid vast dat iedereen de nieuwe digitale spiegelreflexcamera gebruikte om alles te documenteren.

Ze vond Coop in de woonkamer, waar hij rond de leren kussens een opdamptent had opgesteld.

Hij trok zijn masker omlaag. 'Veel gladde handschoenafdrukken. We...'

'Heb jij nog steeds die verrekijker bij je?'

'Hierin,' antwoordde hij, met zijn voet tegen zijn koffer tikkend.
'Waarvoor heb je die nodig?'

'Ik wil buiten even rondkijken. Ik ben zo weer terug.'

'Kom naar me toe als je klaar bent.'

Darby draafde door het bos. Toen ze boven aan de tweede helling was gekomen, bleef ze staan en richtte haar aandacht op de bomen. Van een hoge, dode den was het bovenste gedeelte van de stam door de bliksem gespleten.

Coops verrekijker had een draagriem. Ze deed hem zo om haar nek dat de kijker onder aan haar rug hing. Hetzelfde deed ze met de camera.

Met een sprong greep ze met beide handen de tak boven haar hoofd vast en zwaaide haar voeten omhoog. De leren riemen knelden om haar keel. Ze sloeg haar benen om de tak, trok zich op en ging er wijdbeens op zitten. Na enig geworstel met de riemen ging ze staan en schuifelde naar de stam. Ze klom verder omhoog, waarbij ze zorgvuldig de takken uitzocht die sterk genoeg waren. Af en toe zoefde op Blakely Road een auto voorbij en wat verder weg klonk het geluid van knappende takken en van Mark Alves, die met zijn zware stem naar Randy Scott riep. Wat ze zeiden kon ze niet verstaan. Ze klom door tot ze een onbelemmerd uitzicht over de buurt had.

Met de verrekijker zocht ze straten af vanwaar het busje haar auto zou kunnen observeren. Tot haar verbazing vond ze het geparkeerd op de hoek van Walton en Cranmore, op grote afstand van het huis en de nieuwsbusjes met hun satellietantennes.

Het busje had kentekenplaten uit Massachusetts. Ze trok een balpen uit haar borstzakje en noteerde het nummer op haar onderarm. Daarna pakte ze haar telefoontje van de riemclip en belde het algemene nummer van de politie van Belham.

'Met Darby McCormick van de Eenheid Onderzoek Geweldsmisdrijven in Boston. Ik onderzoek samen met brigadier Artie Pine de moord in Marshall Street. Wilt u zo snel mogelijk een paar patrouillewagens naar Walton Road sturen om daar de bestuurder van een bruine bestelbus te arresteren. Zeg tegen ze dat ze via Cranmore komen en dat ze hun auto's zo parkeren dat ze de toegang tot Walton blokkeren, ik leg het wel uit als ze daar zijn. Ook zou ik graag willen dat ze een kenteken voor me natrekken.' Ze gaf de centralist het kentekennummer en haar mobiele nummer. Daarna pakte ze haar camera en maakte diverse opnamen van de bestelbus. De lens was niet krachtig genoeg om het kentekennummer scherp in beeld te krijgen.

Het portier ging open. De man die uitstapte had een rond, gladgeschoren hoofd. Ze vroeg zich af of dit dezelfde man was die ze gisteravond had gezien, die met het kogelvrije vest en de nachtkijker.

De man knoopte het jasje van zijn lichtgrijze pak dicht en begon te rennen. Darby bleef afdrukken, waarbij het haar lukte de vage bobbel van het handwapen aan zijn riem in beeld te krijgen.

Nadat Kaalmans zich door een menigte verslaggevers en fotografen had gewerkt, pakte hij een cameraman met een tv-camera op zijn schouder bij zijn elleboog. De man droeg een spijkerbroek, sneakers en een wit T-shirt. Zijn ogen gingen schuil achter een zonnebril en over zijn baseballpet droeg hij een koptelefoon.

Nog meer foto's. Door snel op zijn gezicht in te zoomen, lukte het haar een scherpe opname te maken op het moment dat Kaalmans de cameraman iets in het oor fluisterde, waarna de twee mannen zich uit het gedrang worstelden en er gehaast vandoor gingen.

Darby bleef foto's maken toen de bestelauto snel achteruit Cranmore op draaide, gevolgd door het geluid van piepend rubber en furieus geclaxonneer. Terwijl Darby de bestelbus met rokende banden zag wegscheuren, vroeg ze zich af of Kaalmans misschien een politieradio of scanner in zijn auto had, of dat hij door iemand was gewaarschuwd.

18

Het adres op Ben Masters' rijbewijs bleek een verlaten garagebedrijf te zijn met de naam Delaney's. Het houten naambord met door zonlicht verbleekte rode letters hing boven een met spaanplaat dichtgetimmerde voordeur. Ook alle vensters waren dichtgetimmerd en bespoten met graffiti. Twee zware hangsloten vergrendelden de ketting die om het draadgazen hek voor de parkeerplaats was geslagen. Uit de scheuren in het asfalt groeide onkruid.

Had de garage een speciale betekenis of waarde voor Ben? Of had hij gewoon voor dit pand gekozen omdat het verlaten was? Het was om gek van te worden.

Jamie keerde de auto en reed een straat in met lage flatwoningen. Onderweg naar huis moest ze ergens een draadkniptang kopen en een hamer en een koevoet zien te vinden, zodat ze die bij zich had als ze vanavond terugkwam.

Het huis op de hoek van Old Rutherford Avenue en Ashmont Street in Charlestown was lichtblauw geschilderd. Jamie reed drie keer voorbij om de ramen te controleren. Ze waren allemaal donker. Geen auto op de oprit.

Terwijl ze voor het stoplicht wachtte, keek ze naar de witte, met roest bespikkelde postbus aan de overkant van de straat waarop in gouden plakcijfers 16 stond te lezen. Een naam kon ze niet ontdekken. Ze parkeerde dubbel naast een van de auto's die alle parkeerplaatsen in de smalle straat in beslag namen. Ze drukte de knop in van het alarmlicht, stapte uit en trok de klep van haar Red Sox-baseballpet diep over haar voorhoofd. Haar ogen gingen schuil achter een zonnebril en Dans oude Red Sox-windjack verborg de schouderholster met de Glock die ze had verkozen boven de Magnum. Mocht er in het huis iets misgaan, dan wilde ze geen enkel spoor achterlaten waarmee de politie haar met Belham in verband kon brengen.

Na een snelle blik om zich heen om zeker te zijn dat niemand keek, opende ze de postbus. Hij zat propvol met brieven en winkelcatalogi. *God zij dank.* Ze pakte een handvol enveloppen en keek die snel door. Alleen maar rekeningen, allemaal gericht aan dezelfde persoon: Mary J. Reynolds. Nadat ze opnieuw om zich heen had gekeken, stopte ze de brieven weer terug in de postbus en richtte toen haar aandacht op de aluminium hordeur.

De houten deur erachter zag eruit alsof hij honderd jaar oud was. Het hout rond het ovaalvormige ruitje was gebarsten en opgezet door het vocht. Er zaten twee cilindersloten op. Ze leken nieuw.

Met haar gezicht tegen het gaas gedrukt, zag ze een donker halletje en een gang met vlekkerige, witte muren en een hardhouten parket vol krassen. In de keuken aan het eind van de gang stonden kartonnen dozen op het aanrecht. Sommige kastjes stonden open. De schappen waren leeg.

Jamie drukte op de deurbel en spurtte toen terug naar haar auto waar ze vanuit haar ooghoek het huis in de gaten hield, terwijl ze zogenaamd belde met Bens telefoon.

De deur ging niet open.

Ze had Bens sleutels in haar zak. Ze zou nu kunnen proberen de deur open te maken. Nee, nog niet. Eerst moest ze zeker weten dat er niemand thuis was. Ze mocht geen risico's nemen. Ze reed weg en zocht een plek om te parkeren.

Het was jaren geleden dat ze een voet in Charlestown had gezet, toen ze als nieuwbakken cadet net van de politieacademie in Boston was gekomen. Het waren de jaren tachtig geweest, toen Ierse bendes het in deze wijken voor het zeggen hadden. Maar nu, met alle bendeleiders dood of achter tralies, ging er een golf van vernieuwing door de stad. Oude wijken werden gesloopt om plaats te maken voor betere restaurants, espressobars en antiekzaken, meer in lijn met de smaak van het nieuwe, welvarender publiek dat in de veel te dure woningen en appartementen was getrokken. Dit nieuwe Charlestown deed haar enigszins denken aan een minder chique versie van Beacon Hill. Oude, bakstenen gebouwen zonder achtertuinen. Stenen dozen met ramen. Hier en daar stak een boom uit het gebarsten plaveisel omhoog. Geen garages, hoogstens een oprit voor een enkele auto. Net als in Beacon Hill moest elke bewoner met een auto die langs de straat zien kwijt te raken, op een betaalde parkeerplaats.

Na een halfuur vond ze op loopafstand van het huis eindelijk een kleine parkeerplaats naast een stenen gebouw waarin een accountantskantoor was gevestigd. Ze manoeuvreerde de auto op de enige vrije plek en liet de motor draaien voor de airconditioning.

Ze deed de batterij in Bens telefoontje, zette het apparaat aan en belde nummerinformatie.

'Stad en staat,' vroeg de telefonist.

'Charlestown. Mass... eh... eh...'

'Massachusetts?'

'Ja.'

'Naam?'

'Mary... eh... eh... Reynolds. Ashmont... eh... Street.'

Terwijl Jamie aan de andere kant van de lijn getik op een toetsenbord hoorde, pakte ze uit het handschoenenvak een blocnote en een pen.

De telefonist verbond haar kosteloos door. Jamie stelde zich voor hoe Bens naam en nummer op het display van de telefoon in het huis zou verschijnen. Als de man met het hawaïhemd of wie dan ook binnen was, hoopte ze dat die Bens naam zou herkennen en zou opnemen.

Na acht keer overgaan, zonder dat er een antwoordapparaat werd ingeschakeld, verbrak ze de verbinding. Er was niemand thuis.

Regendruppels tikten tegen de voorruit. De lucht was donker geworden. Er kon elk ogenblik een bui losbarsten. Prima. Mensen bleven binnen als het regende. Jamie stapte uit de auto en begon te lopen.

Bens Palm Treo was voorzien van een klein maar compleet toetsenbord en een vijf bij vijf kleurentouchscreen met numeriek keypad. Ze drukte een knop in en op het scherm verschenen icoontjes voor voicemail, contacten en een telefoonlogboek. In de linkerbovenhoek van het scherm knipperde een gouden belletje. Ze tikte erop met haar nagel. Ben had drie oproepen gemist en twee nieuwe voicemails. Ze drukte op VOICEMAILS, maar klikte dat weer weg toen een elektronische stem om een pincode vroeg. Voor het openen van contacten had ze geen pincode nodig.

Ze vond drie namen: Judas, Alan en Pontius. Geen achternamen of adressen, alleen maar verschillende telefoonnummers.

Judas en Pontius. Jarenlang katholiek schoolonderwijs bracht haar tot de volgende voor de hand liggende verklaring: Judas Iskariot, een van Jezus' discipelen, had Gods enige zoon verraden. Pontius Pilatus, de Romeinse prefect, had Jezus ter dood veroordeeld.

Vormden de twee namen een soort code? Opnieuw moest ze denken aan Bens opmerking waarbij hij zichzelf een soort undercoveragent noemde.

Ze opende het telefoonlogboek. Acht oproepen, allemaal afkomstig van Judas. Ze vroeg zich af of Judas de man in het hawaïshirt zou kunnen zijn, de man die Ben en de man in het pak met de BMW naar Belham had gereden. Ze vermoedde dat de politie hem niet te pakken had gekregen. Zowel op het tv- als radionieuws was er niets over gemeld.

Ze verwijderde de batterij, wat het onmogelijk maakte het mobieltje te traceren.

Het begon te stortregenen. Grote regendruppels roffelden op het plaveisel en de autodaken. Ze begon te rennen. Toen ze Ashmont Street had bereikt, keek ze naar het gebouw aan de andere kant van de straat precies tegenover de woning van Reynolds. De meeste ramen waren donker, maar achter sommige scheen licht. Ze zag geen schaduwen achter het glas bewegen.

Nog een laatste blik door de straat. Niemand te zien. Terwijl ze de trap naar de voordeur op liep, haalde ze Bens Tiffany-sleutelhanger uit haar zak en trok de aluminium hordeur open.

De eerste sleutel die ze probeerde paste op geen van beide sloten. Terwijl de regen op haar hoofd en schouders plensde, probeerde ze een andere sleutel en daarna weer een andere. Water sijpelde van de rand van haar pet.

Kom op. Een van die sleutels moet toch...

Het eerste slot klikte open. Ze probeerde dezelfde sleutel in het tweede slot en ook dat klikte open.

De sleutel paste niet op de deurknop, maar de volgende deed dat wel.

Jamie ritste haar jack open en stapte het halletje in. De benauwende warmte in het potdichte huis deed haar denken aan het huis van haar oma: een klein, ordelijk huis, waar het rook naar gekookte spruitjes, een lucht, die, ongeacht de tijd van het jaar, rook naar ziekte en dood.

Toen er niemand verscheen, haalde ze uit haar zak een zakdoek waarmee ze snel alles schoonveegde wat ze met haar blote handen had aangeraakt. Daarna trok ze een paar latex handschoenen aan, duwde de deur zachtjes dicht en deed hem op slot. Tijd om een kijkje in het huis te nemen. Jamie haalde de Glock uit de holster en gesterkt door het wapen in haar hand, ging ze over de versleten, wijnrode traploper de trap op naar de eerste verdieping.

Mevrouw Reynolds had zonder enige twijfel de lelijkste badkamer ter wereld. De vloer was betegeld met roze tegels die tot halverwege de muren doorliepen; de voegen in de douchecabine waren zwart van de schimmel en de spiegel van de roestige toilettafel zat vol waterspatten.

De kale, witte muren van de lege slaapkamer aan het eind van de gang zaten vol krassen en spijkergaten. In de hoeken zaten spinnenwebben; versleten, matblauwe vloerbedekking vol schroeiplekken van uitgetrapte sigaretten. Ze trok de kleine kast open. Leeg.

Met zes snelle stappen stak ze de gang over en liep een tweede slaapkamer binnen. Dezelfde witte muren, hetzelfde armoedige tapijt. Geen kast. Ze ging weer naar beneden.

De persoon die de keuken in de jaren zestig of begin jaren zeventig had ingericht, moest overduidelijk kleurenblind zijn geweest. Het chocoladebruine behang, op sommige plekken vaal geworden door het zonlicht, combineerde tenenkrommend goed met de mosterdkleurige keukenkastjes en de oranje-zwart geblokte linoleum tegelvloer. Gaten en scheuren in het behang waren dichtgeplakt met lijm, en versleten, afgebladderde linoleumtegels die krom waren getrokken, waren vastgespijkerd of geniet.

Naast de keuken bevond zich een kleine, vierkante kamer met smaragdgroene vloerbedekking. Overal stonden dozen. Sommige waren geopend, andere waren nog dichtgeplakt met tape.

Een bruine driezitsbank met bijbehorende fauteuils was in een hoek van de kamer geschoven.

Het hoosde nog steeds; het gekletter van de regen tegen de ramen en op het dak echode door de kamer. Ze vond de telefoon op een stapel dozen tegen een donkergele muur tussen twee ramen. Het was een klein, draadloos model met een digitaal antwoordapparaat.

Het antwoordapparaat was uitgeschakeld. Toen ze de afspeelknop indrukte, zei een mechanische stem: 'Geen nieuwe berichten'. Ze hield haar vinger op de knop. Na een korte pieptoon knalde een vrouwenstem uit de luidspreker. 'Kevin, Carla Dempsey hier, van verderop in de straat.' Een stem met een zwaar Bostons accent, donker en hees ten gevolge van een levenslange sigarettenverslaving die waarschijnlijk al begonnen was op het moment dat de vrouw het levenslicht had gezien. 'Ik zag je druk bezig met inpakken en ben nog langs geweest om je te condoleren met je moeder, maar de deur was op slot. Die vrouw was een engel. God hebbe haar ziel. Dag.'

Na een korte stilte klonk opnieuw de mechanische stem: 'Dinsdag, veertien uur drieëndertig.'

Piep.

Geen verdere berichten. Ze liep terug naar de keuken. Op een ronde, houten tafel lagen merkstiften, rollen plakband en vellen noppenfolie. De werkbladen en keukenkastjes waren leeg. De mahoniebruin gelakte deur aan het eind van de keuken gaf toegang tot een donkere trap die naar de kelder voerde. Het duurde even voor ze het lichtknopje had gevonden.

In de kelder was het koel en vochtig en het rook er naar schimmel en nog iets anders... naar ontbinding. De kelder was verrassend groot en slechts verlicht door een peertje dat boven de wasmachine en droger hing. Alleen het voorste gedeelte bij de keldertrap had een cementvloer. Verder was er alleen aangestampte aarde. Op de lemen vloer, voor wat stoffige delen van een oud eikenhouten slaapkamerameublement, stond een schep tegen een stapel kartonnen drankdozen.

Jamie stond voor een immens grote antieke servieskast; roodgelakt en met gouden bladmotieven. De klauwenpoten waren weggezakt in de grond en de kast helde iets over naar links. De bovenkant van de sierlijst met de in hout uitgesneden vleugels, raakte bijna het plafond. Achter de kast vond Jamie een half uitgegraven graf. Het was gevuld met beenderen.

19

Jamies blik ging van het graf naar een geopende kartonnen drankdoos. De huid op haar schedel prikte en haar adem stokte toen ze naar de inhoud staarde – menselijke beenderen, bruingevlekt door een langdurig verblijf in de grond. Sommige van de langere botten waren doormidden gebroken zodat ze in de doos pasten. Tussen de beenderen lagen twee menselijke schedels. Een daarvan, met lang haar, zat in een plastic zak.

Boven ging een deur open. Op de houten vloer vlak boven haar hoofd klonken zware voetstappen. De deur ging dicht, gevolgd door nog meer voetstappen.

Twee personen. Er waren twee mensen in het huis. Een ervan liep door de keuken. De kelderdeur stond open en het licht was aan.

Achter de kast kon ze zich niet verbergen en er was te weinig ruimte tussen de bodem van de kast en de grond. Als ze naar beneden kwamen, wat gegarandeerd ging gebeuren, dan zouden ze beslist haar sneakers zien en de omslagen van haar spijkerbroek. Ze moest een plek vinden waar ze zich kon verbergen, om ze daarna te verrassen. Maar waar?

Ze keek naar de tegenoverliggende hoek, naar de half in het donker verscholen oude olietank en de waterboiler ernaast. Een ideale schuilplaats, ware het niet dat de twee apparaten nauwelijks vijftien centimeter van de muur stonden. Daar paste ze met geen mogelijkheid tussen, net zomin als achter de wasmachine en de droger. Haar blik ging naar de meubels naast de servieskast, naar een hoge, brede ladekast op lage pootjes. Daar kon ze plat achter gaan liggen en afwachten.

Ze ging achter de kast staan, pakte een hoek beet, en met een schietgebedje dat de laden niet vol spullen zaten, probeerde ze het meubel te verschuiven. De kast kwam met gemak en zonder geluid te maken omhoog. Behoedzaam wist ze de kast een stukje over de grond te verplaatsen. Gelukt. Nú kon ze zich erachter verbergen.

'Ben, ben je daar?'

De stem van de man klonk als Kermit de Kikker met een bek vol knikkers. Deze stem, wist Jamie zeker, was niet van de man die onder aan haar trap naar Ben had geroepen.

Jamie lag op haar rug met haar benen zo hoog opgetrokken dat de achterkant van haar sneakers tegen haar achterwerk drukten. De Glock, die ze met beide handen omklemd hield, rustte op haar knieën. Starend naar de spinnenwebben tussen de koperen buizen en de houten vloerdelen, luisterde ze gespannen naar de zware voetstappen die de trap af kwamen. Nu liepen ze in de kelder. Ergens bij de servieskast bleven ze staan.

Ze hief haar hoofd iets, zodat ze door de smalle spleet kon kijken tussen de muur en de hoek van de kast. Wat ze zag, waren twee witte hoge basketbalschoenen, een gebloemd hemd, loshangend over een spijkerbroek en krullend, grijs haar. Bens chauffeur.

De tweede persoon kwam de trap af. Jamie luisterde naar de naderende voetstappen. Ze stopten aan de andere kant van de kast.

'Je moet een geintje maken, Peter. Je denkt toch niet echt dat mijn kelder vol microfoons zit, of zo? Dat ik hierbeneden soms camera's heb opgehangen?'

Jamie hoorde dat er iets op de kast werd gelegd. *Klik.* De ruimte vulde zich met een doordringende fluittoon die enkele seconden aanhield.

'Je huis is eerder afgeluisterd.' Een hoge, geaffecteerde stem, een beetje verwijfd – het soort man dat tijdens een gevecht zijn nagels gebruikte. 'Je kunt niet voorzichtig genoeg zijn. Als je dat niet bent, maak je vroeg of laat fouten en dan loop je tegen de lamp. Dat zou jij toch moeten weten.'

'Is er iets met je pols? Je wrijft er steeds over.'

'Ik heb hem verstuikt bij het tennissen.'

De voetstappen verwijderden zich van de kast en stopten toen weer.

'Wat zit er in die doos?'

De man met de hoge, verwijfde stem. Peter. Ze kon hem niet zien, net zomin als Bens chauffeur, die uit haar blikveld was verdwenen.

'Linda Burke, en nog een ander mokkel, van wie ik de naam ben vergeten,' antwoordde Bens chauffeur.

'Het verbaast me dat je moeder niets heeft geroken.'

'We hebben ze diep begraven en daarna afgedekt met cement.'

'Burke... Ik herinner me haar moeder nog. Dianne. Ze is toen verhuisd. Was dat niet een jaar nadat haar dochter was verdwenen?'

'Zoiets ja.'
'Wat is er met haar gebeurd?'
'We hebben haar naast haar dochter begraven.'
'Heel attent.'
'Als we eens ophielden oude herinneringen op te halen en gewoon weer aan het werk gaan?'
'Heb je Jack nog gesproken?' vroeg Peter.
'Nee. Het leek me beter me even koest te houden en te wachten tot jullie me zouden bellen. Waar is hij?'
'Hij houdt het huis in de gaten. Vertel me wat je gisteravond hebt gezien.'
'Ik was niet eens in de buurt van het huis. Ik stond ergens geparkeerd, op Claremont. Toen ik de Honda van Kendra Walton Street in zag rijden, heb ik Ben gebeld en hem op de hoogte gebracht. Daar heb ik in de auto op het afgesproken telefoontje zitten wachten. Het volgende dat ik weet is dat er een politieauto de straat in kwam rijden. Wat had Tony te melden?'
'Niet veel. Toen hij belde, zei hij dat iemand schietend het huis was binnengedrongen, dat hij twee keer was geraakt en hevig bloedde. Hij dacht dat de schutter een vrouw was.' Jamie knipperde het zweet uit haar ogen en zette de pal van de Glock op semi-automatisch.
Nee, nog niet. Wacht. Luister.
'Ik zou het niet al te serieus nemen,' zei Peter. 'De man was half bewusteloos door bloedverlies. Hij belde me nog een keer om me te zeggen dat hij in het bos was. Tegen de tijd dat Jack en zijn team arriveerden, was Tony dood.'
'En over Ben heeft hij niets meer gezegd?'
'Nee. Heeft hij jou nog gebeld?'
'Nee. Nog niet. Jou?'
'Zowel Jack als ik hebben niets meer van hem gehoord. We moeten zijn lichaam zien te vinden.'
'Ben leeft nog.'
'Waarom denk je dat?'
'Er ligt water bij de voordeur en het licht in de kelder is aan. Dat had ik uitgedaan toen ik vanmorgen wegging. Ook heb ik hem een set sleutels van het huis gegeven. Hij zou hier een paar dagen blijven voordat hij weer zou teruggaan naar Phoenix of San Diego, of waar hij tegenwoordig ook woont.'
'Dan zou hij onderhand een van ons gebeld moeten hebben.'
'Hij kan zijn mobiel zijn kwijtgeraakt. Daar staan alle nummers in.'

'Zijn telefoon heeft GPS. Het zendt regelmatig een signaal uit. Het duurde alleen te kort om hem te kunnen traceren.'

Haar vermoedens over Bens mobieltje waren juist geweest. Het had over GPS beschikt en ze hadden inderdaad geprobeerd het te traceren.

'Misschien is hij gewoon kapot,' opperde Bens chauffeur. 'Of misschien houdt Ben zich even gedeisd. Hij is van de oude stempel. Hij heeft nooit veel met mobiele telefoons opgehad. Hij dacht dat het signaal te gemakkelijk was op te pikken. Ik ben het met hem eens. Alles wat je daarvoor nodig hebt, kun je zo bij RadioShack krijgen.'

'Deze toestellen zijn beveiligd. Het signaal is versleuteld, niemand kan zomaar meeluisteren.'

'Moet ik me om Tony's lichaam bekommeren, of heeft Jack dat al gedaan?'

'Daar heeft Jack al voor gezorgd. Wanneer heb je Tony voor het laatst gesproken?'

'Nadat ik hem had afgezet bij het huis,' antwoordde Bens chauffeur.

'Toen je die politieauto zag, heb je hem toen gebeld?'

'Wat denk je?'

'Hoe vaak heb je gebeld?'

'Geen idee, Peter. Ik heb het niet bijgehouden. En wat bezielde je eigenlijk om zomaar de ziekenhuiskamer van die jongen binnen te vallen?'

'Als die jongen van Sheppard tegen dat wijf van McCormick was gaan praten, dan...'

'Wie?'

'Darby McCormick,' antwoordde Peter. 'Thomas McCormicks dochter.'

'Wat deed die daar?'

Ze is hoofd van de CSU in Boston en zij was het die Tony's telefoon in het bos heeft horen overgaan. Ze is forensisch specialist. Geen goede ontwikkeling, Kevin.'

Kevin – Bens chauffeur – gaf geen antwoord.

Er volgde een lange stilte.

'Het kon niet anders,' zei Peter ten slotte. 'Ik moest íéts doen.'

'Dat zeg jíj.'

'Ze weet niet wie ik ben. En dat komt ze ook nooit te weten. Mijn bezoekje van gisteravond is zinvol gebleken. McCormick had haar gesprek met Sean opgenomen. Ik heb de recorder in beslag genomen. Sean heeft haar niets verteld. Zij denkt dat hij John Hallcox heet. De naam Kendra is niet gevallen. Persoonlijk denk ik dat de jongen helemaal niets wist.'

'Hoe kwam hij aan die revolver?'

'Daar ben ik nog niet achter. Waarom is Kendra hier teruggekomen? Weet jij dat?'

'Geen idee. Ik wil de tape horen. En Ben ook.'

'Je had haar moeten volgen.'

'Daar hadden we geen tijd voor. Jack moest zijn spullen ophalen en...'

'Dan had je moeten wachten. Planning en geduld zijn nooit je sterkste punten geweest.'

'Het was Bens beslissing, en Tony ging ermee akkoord.'

'Misschien mag ik je er opnieuw aan herinneren, dat jij voor óns werkt. Wat gisteravond in Belham is gebeurd, wat in Charlestown is gebeurd en hier in deze kelder – deze gigantische misère, is slechts het werk van twee mensen. Van jou en van die pathologische seriemoordenaar.'

'Gigantische misère?' herhaalde Kevin. 'Ben je soms homo, of hebben ze je op Yale zo leren praten?'

'Al die tijd aan de andere kant van het hek heeft je hersens behoorlijk aangetast.'

'Wat denk je aan Big Reds dochter te gaan doen?'

'Daar verzinnen we wel iets op.'

'Vast wel, en dan kunnen Ben en ik het weer opknappen. Jullie eikels van de Ivy League maken niet graag je handjes vuil.'

Jamie hoorde iemand geïrriteerd met sleutels en kleingeld rammelen, Peter, veronderstelde ze.

'Wat je ook denkt te gaan doen, beslis wel snel,' zei Kevin. 'Ik ben van plan om volgende week, nadat ik het huis van mijn moeder in de verkoop heb gezet, naar de Caraïben te vertrekken.'

'Ik laat je wel weten wanneer je kunt gaan.'

'Ja meneer. Is dat alles, meneer, of kan ik nu gaan? Ik wil naar de Tap.'

'De wat?'

'The Warren Tap. Het is een bar. Niet echt het soort waar jij zou komen, maar in de ouwe tijd liet Ben daar een boodschap voor me achter als hij een probleem had. Wees maar niet bang, het is in code. Precies dat geheime gedoe waar jullie knapen zo verzot op zijn.'

Voetstappen verplaatsten zich over de vloer.

'Hier, pak aan,' zei Kevin.

‘Waar is dit voor?’

‘Dit is een schep. Die gebruik je om dingen mee op te scheppen. Er ligt er nog een in dat gat. Ga aan het werk en als ik weer terugben, help ik je met de andere. Je kunt die handschoenen daar op de werkbank gebruiken, zodat je je nagels niet ruïneert.’

‘Ik dacht het niet.’

‘Je baas heeft ons je diensten als doodgraver aangeboden,’ zei Kevin. ‘Welkom aan de andere kant van het hek, makker.’

20

De voordeur sloeg met een klap dicht. Luisterend naar de ademhaling van de man ergens in de buurt van de kast, probeerde Jamie zich bepaalde gedeelten van het gesprek te herinneren. De man, Peter, had geprobeerd de jongen op te zoeken die Sean heette, waarna hij uiteindelijk gesproken had met een zekere mevrouw McCormick van de Boston Police. Hoe was het hem gelukt die kamer binnen te komen? Had hij zich als agent voorgedaan? Wás hij een agent?

Genoeg gedacht. Tijd om in actie te komen.

Ze wilde net overeind komen toen ze dacht aan de sleutels en de telefoon in de zak van haar jack. Als ze te snel rechtop ging zitten, of te snel bewoog, dan zouden de sleutels kunnen rammelen en de man alarmeren, zodat hij misschien de tijd had om zijn wapen te grijpen of uit te halen met zijn schop.

Hij begon te graven. Ze rekte haar nek. Door de spleet zag ze zijn gebruinde handen. Uit een blauw colbertjasje staken witte manchetten met gouden manchetknopen. Zijn gezicht kon ze niet zien.

Te dichtbij, dacht ze. Haar hart klopte in haar keel. *Als ik opsta ziet hij me.*

Ik ben zo terug, had Kevin gezegd.

Jamie drukte haar hand op de rechterzak van haar jack en voelde onder de nylon stof de sleutels en het mobieltje. Met haar lichaam dicht tegen de achterkant van de ladekast gedrukt, werkte ze zich langzaam omhoog tot in zithouding. Haar benen begonnen te prikken.

Peter bleef graven.

Doe het nu en snel. Als hij naar zijn wapen grijpt of probeert te vluchten, schiet je hem neer.

Ze ging snel staan. Bloed stroomde naar haar hoofd en maakte haar duizelig.

'Geen beweging.'

De man kwam met een schok overeind en liet de schep vallen. Hij was groter dan ze had verwacht. Door zijn lispelende, verwijfde stem had ze zich een kleine man voorgesteld met weke armen. De man van middelbare leeftijd die voor haar stond was slank. Hij droeg een donkerblauw kostuum zonder das. Onder zijn openstaande jasje zag ze een schouderholster.

Met haar heup duwde ze de kast opzij.

'Liggen,' zei ze, over het graf stappend. 'Ga... eh...'

Nu niet stotteren. Zeg één woord tegelijk.

'Ga... liggen... nu.'

Zijn bruine ogen vernauwden zich. 'Ik ken jou.'

'Liggen!'

'Oké, oké. Rustig aan. Julia, toch?' Hij trok zijn broekspijpen op voor hij zich op zijn knieën liet zakken en vouwde toen zijn handen achter zijn hoofd. 'Volgens mij heb ik in de krant over je gelezen.'

Ze gooide hem voorover tegen de vloer en drukte de Glock tegen zijn achterhoofd. Hij kreeg zand in zijn mond en begon te hoesten.

'Geen... eh... beweging.'

Hij draaide zijn hoofd opzij. 'Je hebt mijn woord.'

Ze trok zijn jasje open en tastte naar zijn schouderholster.

'Aangezien je je hier beneden verscholen hield, mag ik veronderstellen dat je mijn conversatie met de heer Reynolds hebt gehoord.'

Ze wierp het 9mm-pistool in het graf.

'Tevens neem ik aan dat jij het was die gisteravond schietend het huis in Belham kwam binnenvallen.'

Ze betastte zijn riem met haar hand. Geen handboeien. Ze had iets nodig waarmee ze hem kon boeien. Ze keek naar de werkbank. Verfblikken en gereedschap, bedekt onder een laag stof.

Je moet iets vinden om hem te boeien en te knevelen en snel ook, voordat Kevin terugkomt.

'Wat er met je man en kinderen is gebeurd, daar had ik niets mee te maken. Dat moet je van me aannemen. Dat... dat was allemaal het werk van Ben en Kevin. Je kent Ben toch? Hij was gisteravond in het huis. Heb je met hem gesproken? Wat heeft hij tegen je gezegd?'

Er was hier niets waarmee ze hem kon vastbinden. Helemaal niets.

'Ik kan je alles vertellen wat je wilt weten, maar dan moet ik wel rechtop zitten. Ik ben astmatisch en ik krijg bijna geen adem. Ik heb mijn inhaler nodig. Ik ga nu rechtop zitten, haal hem uit mijn binnenzak en dan kunnen we praten, oké?'

Zijn stem klonk beheerst. Het beviel haar helemaal niet. Probeerde hij tijd te rekken tot Kevin terugkwam? Dacht hij soms dat ze zo stom was?

'Als je wilt dat ik praat, dan moet ik eerst mijn inhaler gebruiken,' zei hij. 'Anders ga ik van mijn stokje.'

Je hebt te veel tijd verspild. Kevin kan elk ogenblik terugkomen en wat doe je dan? Je een weg naar buiten schieten. Als je omkomt, zal Kevin je lichaam ergens begraven waar het nooit wordt gevonden. De kinderen zullen alleen achterblijven en als ze naar het weeshuis worden gebracht zullen ze zich afvragen wat je is overkomen.

Ze ging rechtop staan.

'Bens... eh... partners. Twee mannen... eh... in... eh... mijn huis.'

'Laat me mijn inhaler pakken.' Hij haalde piepend adem. 'Ik pak hem nu uit mijn zak.'

'Eerst... eh... namen.'

'Geef me een momentje, oké?'

Zijn hand ging langzaam naar zijn binnenzak.

Ze schoot hem in zijn borst.

Bloed uit de uitgangswond spatte tegen de achtermuur.

'Wacht... alsjeblieft...' Hij hief zijn handen. Ze haalde opnieuw de trekker over en hield die ingedrukt. De Glock sprong in de semiautomatische stand en braakte lege hulzen.

Jamie trok de nylon capuchon van haar jack over haar hoofd en bond de touwtjes vast onder haar kin. Met tuitende oren haastte ze zich de trap op, rende naar de voordeur en keek door het ovale raampje naar buiten. Niemand te zien. Ze schoof de Glock in haar schouderholster, ritste haar jack dicht en opende de deur. Niemand te zien. Met haar gehandschoende handen in haar zakken liep ze op een drafje door de nog steeds neerplenzende zomerregen naar de overkant van de straat.

21

Terwijl de benauwde taxi zich een weg baande door het drukke verkeer op Mass Avenue, zat Darby achterin met Artie te bellen. De kletterende regen en het constante getoeter maakten het moeilijk hem te verstaan.

'Zeg dat nog een keer,' zei ze, en ze drukte haar hand tegen haar andere oor.

'Ik zei dat ik op de terugweg ben van Vermont. Ik ben net klaar met het onderzoek van Amy Hallcox' huis. Kun je me verstaan?'

'Ik versta je.'

'Iemand heeft het overhoopgehaald. Het is een klein huis en ze had er niet veel in staan, er was nauwelijks meubilair. Ik heb de huisbaas gesproken, die me vertelde dat ze daar ongeveer een jaar heeft gewoond, dat ze op tijd de huur betaalde en geen problemen veroorzaakte. Ze had recht op nog twee maanden, maar ik vermoed dat ze misschien van plan was om weer te verhuizen. Een van de kamers stond vol met lege dozen. Blijft de vraag waarom het is doorzocht en waar ze naar op zoek waren. Wie het weet mag het zeggen.'

'Heb je nog iemand gezien?'

'Niemand. Het huis ligt nogal afgelegen. De dichtstbijzijnde buren wonen anderhalve kilometer verder, dus die gasten hebben er de tijd voor genomen. We hebben rondgevraagd, maar niemand kende Amy Hallcox of haar zoon. Afgaande op wat je me gisteravond vertelde, moet de jongen iets weten.'

'Ik heb je boodschap over de toestand van het joch en de bewakingsbanden van het ziekenhuis gekregen,' vervolgde Pine. 'Wat ben je wijzer geworden?'

'Ik heb ze op weg naar het kantoor van de lijkschouwer afgegeven bij de Fotografische Dienst. Ik ben nu onderweg naar het lab. Iemand trekt de nummerplaten van de bestelbus voor me na. Ik heb nog niets van hem gehoord.'

'En bewijsmateriaal op het lichaam van de vrouw? Heb je iets kunnen vinden?'

'Alleen wat losse vezels en haren op het plakband en haar kleren. Ze had niets in haar zakken. Met de kleren ga ik vandaag aan de slag.'

'Die vermiste Honda van Amy Hallcox zit me dwars.'

'Ja, mij ook. Ik denk dat de schutter ermee vandoor is gegaan.'

'Je zei dat de jongen je niets over een schutter heeft verteld.'

'Daar kreeg hij de kans niet voor. Artie, iemand heeft zich schietend toegang tot dat huis verschaft. En afgaande op wat de jongen me wél heeft verteld, weten we dat er twee mannen binnen waren: de man met het Celtics-trainingspak en de man in het pak. Volgens mij heeft de schutter de man in het pak het eerst uitgeschakeld en daarna de tweede man naar de Honda gesleept. De sleepsporen van de keuken door de gang houden op in de garage. En op de garagevloer waren maar een paar bloederige voetstappen.'

'Waarom zou je een lijk wegslepen?'

'Wie zegt dat die Celtics-man dood was? Misschien wilde de schutter hem wel levend hebben.'

'Maar waarom deed de schutter dat dan niet voordat hij het huis binnenging?'

'Daar ben ik nog niet achter. Wel weten we dat iemand moddersporen op de verandatrap en in de woonkamer heeft achtergelaten en dat die voetsporen wel omhoog maar niet naar beneden leiden. Volgens mij heeft de schutter vanuit het bos toegekeken.'

'Dus we hebben het nu over totaal iemand anders? Een derde partij die niets uitstaande heeft met wat in het huis gebeurde of met die Rambo's die we in het bos zijn tegengekomen?'

'Klopt. En ook denk ik dat de schutter de jongen heeft losgesneden.'

'Hoezo? Waarom zou hij dat doen?'

'Dat weet ik niet. Als die hufter niet...'

'Ik heb van de man zijn badge en identificatiebewijs gezien. Ze waren allebei echt. Net als het opsporingsbevel.'

'Ik geef jou niet de schuld, Artie. Ik baal er gewoon ontzettend van. Hij heeft ons belazerd en dat joch de dood in gejaagd. Wat ik verdomme graag zou willen weten is wat hij met dat kind van plan was.'

'Heb je nog iets van Phillips gehoord, of hoe hij ook mag heten?'

'Niets.'

'En van de anderen?'

'Ook niet.'

'En de foto's die je van het huis hebt genomen?'

'De labtechnici zijn pas een uur terug. Ze zijn er net mee begonnen.'

De taxi kwam met een schok naast het trottoir tot stilstand.

'Ik moet ophangen,' zei Darby. 'Zodra ik iets meer weet bel ik je terug.'

Ze rende door de regen, met in haar hand een doorzichtige plastic zak om te voorkomen dat de bruinpapieren zakjes met bewijsmateriaal nat zouden worden. Tegen de tijd dat ze de voordeuren van One Schroeder Plaza had bereikt, was ze doorweekt. En dan moest ze eerst nog de hele veiligheidscontrole ondergaan voordat ze naar het lab kon.

Ze schreef het bewijsmateriaal in en ging toen naar haar kantoor om te kijken of er berichten voor haar waren. Er was er een binnengekomen. Rechercheur Nicholas Garcia, verbindingsman tussen Moordzaken en CSU, vroeg haar hem terug te bellen. Ze had hem gevraagd de kentekens van de bruine bestelbus na te trekken.

Garcia nam direct op en kwam meteen ter zake.

'Het zijn valse nummerplaten,' zei hij. 'Ze bestaan gewoon niet.'

'Hoe zijn ze dan aan die platen gekomen?'

'Waarschijnlijk via een contact bij de Rijksdienst van het Wegverkeer. Het is niet zo onmogelijk als het klinkt. Je betaalt daarbinnen iemand om voor die platen te zorgen en daarna het nummer weer uit het systeem te wissen, zodat ze niet zijn op te sporen.'

'Kun je dit verder voor me uitzoeken?'

'Zo'n buitenkansje laat ik niet voorbijgaan,' zei Garcia grinnikend. 'Ik heb eerder met dit bijltje gehakt.'

Toen Darby daarna op de gang liep, op weg naar Coop om hem bij te praten, ging haar telefoon. Ted Castonguay, hoofd Fotografische Dienst, had de bewakingstapes en de digitale foto's bekeken en wilde haar in zijn kantoor spreken. Ze trof de voormalige amateurworstelaar achter een bureau in een rustige maar volgestouwde hoek. Terwijl hij met zijn muis werkte, bewogen zijn rug- en schouderspieren als kabeltouwen onder zijn shirt. Ze pakte een stoel en reed die naar hem toe, kijkend naar de flatscreenmonitor waarop een stilstaand beeld van de ziekenhuislift te zien was. In het beeld stonden datum en tijdstip vermeld: 15 augustus 2009, 13.03 uur.

Castonguay, die wist dat ze geprikkeld was en onder druk stond, verspilde geen tijd aan beleefdheden.

'Dit is het tijdstip dat je het ziekenhuis binnenkwam,' zei hij en hij klikte met de muis.

De videoband begon te draaien. De camera stond gericht op de witte gang. Ze kon een gedeelte van de verpleegstersbalie zien. De liftdeuren schoven open. Ze zag zichzelf en Pine naar buiten komen, door de gang lopen en uit beeld verdwijnen. Een ogenblik later verscheen ze weer met agent White, waarna ze samen in een hoek bij de verpleegstersbalie met elkaar begonnen te praten.

Klik. De bewakingstape spoelde een stuk vooruit.

'Tussen het moment dat je de lift uit kwam en met de jongen van Hallcox ging praten zijn er achttien minuten verstreken,' zei Castonguay. 'De FBI-agent verscheen krap tweeëntwintig minuten later.'

Tweeëntwintig minuten. *Hij moet me vanaf Belham zijn gevolgd.* Starend naar de snel over het scherm flitsende beelden van de doorspoelende band, dacht ze aan de man met de tv-camera die ze die ochtend bij het huis had gezien. Als hij daar gisteravond ook had gestaan, tussen de andere verslaggevers, had hij haar misschien zien instappen in Pines Lincoln Town Car.

Castonguay schakelde de videoband weer op afspeelsnelheid. Ze keek naar de digitale datering rechtsonder: 13.23 uur.

'Vanaf hier wordt het interessant,' zei Castonguay. 'Let op de lift.'

Op het moment dat de deuren opengingen, vulde het scherm zich met ruis. Ze kon niet meer zien wie uit de lift kwam. Ze kon helemaal niets meer zien. De statische ruis werd sterker, waarna de beelden helemaal verdwenen.

Het scherm werd donker.

'Dat is het dan,' zei Castonguay. Hij draaide zijn stoel naar haar toe om haar aan te kijken. 'Ik heb ook de banden van de andere camera's bekeken. Overal alleen maar ruis. Daarna wordt alles donker.'

'Enig idee waardoor dat komt?'

'Om alle camera's op zo'n manier buiten werking te stellen, moet je een soort HERF – een High Energy Radio Frequency-wapen – hebben, of misschien een gerichte magnetische puls. Het kan zelfs een puls van microgolven zijn. De twee mannen met wie je op de band in gesprek was, stonden in de gang terwijl jij binnen met het slachtoffer sprak. Hebben ze iets gezegd over een branderig gevoel?'

'Daar heb ik ze niet over gehoord.'

'Ik betwijfel trouwens dat het microgolven zijn. Dat soort apparaten valt nogal op. Laat ik het zo vragen: hebben ze iets gemeld over duizeligheid, misselijkheid of verslechterd zicht?'

'Niet dat ik weet, maar toen ik ze in de deuropening van de kamer zag staan, stonden ze allebei te hijgen alsof ze net een marathon hadden gelopen.'

'Ademhalingsproblemen zijn een van de symptomen van blootstelling aan elektromagnetische en HERF-straling.'

'Naar ik heb begrepen moet je bij gebruik van een HERF-wapen een parabolische reflector op het doel richten.'

'Dat klopt. Daarbij komt dat de benodigde materialen om een dergelijk apparaat te kunnen maken in elke elektronicazaak te koop zijn. Ze zijn nogal groot en onhandig, niet makkelijk te verbergen. Ik dacht meer aan een van die kleinere apparaten, die ik het afgelopen jaar heb gezien. Ze hebben de afmetingen van, laten we zeggen, een paperback of een pakje sigaretten. Ze werken als een soort granaat en zenden binnen een bepaalde straal een korte puls van hoog energetische radiogolven uit. Hoe kleiner het apparaat, des te kleiner het bereik. Je drukt op een knop en alle elektronische circuits in je directe omgeving worden opgeblazen. Dit is volgens mij de enige mogelijkheid om zo snel een dergelijke schade te veroorzaken. Ik vraag me af of er afgelopen nacht in de directe omgeving nog andere apparatuur defect is geraakt, afgezien van de bewakingscamera's.'

'Ik zal eens bellen en informeren,' zei Darby. 'Deze HERF-granaten, kun je die zelf maken?'

'Volgens mij niet. Ik weet wel dat het leger ze gebruikt. Ze maken deel uit van hun programma van niet-dodelijke aanvalswapens.'

'En de CIA of de FBI?'

'Ik zou niet weten waarom niet.' Castonguay draaide zich terug naar zijn toetsenbord. 'Nu wil ik dat je even kijkt naar de foto's die je hebt genomen.'

22

'Ik heb even tijd nodig om met het bestand te stoeien,' zei Castonguay.

Darby liep naar haar kantoor om te telefoneren. Ze belde naar het St. Jozefziekenhuis en vroeg om te worden doorverbonden met de verpleegstersbalie op de vierde etage. Er was net een nieuwe ploeg begonnen. Nadat ze drie verschillende mensen had gesproken, kreeg ze ten slotte een overblijver van de laatste dagdienst aan de lijn.

Toen ze weer terugkwam van haar bureau, stond op Castonguays monitor een afbeelding van de cameraman. Op zijn schouder rustte een grote tv-camera. Hij had een zonnebril op en over zijn baseballpet droeg hij een koptelefoon. Een lok blond, krullend haar hing over zijn oor. De man die zich voor Special Agent Phillips had uitgegeven, had zwart haar gehad en een donkerder huidskleur.

'Het lijkt erop dat je het met je HERF-theorie bij het goede eind had,' zei Darby terwijl ze ging zitten. 'Ik heb net een van de dagverpleegkundigen van het ziekenhuis aan de lijn gehad. Toen ze vanochtend binnenkwam, waren ze bezig de bewakingscamera's op haar etage te vervangen en de computers en telefoons op de verpleegstersbalie bleken defect. Tevens bleken sommige medische apparaten in kamers in de buurt van de lift ook niet meer te werken. Ze dachten dat het veroorzaakt was door een spanningspiek.'

Castonguay knikte. Zijn aandacht was gericht op het scherm. Hij typte met één vinger, bediende met zijn andere hand de muis, en manipuleerde de opname tot de tv-camera scherper in beeld kwam.

'Wat weet je van televisiecamera's?' vroeg hij.

'Niet veel. Ik probeer ze zoveel mogelijk te vermijden.'

'Bof jij even dat ik er nou juist alles van weet. Wat we hier zien is een ENG-camera, een professionele televisiecamera. Hij lijkt echt, met uitzondering van dit object hier.' Hij omcirkelde met zijn muiscursor het handvat dat boven op de camera was gemonteerd. Daarna schoof hij zijn stoel achteruit en zei: 'Hier, kijk zelf maar.'

Darby stond op en boog zich dichter naar het scherm. Het smalle, langwerpige voorwerp dat naast het handvat op de camera zat gemonteerd, deed sterk aan een zwarte laseraanwijsstok denken. Op de punt, die op het huis was gericht, was duidelijk een fel rood licht te zien. Van de achterkant van het voorwerp liepen draden de camera in.

Ze keek Castonguay aan. 'Is dit een lasermicrofoon?'

'Dat is het inderdaad. Je richt de laser op een oppervlak dat kan trillen, zoals glas. De laser registreert de trillingen die zijn veroorzaakt door geluiden in de kamer.'

'Ik heb er een gebruikt tijdens een surveillanceoefening bij de SWAT.'

'En dat was precies wat jouw cameraman aan het doen was. Hij observeerde het huis en probeerde jullie gesprekken af te luisteren. De camera lijkt echt, met een Sony-lens en een Betacam-recorder. Hij valt totaal niet op tussen de andere tv-camera's.'

'Hoe moeilijk is het om een lasermicrofoon in een camera te installeren?'

'Bijzonder moeilijk. Ik ben zelfs geneigd te zeggen dat het onmogelijk is. Deze ENG-camera is speciaal gemaakt voor surveillancedoeleinden. Je hebt hier te maken met iemand die de beschikking heeft over bijzonder geavanceerde speeltjes.'

Hij liet een andere afbeelding op de monitor verschijnen, een opname die ze had gemaakt van de kale man toen hij zijn portier opende. De cameraman rende naar de achterkant van de bestelbus.

Castonguay maakte een uitsnede van de voorruit en begon die sterk uit te vergroten. Even later zag ze iemand op de passagiersstoel zitten. Behalve zijn handen, rustend op een donkere broek, zag ze alleen een wit overhemd met een blauwe das.

Op het dashboard stond een apparaat dat aan een politiescanner deed denken.

'Ik heb geprobeerd het beeld vanuit verschillende hoeken te vergroten,' zei Castonguay, 'maar ik krijg zijn gezicht niet scherp. Maar zie je die schaduw daar?' Hij wees naar een gedeelte tussen de twee voorstoelen. 'Dit zou een gedeelte van een arm en een been kunnen zijn. Ik heb meer tijd nodig om het te vergroten. Dat is het voorlopig. Met een uur of zo kan ik je de prints van de foto's laten zien. Maar beloof me één ding. Mocht je die camera te pakken krijgen, laat het me dan onmiddellijk weten. Ik kan gewoon niet wachten om ermee te spelen.'

'Komt voor elkaar.'

Drie mannen waren geïnteresseerd in Amy Hallcox en haar zoon:

de man met het donkere haar die zich als FBI-agent had voorgedaan, de cameraman en de kale chauffeur. Waren zij de mannen geweest die ze de avond daarvoor in het bos had gezien?

Ze dacht terug aan de foto waarop het leek dat achter in de bestelbus nog iemand had gezeten. Een vierde man. Waren er meer? Door hoeveel mensen werd ze gevolgd?

Darby opende de deur van de onderzoeksruimte voor vingerafdrukken, waar Coop met veiligheidsbril en blauwe latex handschoenen over zijn werktafel gebogen een kogel stond te bekijken. Hij had hem al met poeder bestoven om afdrukken te vinden.

Ze zag het kuiltje in de punt en wist wat het was: een kogel met een holle punt. Zo'n zelfde kogel had haar vader gedood.

'Het is een 9mm-Parabellumpatroon,' zei Coop. 'Ik heb hem in de keuken gevonden, onder een omgegooide tafel. Iemand moet hem hebben laten vallen.'

'Vingerafdrukken?'

Hij schudde zijn hoofd.

'We kunnen cyanoacrylaat opdampen,' stelde ze voor. 'Als de superlijm een vingerafdruk vindt, kunnen we verschillende lichtgevende kleurstoffen proberen en hem dan in de VMD-unit vergroten.' Vacuüm Metaal Depositie, wist ze uit ervaring, leverde vaak beter zichtbare latente afdrukken op.

'Ik ga eerst iets anders proberen.' Coop pakte de huls van de patroon met een pincet beet en legde die op een rond metalen schaaltje onder een soort microscoop.

Darby keek mee over zijn schouder. Haar mond viel open. 'Is dat een Kelvin-microscoop?'

'Dat is het,' antwoordde hij. 'Jezus, sinds U2 voor het laatst hier in Boston optrad, heb ik je niet meer zo enthousiast gezien.'

Ze zette de tas met daarin de kaart met de vingerafdrukken van Amy Hallcox op de werktafel naast hen, en was zich er vaag van bewust dat de gebruikelijke humor in zijn stem ontbrak. Maar haar aandacht was gericht op de microscoop. Ze had erover gelezen, maar hem nog nooit in het echt gezien.

'Hoe ben je daar aan gekomen?'

'Een geste van mijn nieuwe vrienden in Londen. Zet even de monitor aan, wil je?'

Dat deed ze. Daarna schoof ze een stoel bij en keek toe hoe Coop de knoppen instelde van wat op een futuristische microscoop leek.

Menselijk zweet droogt vrij snel op. Wat overblijft is een combinatie van organische en anorganische componenten. Wilde Coop aantonen dat deze componenten en chemicaliën door dit apparaat zichtbaar gemaakt konden worden?

'Wat voor ontwikkelaar ga je gebruiken?'

'Hier is geen chemische vloeistof of poeder bij nodig.'

'Hoe krijg je dan een latente afdruk?'

'Het mooie van deze nieuwe techniek, Darb, is dat als je de huls met je blote vingers hebt aangeraakt, de anorganische zouten van je huid het metaal laten corroderen. Je "brandmerkt" dus als het ware met je vingerafdruk het metaal. Je kunt het niet wegvegen.'

'Stel dat de kogel was afgevuurd? Door de hitte zouden de achtergebleven organische stoffen als aminozuren, glucose, peptiden en melkzuren zijn verbrand.'

'Maakt niet uit. Deze microscoop kan afdrukken terugvinden op afgevuurde hulzen en bomscherven, die aan temperaturen kunnen hebben blootgestaan van wel 500° Celsius. De Kelvin-microscoop tast met elektrische spanning het oppervlak af waar zich een eventuele vingerafdruk kan bevinden.'

'Dus volgens jou is het onmogelijk een vingerafdruk weg te vegen.'

'Precies.' Hij drukte een knop in van een klein kastje dat aan de microscoop was bevestigd. 'Kijk naar de monitor.'

Op het scherm zag Darby het vergrote beeld van de kogel. 'Zo te zien heb je daar iets.'

Coop bestudeerde op de monitor de vage, grillige lijntjes van een mogelijke vingerafdruk.

'Ik zal zoiets als een "voltagemap" moeten maken,' zei hij. 'Dat is een driedimensionale weergave van de potentiële vingerafdruk. Dat gaat een paar uur duren. Hoe ging de autopsie?'

'Ze zijn er nu mee bezig,' antwoordde Darby. Haar aandacht richtte zich opnieuw op de kogel met de holle punt.

'Heb je het lichaam onderzocht?'

Ze knikte. 'Kan de bundel van een elektronenmicroscoop de vingerafdruk op wat voor manier dan ook vernietigen of vervagen?'

'Nee.'

'In dat geval zou ik die kogel, voordat je die voltagemap gaat maken, even van je willen lenen om het stempel op de onderkant van de huls goed te bekijken. Er lijkt iets mis mee.'

Coop pakte de kogel met een pincet op om hem van dichtbij te bekijken.

'Ik kan er niets bijzonders aan ontdekken.'

Darby wees naar de ronde metalen onderkant. 'Het slaghoedje lijkt kleiner dan normaal, vind je niet?'

Hij haalde zijn schouders op. 'Ga je gang,' zei hij, en hij schoof zijn stoel achteruit.

23

Darby pakte het schaaltje met de kogel erop en liep naar de fonkelnieuwe elektronenmicroscoop aan de andere kant van het vertrek. Ze plaatste de kogel in de houder en sloot het deurtje. Daarna ging ze zitten en richtte haar aandacht op het bedieningspaneel. Coop ging op de stoel naast haar zitten.

Op het display van de elektronenmicroscoop verscheen een uitvergrote zwart-witweergave van het stempel op de onderkant van de huls. Op de brede witte rand rond het slaghoedje stonden twee keurige rijtjes letters en cijfers:

GLK18
B4M6

'Wat hebben we daar, in godsnaam?' vroeg hij. 'Een soort stempel?'

'Dat is precies wat het is.' Ze printte twee kopieën, sloeg het beeld op en stuurde de JPEG naar haar e-mail. 'Wat we hier zien, wordt bejubeld als de laatste technologische ontwikkeling op het gebied van ballistische identificatie: microstempels.'

'Deze technologie wordt bij massaproductie nog niet toegepast.'

Darby knikte. 'Tot op heden hebben lobbyisten van de wapenindustrie succesvol de invoering van deze technologie weten te voorkomen, maar dat zou wel eens gauw kunnen gaan veranderen. Californië probeert er een wet door te krijgen die binnen vijf jaar de invoering van microstempels op alle vuurwapens verplicht stelt. Als deze wet wordt aangenomen, zal het de eerste staat in dit land zijn waar dit is vereist.

Op dit moment moeten we eerst het handwapen zien te vinden en dan onderzoeken of er een bepaalde kogel mee is afgevuurd. Een microstempel maakt zoiets overbodig. Het is een soort ballistische vingerafdruk. In de slagpin van het handwapen staat een unieke microscopische code gegraveerd. Deze stanst bij afvuren van het wapen het type en serienummer op de rand rond het slaghoedje. De eerste rij, in dit geval, GLK18, verwijst naar het type handwapen, de tweede rij geeft aan in welke winkel het is verkocht.'

'Ik veronderstel dat er dus een soort databank komt waarin al deze nummers en codes worden opgeslagen.'

Darby knikte. 'De databank verschaft ons niet alleen het fabricaat en het model van het handwapen, maar ook informatie over waar het is verkocht en aan wie... alles.' Ze bewoog de kleine joystick op het toetsenbord om de randen van het stempel op de huls onder een hoek te bekijken. 'Tevens zal de databank ons gegevens verschaffen over verschillende plaatsen delict waar hulzen met hetzelfde stempel werden aangetroffen. Het mooie van deze nieuwe technologie is dat het stempel alleen maar is te zien onder een elektronenmicroscoop.'

'Maar aangezien deze techniek nog niet bij massaproductie wordt toegepast, kunnen we het met geen mogelijkheid achterhalen.'

'Deze patroon moet deel uitmaken van een speciale partij munitie.'

'Met andere woorden: een prototype.'

'Precies. Er zijn maar een paar fabrieken die deze microstempeltechniek gebruiken, dus het kan niet al te moeilijk zijn om te achterhalen waar dit prototype of wat het ook is vandaan komt.'

'Die bovenste cijferlettercombinatie, dat GLK,' zei Coop. 'Ik veronderstel dat daarmee een Glock 18 wordt bedoeld.'

'Dat is ook mijn idee.'

'Ik heb nog nooit van een model 18 gehoord.'

'Dat is omdat ze hier niet worden verkocht. Het is een wapen bestemd voor militaire toepassingen en in gebruik bij de Oostenrijkse Eenheid voor Contraterrorisme, EKO Cobra. Voor zover ik weet, zijn zij de enigen die het gebruiken. Let eens op de letters rond het stempel.'

Coop legde zijn arm op de rugleuning van haar stoel en boog zich voorover om beter te kunnen kijken. Ze voelde hoe zijn arm haar aanraakte. Er ging een steek door haar hart bij de gedachte dat hij zou weggaan – niet naar een andere staat, maar naar een heel ander land.

'R... E... en iets wat op een S lijkt,' zei hij.

Ze haalde een keer diep adem om het weeë gevoel in haar maag te verdrijven. 'Het is een bedrijf, het heet Reynolds Engineering Systems, een van de toonaangevende ontwikkelaars op het gebied van microstempels. Volgens mij zijn ze gevestigd in de staat Washington of Virginia.'

Hij keek haar aan. Hun gezichten waren maar een paar centimeter van elkaar verwijderd. 'Hoe weet je dit allemaal?'

'Ik lees veel.' Ze draaide zich naar het toetsenbord om nog meer kopieën te printen.

'Zoek een hobby.'

'Dit ís mijn hobby. Weet jij waar de wondertweeling is?'

'Die zijn in onderzoeksruimte 2 bezig de verrekijker te onderzoeken.'

'Welke verrekijker?'

'Randy heeft in het bos een kleine verrekijker gevonden.'

Darby vroeg zich af of een van de mannen die ze gisteravond had gezien, hem misschien had laten vallen.

Ze ging staan. 'Ik ga eens rondbellen om te zien of ik meer over dit microstempel te weten kan komen.'

'Wacht.' Coop pakte haar bij haar pols toen ze opstond. 'Toen je het lichaam van Amy Hallcox onderzocht, heb je toen een tatoeage gezien?'

'Ze had er een boven haar linkerborst. Een hartje.'

'Stak er een zwarte pijl doorheen?'

'Inderdaad. Hoe weet je dat?'

'Ik heb de kaart met haar vingerafdrukken nodig.'

'Die ligt op de werktafel bij de Kelvin-microscoop.'

Hij liep door het vertrek, pakte de zak met de kaart met de vingerafdrukken van Amy Hallcox en verdween de hoek om. Darby volgde hem.

Coop stond aan de achterste werktafel, zijn favoriete plek, een hoek met aan weerskanten ramen waar veel zonlicht door naar binnen viel. Maar niet op dat moment. De lucht was loodgrijs en eindeloze regen geselde de ramen.

Op de werktafel lag een kaart met vingerafdrukken. Hij haalde de kaart van Amy Hallcox uit de zak en bestudeerde haar vingerafdrukken onder een loep. Toen ze naast hem kwam staan, had hij de loep al opzij gedraaid.

'Ze komen overeen,' zei hij, meer tegen zichzelf dan tegen haar.

'Overeen met wat?'

Hij schoof een door ouderdom vergeelde kaart over de werktafel naar haar toe. Ze keek naar de naam die bovenaan stond. KENDRA L. SHEPPARD. Blanke vrouw. Leeftijd of andere informatie ontbrak.

'Wie is Kendra Sheppard?'

'Ze... ze kwam uit Charlestown,' antwoordde hij. 'Ze werd een paar keer opgepakt voor prostitutie. Toen jij en ik het huis binnen gingen en ik haar zag, dacht ik dat mijn geheugen een loopje met me nam. Dat ik het me verbeeldde.'

Ze herinnerde zich hoe Coop in de woonkamer met een lijkbleek gezicht het zweet van zijn voorhoofd had geveegd.

'Toen jij buiten met Pine stond te praten, heb ik het gezicht van Amy Hallcox van dichtbij bekeken,' zei hij. 'Kendra had een moedervlekje op haar wang – ik had haar gezegd dat ze een blonde versie van Cindy Crawford leek. Ook had Kendra een litteken onder haar onderlip. Dat heeft ze opgelopen toen ze achttien was. We kwamen uit het huis van Jimmy DeCarlo, toen ze met haar dronken kop in een stuk glas viel. Ik moest haar naar het ziekenhuis brengen om het te laten hechten.'

Hij glimlachte bij de herinnering, zuchtte en zei toen: 'Zelfs toen kon ik het nog niet geloven, dus zodra ik terugkwam in het lab, heb ik Kendra's vingerafdrukken opgezocht. Ik wilde er zeker van zijn voordat ik jou er iets over zou vertellen.'

'En er zijn geen twijfels?'

'Geen enkele.' Amy Hallcox is Kendra Sheppard.

Coop sloeg zijn armen over elkaar, waarbij zijn spieren zich spanden onder zijn strakke poloshirt. Hij leek in gedachten verzonken. 'Al die tijd heb ik gedacht dat ze dood was,' zei hij ten slotte. 'En nu vind ik haar twintig jaar later, vastgebonden op een stoel, haar keel doorgesneden, en...' Hij schudde zijn hoofd, alsof hij de beelden probeerde te verdrijven. 'Gewoon bizar, vind je niet?'

Darby knikte en legde de kaart terug op tafel. 'Waarom heeft Kendra haar naam veranderd?'

'Ik kende haar alleen als Kendra,' zei hij. 'Ze is zelfs even mijn vriendin geweest... mijn eerste echte vriendinnetje, zou je kunnen zeggen.'

24

Darby leunde met de onderkant van haar rug tegen de werkbank en greep de rand vast.

'Ze was geen slecht kind,' zei Coop, zijn blik gericht op de kaart met Kendra Sheppards vingerafdrukken. 'Ze was niet al te snugger, zeker niet wanneer het het dagelijkse leven in Charlestown betrof – ze had geen idee wat zich daar afspeelde.'

Coop woonde in Charlestown en kende daar iedereen, wat niet zo moeilijk was in een plaats van amper drie vierkante kilometer. Zijn drie oudere zussen en hij waren opgegroeid in een kleine oude buurt, waar ooit een van de eerste veldslagen van de Amerikaanse Burgeroorlog, Bunker Hill, had gewoed. Later, in de jaren tachtig, was het een broeinest geworden van de Ierse maffia. Coop was dertien toen zijn vader door een auto werd doodgereden. De bestuurder was doorgereden en nooit gepakt. Darby was net zo oud toen haar vader werd vermoord. Dit gemeenschappelijk verdriet had tijdens de beginperiode op het forensisch lab hun vriendschap versterkt.

'Kendra was een lief kind,' zei hij. 'Maar, jezus, ze kon geen maat houden. Ze was gek op feesten, drinken en blowen. Ze was zo verdomd aantrekkelijk dat ik bereid was de coke over het hoofd te zien. Maar toen ik ontdekte dat ze opgepakt was voor prostitutie, was de maat vol en heb ik het uitgemaakt. Niet de prettigste periode uit mijn leven.'

'Waarom dacht je dat Kendra dood was?'

'Wat zeg je?' Hij knipperde met zijn ogen alsof hij ontwaakte uit een droom.

'Je zei net: "Al die tijd dacht ik dat ze dood was".'

'Haar ouders zijn vermoord. Ze zijn in hun slaap doodgeschoten.'

Dat klopte met wat Sean haar had verteld.

'Wanneer is dat gebeurd?'

'April 1984. Ik weet het nog precies omdat ik toen net mijn rijbewijs had gehaald. Ik weet dat Kendra niet thuis was toen haar ouders werden vermoord, want de politie was naar haar op zoek. Ik weet niet waar ze was. In die periode hadden we geen contact meer met elkaar. Ze kwam niet naar de rouwdienst of de begrafenis, ze was gewoon... verdwenen, dus veronderstelde ik het ergste.'

'Had ze nog andere familie in Charlestown?'

'Een oom en tante. Mark en Heather Base. Maar die wonen er niet meer. Na de moord hebben ze hun spullen gepakt en zijn verhuisd. Naar ergens in the Midwest, geloof ik.'

'Sean vertelde me dat zijn grootouders zijn vermoord.'

'Sean?'

'Dat is John Hallcox' echte naam.' Ze had nog geen gelegenheid gehad Coop te vertellen over het gesprek met de jongen of over de bruine bestelbus die ze vanochtend had gezien. Nadat ze op de plaats delict met agenten uit Belham had gesproken, was ze teruggereden naar Boston om voor de autopsie het lichaam van Amy Hallcox te onderzoeken.

'Sean vertelde me dat zijn grootouders waren vermoord, maar dat zijn moeder hem niet wilde zeggen hoe ze waren gestorven en waar ze hadden gewoond,' zei Darby. 'Hij wilde me net gaan vertellen wat zich in het huis had afgespeeld, toen hij opeens de recorder uitschakelde en zei dat zijn echte naam Sean was. Dat was toen die zogenaamde FBI-vent binnenkwam met dat lulverhaal dat de moeder werd gezocht en...'

'Hè, de man was geen echte FBI-agent?'

'Nee, maar met zijn badge en identificatiebewijs kon hij er zo voor doorgaan. Pine zei dat hij het opsporingsbevel had gezien en dat het echt was. Ik kwam er pas vanmorgen achter dat het allemaal nep was.'

'Jezus.' Coop plantte zijn ellebogen op de werktafel en wreef met zijn handpalmen over zijn voorhoofd.

'Ik had iets kunnen vermoeden toen bleek dat hij uit het ziekenhuis was verdwenen. Ik dacht dat hij was gaan bellen om te overleggen hoe hij de schade kon beperken – je weet hoe ze bij de FBI zijn – ten koste van alles je image beschermen.'

'Dus Amy Hallcox was niet voortvluchtig?'

'Nee. Ik heb het gecheckt bij het NCIC en het bleek allemaal gelul. Het was de jongen die hij moest hebben.'

'Waarom?'

'Dat weet ik nog niet.'

Coop keek haar aan. 'Hij moet íéts hebben geweten. Waarom zou een kind van twaalf anders een revolver dragen?'

'Precies. Ik weet niet wie die vent is, maar waarschijnlijk werkt hij samen met de kerels die me vanmorgen zijn gevolgd.' Ze vertelde hem over de bruine bestelbus en over wat Ted Castonguay op de bewakingstapes van het ziekenhuis en de foto's had ontdekt.

'Hoe staat het met de vingerafdrukken die je in het huis hebt genomen?'

'Die worden op dit moment door de databank gehaald. En met het bewijsmateriaal zijn we net begonnen. Wat heeft Sean je nog meer verteld?'

'Hij zei dat de mensen die zijn grootouders hebben vermoord nooit zijn gepakt.'

'Dat klopt.'

'Waren er in die tijd nog verdachten? Heb je er wel eens iets over gehoord?'

'Niet dat ik me zo herinner.'

Darby pakte het klembord en de balpen van de werktafel, sloeg een nieuw vel om en noteerde de namen van de oom en de tante.

'Wat waren de namen van Kendra's ouders?'

'Sue en Donnie.'

'Wonen er nog vrienden van Kendra in de buurt?'

'Geen idee.'

'Heeft ze je verteld waarom ze de hoer speelde?'

'Nee.'

'Heeft ze het wel geprobeerd?'

'O ja, vaak zelfs. Ze bleef bellen en kwam zelfs een paar keer naar mijn school. Maar ik heb haar genegeerd. Ik wilde het gewoon niet horen.'

'Je hebt vast wel het een en ander gehoord. Charlestown is maar klein, dus...'

'Ik wilde niet weten waarom ze het deed. Als iemand erover begon, dan ging ik weg. In feite stopte ik gewoon mijn hoofd in het zand. Ik was zeventien toen ik ontdekte dat mijn negentienjarige vriendin in hotelkamers en auto's kerels pijpte.' Hij staarde haar aan. Zijn ogen stonden vol woede. 'Ik hoefde de details niet te horen. Ik schaamde me, oké?'

Waarom reageert hij zo defensief?

'Coop, ik heb net ontdekt dat Amy Hallcox in werkelijkheid Kendra Sheppard heet,' zei ze rustig. 'En degene van wie ik het heb gehoord, ben jij. Je vertelde me dat haar ouders zijn vermoord en dat zij daarna verdween. Ook vertelde je dat jullie samen iets hadden, dus ik probeer door je vragen te stellen meer over haar achtergrond aan de weet te komen.'

Hij keek haar niet langer aan, maar staarde uit het raam. De regen die langs het raam stroomde wierp schaduwen op de tafels en muren.

Even later zuchtte hij en maakte een berustend gebaar. 'Wat heeft Sean je nog meer verteld?'

'Hij zei dat zijn moeder altijd bang was dat deze mensen haar zouden vinden. Het leek een obsessie voor haar – ze had geen computer en ze durfde niet te internetten, uit angst dat deze mensen haar zouden kunnen opsporen. Ik had het gevoel dat hij geloofde dat zijn grootouders en zijn moeder door dezelfde personen zijn vermoord.'

'Maar hém hebben ze niet vermoord.'

'Volgens mij werden ze gestoord.' Darby legde hem haar theorie uit over een mogelijke derde persoon – de schutter die door de glazen schuifdeuren was binnengedrongen en de man in het pak had neergeschoten.

'Sean vertelde me,' vervolgde Darby, 'dat de man in het Celtics-trainingspak een oudere, blanke man was die mogelijk een facelift had ondergaan. Dat is alles wat we tot nu toe over hem weten. We hebben geen idee waar hij is of wat hem kan zijn overkomen. Heb jij misschien een idee of een theorie?'

'Over die Celtics-gozer, bedoel je? Afgaande op dat signalement kan het elke hooligan uit Boston zijn.'

'Nee, waarom deze mensen naar haar op zoek waren, bedoel ik.'

'Al sla je me dood.' Coop stond op. 'Waarom vroeg Sean Sheppard naar je vader?'

'Zijn moeder had hem gezegd dat als hij ooit in de problemen kwam, dat hij met hem moest praten. Alleen met hem.'

'Dus je weet niet hoe ze je vader kende?'

'Nog niet. Is Kendra in Charlestown voor prostitutie opgepakt?'

'Voor zover ik weet wel.'

'Ik zal haar dossier opvragen.'

'En ik ga aan het werk met die wikkel van die nicotinekauwgom en de granaten die de wondertweeling in het bos heeft gevonden.'

'Oké. Mocht je nog iets te binnen schieten, laat het me dan weten.'

'Doe ik.'

Coop liep langs haar heen. Ze staarde naar de vingerafdrukkenkaart van Kendra Sheppard.

Darby kende hem al zo lang en ze hadden al zoveel tijd met elkaar doorgebracht, ook privé, dat ze in veel opzichten op een getrouwd stel leken, vertrouwd met elkaars stemmingen en karaktertrekken. Ze wist wat er achter Coops woede schuilging.

Angst.

25

Darby opende de deur van onderzoeksruimte 2, waar de wondertweeling een kleine verrekijker in de opdampkamer had geplaatst. Mark Alves, met zijn Portugese, mahoniebruine huid, gebaarde naar de verrekijker. 'Ik verwacht daar geen vingerafdrukken op te vinden. Hopelijk hebben we hiermee meer geluk.'

Hij wees naar de voorwerpen op de werktafel: een opengeklapt scheermes en enkele stukken gelabeld plakband.

Naast haar, met een potlood achter zijn oor gestoken, stond Randy Scott. Hij sloeg bladen om van zijn klembord en rook naar zonnebrandcrème. Hij werd nooit bruin en vermeed zonlicht. Zijn vader en broer waren aan een melanoom gestorven, hetzelfde soort huidkanker waaraan Darby's moeder was overleden.

Terwijl ze wachtte, liet Darby haar blik over de verrekijker gaan. Hij zag er veelgebruikt uit. Op het gekraste kunststof frame stond NIKON te lezen. De dikke, zwarte rubberen stootkussens die de fabrikant had aangebracht om hem tegen vallen te beschermen, waren door zonlicht en ouderdom gaan scheuren. De lenzen zaten vol krassen en de barst aan de zijkant was door de eigenaar met lijm gerepareerd. Er ontbraken twee kruiskopschroeven.

'Oké, hier heb ik het,' zei Randy.

'De bloederige voetstappen op de oprit, het voetpad en de trap naar de voordeur zijn van de ziekenbroeders. We hebben ze vergeleken met de schoenen die ze gisteravond droegen. De voetstappen die je in de garage hebt gevonden, komen overeen met die op de houten vlonder en de keukenvloer. En de afmeting en vorm zijn gelijk aan de modderige voetafdruk op het tapijt in de woonkamer. Van de voetstappen in de garage en in de keuken hebben we een prima afdruk kunnen maken. De zool en het profiel komen overeen met die van een Gel Nimbus, een sneaker van het merk Asics. Ze zijn maat 39. En het is een sneaker voor vrouwen.'

'Voor vrouwen,' herhaalde Darby, meer tegen zichzelf dan tegen Randy.

'Dat is de uitkomst van onze nationale databank voor schoeisel. Ik heb het drie keer gecontroleerd om zeker te zijn. Waarmee ik niet wil beweren dat er een vrouw in het huis was. Het kan zijn dat ze per ongeluk door een man zijn gekocht. Zoiets kan een keer gebeuren. Vertel het haar, Mark.'

'Vertel wat?' vroeg Darby.

Mark antwoordde niet en bleef op zijn klembord schrijven.

'Wat?' vroeg Darby weer.

Mark slaakte een diepe zucht. 'Ik heb ooit in de uitverkoop per ongeluk een paar vrouwensneakers gekocht. Sommige paren lagen door elkaar. Ze pasten en ze zaten lekker, dus heb ik ze gekocht.'

'Je zei dat je die gele streepjes zo leuk vond,' zei Randy. 'Dat je ze daarom had gekocht.'

Darby lachte.

Mark stak zijn middelvinger op naar Randy en ging verder met zijn notities.

'Ik heb ons schoeisel... bestand erop nageslagen,' zei Randy grijnzend. Het hele schoeiselbestand van het lab bestond uit drie ringbanden '... en ik heb geen enkele match gevonden met bewijsmateriaal van andere lokale zaken.'

'Wat heb je in het bos gevonden?'

'Hierheen,' zei hij, en hij deed een deur open.

Ze volgde hem naar een kleine vergaderkamer. Op de tafel lagen zakjes met bewijsmateriaal en op een muur had hij foto's van het bewijsmateriaal geplakt. Op het whiteboard aan de tegenoverliggende muur had hij een topografisch overzicht van het bos getekend. Het gebied was onderverdeeld in achtentwintig kwadranten en de plaatsen waar hij bewijsmateriaal had gevonden, waren gemarkeerd.

'Deze secties hier,' zei Randy, 'de kwadranten 1 tot en met 7, liggen direct achter het tuinhek. De man met de nachtkijker die je bent tegengekomen, stond achter een boom in kwadrant 17, precies daar waar je die doordrukstrip hebt gevonden. Die positie gaf hem een groot tactisch voordeel. Hij kon het bos overzien en hij bevond zich vlak bij de tweede helling die omhoog naar de weg voerde.

De eerste flitsgranaat kwam hier terecht, in kwadrant 10, daar waar je het telefoontje vond. Lege kogelhulzen hebben we daar en boven aan de tweede helling gevonden en in de kwadranten 24 en 25 hebben we de hulzen gevonden. Het zijn allemaal patronen van een Smith & Wesson .40. De kogels hebben we uit de boomstam gepeuterd en naar ballistiek gestuurd. Hij heeft drie rookgranaten gegooid die, zoals je ziet, allemaal bij de top van de tweede helling zijn neergekomen, in de kwadranten 9 tot en met 13.'

'Hij maakte een rookgordijn.'

'Inderdaad. Daarmee hield hij iedereen lang genoeg op afstand om zelf het telefoontje te kunnen pakken en zijn partners in staat te stellen het lichaam weg te slepen. Al het bewijsmateriaal dat we hebben gevonden, lag relatief dicht bij elkaar. Behalve dit.' Hij wees naar kwadrant 22, in de linkerbovenhoek. 'Daar heb ik de verrekijker gevonden. De plek is ver verwijderd van de andere voetafdrukken die we in het bos hebben gevonden. De voetafdrukken die ik in kwadrant 22 heb aangetroffen, komen overeen met die op de vlonder en de garagevloer.'

'Komt de afdruk van deze sneaker overeen met een van de andere voetafdrukken die je in het bos hebt gevonden?'

'Nee, deze is anders.'

Darby staarde naar de in vakken verdeelde kaart en dacht aan de persoon die schietend het huis binnen was gedrongen en Sean Sheppard had losgesneden. Als de schutter had behoord tot de groep die ze in het bos had gezien, waarom was hij dan zo ver verwijderd geweest van de anderen?

'Dat is wat ik heb,' zei Randy. 'Wil je het bewijsmateriaal zelf onderzoeken, of wil je dat ik het verder doe?'

'Ik zou graag een van die .40-hulzen zien.'

Hij gaf haar een zakje. Elke gevonden huls was door hem afzonderlijk in een zakje gedaan en voorzien van een nummer dat correspondeerde met het kwadrant op de kaart. *Jezus, wat een pietje-precies.*

Ze gebruikte haar pen om het slaghoedje te bekijken. Ze kon er niets bijzonders aan ontdekken. Geen afwijkende randen of merktekens.

'Ik wil dat elk van deze hulzen onder een massaspectrometer wordt bekeken.' Ze vertelde hem over het microstempel.

Darby wierp een snelle blik op haar horloge. Kwart voor vier.

'Mark en ik gaan niet weg voordat we hier klaar zijn,' zei Randy. 'Ik weet dat dit de hoogste prioriteit heeft.'

'Ik keek alleen maar even hoe laat het was. Ik moet nog een paar telefoontjes plegen.'

'Hoe dan ook, mocht je ons nodig hebben, dan zijn we hier.'

'Prima werk, Randy.'

'Ach, fluitje van een cent.'

26

Darby zat in haar bureaustoel op haar toetsenbord te typen. Dankzij de welwillendheid van hoofdcommissaris Chadzynski had ze met haar computer direct toegang tot het CJIS, het informatiesysteem dat gebruikt werd door rechercheurs van Moordzaken en patrouillediensten van Boston.

Ze vond de dossiernummers van de moord op Donnie en Sue Sheppard. Verdere details ontbraken. Ze keek naar de datum: 13 april 1983. Moordzaken van voor 1985 waren niet in het databestand opgenomen. Dossiers en bewijsmateriaal lagen in een of andere caravan in Hyde Park opgeslagen. Ze pakte de telefoon. De brigadier van dienst die opnam, beloofde haar dat hij de dossiers met bijbehorend bewijsmateriaal uiterlijk morgen tegen de middag op het lab zou komen afleveren.

Een beetje speurwerk op Google leverde op dat de letters RES inderdaad stonden voor Reynolds Engineering Systems. Het bedrijf bleek gevestigd in Wilmington, Virginia. Volgens de website van het bedrijf liep RES voorop in de technologie van het microstempelen. Ze werd van het ene naar het andere afdelingshoofd doorverbonden, waarbij ze steeds opnieuw moest uitleggen wie ze was en waarvoor ze belde. En elke keer werd ze weer in de wacht gezet omdat met iemand van hogerhand moest worden overlegd. Na een halfuur kreeg ze uiteindelijk een onderdirecteur aan de lijn die haar na veel heen en weer gepraat doorverbond met het hoofd van de divisie microstempelen, Madeira James, een sympathiek klinkende vrouw.

Nadat Darby voor de zoveelste keer had uitgelegd wie ze was en waarom ze belde, zette James haar opnieuw in de wacht, om tien minuten later weer aan de lijn te komen.

'Sorry dat ik u heb laten wachten, mevrouw McCormick, maar ik moest wat gegevens bij elkaar zoeken en een paar mensen raadplegen. Iedereen hier is eh... nogal geschrokken van de mogelijkheid dat een van onze microgestempelde prototypes in verband wordt gebracht met een moordonderzoek.'

'Dat begrijp ik.'

'Die coderingen die u op de huls hebt gevonden, kunt u me die nog een keer geven?'

Dat deed Darby.

'Oké,' zei James. 'De onderste code is B4M6? Die codering verwijst naar een batch testmunitie die in, even kijken... januari van het vorig jaar is geproduceerd. Volgens mijn gegevens werd de munitie bij een interne demonstratie gebruikt.'

'Bedoelt u een demonstratie voor staffunctionarissen?'

'Dat zou kunnen. De hoge bazen willen zo af en toe zien waar hun geld aan wordt besteed. Het kan een demonstratie zijn geweest voor een of ander politiebureau. We proberen iedereen voor deze nieuwe technologie te winnen door ze te laten zien hoe ingrijpend die de ballistische identificatie zal veranderen. De lobbyisten van de wapenindustrie zijn natuurlijk fel tegen.'

'Ik zou graag de namen weten van de personen die bij de demonstratie aanwezig waren.'

'Die informatie heb ik niet hier. Die bevindt zich aan de andere kant van het gebouw, achter slot en grendel.'

'Kunt u erbij?'

'Vandaag niet meer. De "kerker", zoals we die hier noemen, kan nu elk ogenblik dichtgaan. Om toegang tot die gegevens te krijgen moet ik een formulier invullen en door verschillende mensen laten tekenen, inclusief de directeur. Ik weet dat het nogal bureaucratisch klinkt, maar het is hoofdzakelijk vanwege het risico van bedrijfsspionage. Er zijn nog vier andere bedrijven bezig met het ontwikkelen van een of andere vorm van microstempeltechniek en er kan maar voor één bedrijf worden gekozen. We hebben het hier over honderden miljoenen dollars, dus u begrijpt waarom deze extra veiligheidsmaatregel nodig is.'

'De bovenste code, GLK18, is dat de code voor een Glock 18?'

'Dat staat hier in mijn gegevens.'

'Wat weet u van handwapens, mevrouw James?'

'Niet veel, ben ik bang. Ik houd me hoofdzakelijk met de technologie bezig.'

'De Glock 18 is in de Verenigde Staten niet verkrijgbaar.'

'Ik begrijp waar u heen wilt. We testen routinematig verschillende soorten munitie op allerlei wapens: handwapens, hagelgeweren, precisiegeweren, noem maar op. Sommige daarvan zijn illegaal, zoals semi-automatische wapens. En omdat we ze niet kunnen kopen, krijgen we ze cadeau van mensen bij verschillende politiediensten.'

'En de FBI? Heeft die wel eens wapens cadeau gedaan?'

'Ja, ze zijn fervente voorstanders van microstempelen. Ze willen deze techniek van het coderen van munitie invoeren op meerdere wapentypes. Ik meen me te herinneren dat ze een keer een handwapen bij zich hadden, een... Bar...'

'Een Barak,' zei Darby. Ze kende het wapen, een halfautomatisch pistool, oorspronkelijk ontwikkeld voor het Israëlische leger, maar nu in gebruik bij de Israëlische politie. 'Wanneer kan ik die lijst met namen krijgen?'

'Ik vul vanavond nog het formulier in en ga er meteen morgenochtend mee aan de slag. Als u wilt, kan ik u kopieën van de inschrijvingsformulieren sturen. Hoe kan ik u het beste bereiken?'

Darby gaf de vrouw haar telefoonnummer en e-mailadres, bedankte haar en hing toen op. Ze stond op om bij het hoofd van de afdeling Ballistiek te gaan informeren of bij enige moord misschien een Glock 18 was gebruikt, toen haar telefoon ging.

'Darby McCormick.'

'Mevrouw McCormick. U spreekt met Charlie Skinner.' De stem van de man klonk alsof er prikkeldraad om zijn keel was gewikkeld. 'Ik ben de directeur van de strafinrichting Cedar Junction. Ik wil met u spreken over de man die uw vader heeft vermoord.'

27

Darby bleef staan. Haar hart bonkte in haar borst en ze staarde naar de regendruppels die over het raam van haar kantoor liepen.

Haar pieper trilde tegen haar heup.

'Mevrouw McCormick? Bent u daar nog?'

'Ik ben er nog,' zei ze, terwijl ze op haar pieper keek. Een oproep van de Operationele Dienst.

'Komt het nu uit, of zal ik morgen terugbellen?'

'Nee, meneer Skinner, ik zou graag nu met u praten.' Ze had het gevoel alsof haar keel werd dichtgeknepen. 'Mag ik u even in de wacht zetten?'

'Natuurlijk. Neemt u de tijd.'

Ze zette Skinner in de wacht en belde naar Coops kantoor.

'Wil je even iets voor me doen?' vroeg ze toen hij opnam. 'Ik ben net opgepiept door Operaties en ik zit aan de telefoon. Bel ze even en vraag wat ze willen, en praat met de rechercheur. Ik zie je wel in je kantoor als ik hier klaar ben.'

Ze haalde Skinner uit de wacht.

'Bedankt voor het wachten, meneer Skinner.'

'Noem me alstublieft Charlie. Ik ben waarschijnlijk oud genoeg om uw grootvader te kunnen zijn. Mevrouw McCormick, de reden dat ik u bel, is dat John Ezekiel graag met u zou willen praten.'

'Waarover?'

'Hij zei dat hij bepaalde informatie had over een vrouw die Amy Hallcox heet.'

Darby ging op de rand van haar bureau zitten. 'Wat voor informatie?'

'Dat wilde hij me niet zeggen. En dat is hij ook niet verplicht. Is Amy Hallcox niet die vrouw die in Belham is vermoord?'

'Klopt. Heeft hij ook gezegd hoe hij haar kende?'

'Nee, maar ik weet wel dat ze hem gisteren heeft opgezocht.'

De dag dat ze werd vermoord.

'Ze kwam om halfvier 's middags en ze heeft een uur met hem gesproken,' zei Skinner. 'Dat is de maximaal toegestane tijd. Ezekiel zit in Blok 10, onze extra beveiligde vleugel. En aangezien hij een status heeft van goed gedrag, hebben we het bezoek toegestaan.'

'Wanneer is hij overgeplaatst?'

'Eens even kijken...' Aan de andere kant van de lijn hoorde ze sleutels rammelen. 'Na zijn arrestatie was Ezekiel vaak betrokken bij vechtpartijen met andere gevangenen. Niets ernstigs, maar hij bracht een hoop tijd door in de isoleer. Dat veranderde toen hij vijf jaar geleden een medegevangene onder de douche vermoordde, hij brak zijn nek. We moesten hem toen overplaatsen naar Blok 10. Ezekiel is nogal een problematisch geval geweest, vooral waar het psychiatrische verpleegkundigen betrof die hem wegens zijn schizofrenie medicijnen moesten inspuiten. Vlak na zijn overplaatsing heeft hij een verpleger "geglast"'.

'Geglast??'

'Sorry, zo noemen we dat hier. Ezekiel schroefde in zijn cel een van de gloeilampen los, versplinterde het glas en mengde dat door zijn ontlasting. Toen de verplegers kwamen om hem zijn dagelijkse injectie te geven, bekogelde hij hen met die smurrie. Bij het schoonvegen van hun gezichten raakten ze behoorlijk gewond door het glas. Een van hen moest zelfs een oogoperatie ondergaan en is gedeeltelijk blind gebleven. Dankzij de heer Ezekiel hebben we alle verlichting in Blok 10 van draadkorven moeten voorzien. Hebt u eerder met hem gesproken?'

'Nee. Heeft hij speciaal naar mij gevraagd?' Bij de moord in Belham was haar naam geen enkele keer op het nieuws of in de kranten genoemd.

'Hij wilde met u spreken. Alleen met u,' antwoordde Skinner. 'Ook zei hij tegen me dat hij niet met een andere rechercheur zou praten als u niet wilde komen. Hebt u ooit een gevangene ondervraagd?'

'Nee.'

'Laat me u dan even uitleggen hoe dat in zijn werk gaat. Ik kan voor een kamer zorgen waar u de heer Ezekiel privé kunt spreken. Je moet niet raar opkijken als hij opeens besluit om niets te zeggen. Als het over zijn onderhoud met mevrouw Hallcox gaat, is hij niet verplicht u daar iets over te vertellen. Het kan zelfs zijn dat hij om een advocaat vraagt.'

'Heeft hij dat al eens gedaan?'

'Nog niet, maar dat wil nog niet zeggen dat hij niet van mening verandert. Moordenaars zijn als het erop aankomt gewoon lafaards. Het is mijn ervaring dat ze bij confrontatie met familie van het slachtoffer volledig dichtklappen. Waarmee ik niet wil zeggen dat hij dat zal doen, maar u moet met de mogelijkheid rekening houden. Daarnaast lijdt hij aan schizofrenie. Daar krijgt hij medicijnen voor, maar ik ben gewaarschuwd dat deze aandoening desondanks onvoorspelbaar blijft. Ik lees hier dat hij nog steeds aan waanvoorstellingen lijdt, waarbij hij zich inbeeldt dat mensen hem beloeren en beluisteren.'

'Is hij ooit door iemand anders bezocht?'

'Volgens de informatie op mijn beeldscherm niet, maar die gaat maar tot vijftien jaar terug, de tijd dat we begonnen computers te gebruiken. Nu worden ze voor van alles en nog wat gebruikt. Ik ben nog van de oude stempel en ik moet bekennen dat ik het papier mis.'

'Ik veronderstel dat u de oude papieren verslagen hebt bewaard?'

'Dat veronderstelt u goed.'

'Zou u ze kunnen opzoeken? Ik zou graag weten wie Ezekiel nog meer heeft bezocht.'

'Dat kan ik doen, maar dat kan een paar dagen duren. U zult wel wat papierwerk moeten invullen. Ik kan u het formulier e-mailen, maar u kunt het ook bij uw komst invullen.'

'Ik doe het wel als ik kom. Wanneer kan ik hem bezoeken?'

'Er moet nog het een en ander worden geregeld, dus wat dacht u van morgenochtend tien uur?'

'Tien uur is prima.'

'Wat ik nu ga zeggen, klinkt misschien een beetje raar, maar ik moet het nu eenmaal doen. Ik verzoek u vriendelijk de voorgeschreven kledingvoorschriften voor vrouwen in acht te nemen. De details vindt u op onze website. Lees ze en u komt niet meer bij van het lachen.'

Nadat Darby had opgehangen, belde ze naar Ballistiek en vroeg aan degene die opnam of hij voor haar in hun gegevensbestand naar een Glock 18 wilde zoeken.

Toen ze door de gang liep, voelde ze zich wat onvast op haar benen en een beetje licht in het hoofd, alsof ze net uit een verdoving was bijgekomen. In gedachten zag ze de enige afbeelding van John Ezekiel die ze bezat: een oude zwart-witfoto uit de krant, waarop hij, starend naar zijn geboeide handen, hoort hoe de rechter zijn vonnis tot levenslange opsluiting velt. Darby herinnerde zich zijn hoge voorhoofd, zijn blonde haar, zijn gespierde onderarmen. Zijn ogen hadden te klein geleken in zijn grote gezicht. Het bijbehorende artikel op een van de achterste pagina's van de *Boston Herald American* was kleiner geweest dan de foto zelf.

Toen ze de deur van de afdeling Vingerafdrukken opendeed, stond Coop achter zijn bureau.

'Een moord in Charlestown,' zei hij, en hij scheurde een vel papier van een schrijfblok. 'De leidinggevend rechercheur is Stan Jennings. Ik kon hem niet aan de lijn krijgen, maar Operaties wist me te vertellen wat we moeten weten. Het slachtoffer ligt op de lemen vloer van een kelder vol menselijke overblijfselen.'

28

Darby zat achter het stuur van het CSI-busje te wachten tot een tiental agenten van de politie van Charlestown de straten had vrijgemaakt van talloze toeschouwers. De hevige regen van die namiddag was eindelijk opgehouden en bewoners van voornamelijk Ierse afkomst dromden samen op de trottoirs en in de straten. Ze keken toe vanachter hun ramen, vanaf hun bordessen, veranda's en daken. Sommigen dronken bier en meer dan eens zag ze iemand een in een bruinpapieren zak verpakte fles doorgeven. Bijna iedereen rookte.

Een moord in Charlestown, wist ze, riep altijd een soort carnavaleske sfeer op. De oorspronkelijke bewoners die zich van hun televisie of barkruk hadden losgerukt, waren hier niet zozeer naartoe gekomen om te zien of ze het slachtoffer kenden, wat waarschijnlijk het geval was, maar eerder om uit te vinden wie uit hun buurt met de politie sprak. In Charlestown gold nog steeds een strikte zwijgplicht, zoals de *omertà* bij de Italiaanse maffia. Je geheimen en zonden behoorden de stad toe, en de stad zorgde voor zichzelf. Je ging niet naar de politie en je praatte niet met de politie. Deze tribale gedragscode was er mede de oorzaak van dat Bostons kleinste en oudste buurt jaar na jaar de twijfelachtige eer ten deel viel het hoogste aantal onopgeloste moorden van de stad en de staat te hebben.

'Ze gedragen zich alsof de politie hier is om gratis krasloten uit te delen,' zei Darby.

Coop knikte en staarde naar de stroom van gezichten die langs de ramen voorbijtrok. Hij was tijdens de rit ongewoon stil geweest. Sinds hij in de auto zat was hij steeds rustelozer geworden; hij zat constant heen en weer te schuiven op zijn stoel.

Aanvankelijk had ze gedacht dat Coop misschien het slachtoffer kende dat in Charlestown op hem wachtte. Toen hij haar vertelde dat hij geen idee had wie daar woonde, had ze hem over haar telefoongesprek met directeur Skinner verteld. Coop had knikkend en met gebrom gereageerd.

Hij was duidelijk nog met zijn gedachten bij Kendra Sheppard, maar Darby voelde dat er meer aan de hand was en aangezien hij kennelijk nog niet zover was om te vertellen wat hem écht dwarszat, drong ze niet verder aan. Ze kende hem lang genoeg om te weten dat hij zich niet onder druk liet zetten. Deed je het tóch, dan klapte hij dicht als een oester. Hij zou met haar praten als hij er klaar voor was.

Een agent klopte op het dak en gebaarde dat ze konden doorrijden.

Darby parkeerde bij gebrek aan plaats midden op de weg. De omliggende straten, glibberig van de regen, waren met behulp van patrouilleauto's afgesloten. Toen ze in het grijze avondlicht uit de auto stapte, zag ze verschillende tv-camera's op zich gericht en ze vroeg zich af of de cameraman die ze in Belham had gezien haar naar hier was gevolgd en haar nu van dichtbij in de gaten hield.

Toen ze de achterklep opende, pakte Coop een van de vacuümverpakte steriele overalls en liep snel in de richting van het huis. De agent die voor het huis stond hield de voordeur voor hem open.

'Coop, je bent je stofmasker en je gezichtsbeschermer vergeten,' zei Darby.

Hij gaf geen antwoord, of misschien had hij haar niet gehoord. Hij was al in het huis verdwenen. Ze staarde hem na en vroeg zich af waarom hij zo'n haast had.

Na wat gezoek in de bagageruimte vond ze tot haar opluchting een van de nieuwe 3M-mondkappen. Afgezien van de uitstekende filtereigenschappen voor kleine stofdeeltjes, had dit nieuwere type een *cool-flow*-systeem dat de warmte en de vochtigheid binnen in het masker reduceerde. Ze pakte er twee en nog een extra gezichtsbeschermer. Ze klemde de zak met de overall onder haar arm, pakte haar koffer en sjouwde alles naar het huis.

Toen ze er binnenstapte was het als een reis terug in de tijd, terug naar het eind van de jaren zestig of begin jaren zeventig, donkere parketvloeren en stugge vloerbedekking, met in de keuken het lelijkste en meest deprimerende behang dat ze ooit had gezien.

Ze zette haar koffer op de keukenvloer. De jonge agent die tegen het aanrecht leunde, had een rond, zonverbrand gezicht. Zijn bovenlip glansde vettig. Op de tafel stond een flesje Vicks VapoRub.

'Ga je gang,' zei hij.

Darby hield haar masker omhoog. 'Ik zoek rechercheur Jennings.'

'Die is beneden.' Hij gebaarde met zijn duim naar de openstaande deur aan het eind van de kleine keuken. 'Het is een smalle trap, dus kijk uit voor de markeerkegeltjes op de treden.'

'Bedankt.'
'Geen dank. Veel plezier daar beneden.'
Gekleed in haar steriele overall droeg ze haar uitrusting de trap af. Naast de markeerkegeltjes zag ze kluiten aarde. Waar kwam die grond vandaan? Toen ze eenmaal beneden in de kelder stond werd haar vraag beantwoord. Zoals vaak het geval was bij oude huizen, bestond het achterste gedeelte van de keldervloer uit aangestampte leem.
Coop, in witte overall en met dikke, blauwe handschoenen aan, stond voor een enorme porseleinkast die zo uit het paleis van een Chinese keizer leek te komen. In de grond zag ze meerdere schoenafdrukken.
Een kleine, broodmagere man met een bril op en gekleed in een slonzig blauw pak nam de zakdoek voor zijn mond vandaan en kwam op haar toe om zich voor te stellen.
'Stan Jennings.'
Darby schudde hem de hand. De boord van zijn overhemd was minstens twee maten te groot en de donkere kringen onder zijn ogen kleurden bij zijn zwarte haar.
Jennings vertelde haar van de noodoproep die was gedaan door een van de buren aan de overkant van de straat, een oudere Italiaanse vrouw die op haar kleinkind paste terwijl haar dochter aan het werk was. 'Vanwege de astma van haar kleinzoon stond ze bij het raam een sigaret te roken,' zei hij. Zijn stem klonk luid en opgetogen, als iemand die net gehoord had dat hij de loterij had gewonnen. 'Ze meende schoten te hebben gehoord en even daarna zag ze een man in een Red Sox-windjack het huis uit komen. Hij had zijn capuchon op en hield vanwege de regen zijn hoofd gebogen, zodat ze zijn gezicht niet kon zien.'
'Van wie is het huis?'
'Van Kevin Reynolds.' Jennings zocht haar blik en op zijn gezicht verscheen een glimlach. 'Nog nooit van gehoord, zeker?'
'Nee. Zou dat moeten?'
'Waar kom je vandaan?'
'Ik ben in Belham opgegroeid.'
'Maar je weet wel wie Frank Sullivan is.'
'De baas van de Ierse maffia?'
'Precies, die.'
Natuurlijk kende ze de naam. Iedereen die in Boston of omstreken had gewoond, kende de verhalen over de man die het midden hield

tussen een meedogenloze gangster en een moderne Robin Hood, die hun straten veilig hield door drugsdealers om te brengen of door ze op raadselachtige manier te laten verdwijnen.

De hoogtijdagen van Sullivan en alle andere maffiabazen hadden zich echter afgespeeld in het begin van de jaren tachtig, de jaren dat ze op de middelbare school had gezeten. Ze had geen idee hoe Sullivan eruitzag en wat ze van hem wist mocht geen naam hebben. Als zoon van een arm Iers immigrantenechtpaar dat kort na aankomst in Charlestown overleed, was hij zijn carrière begonnen met het stelen van auto's voor de onderdelenhandel. Later had hij in South-Boston en Charlestown de heroïnehandel opgezet en smokkelde hij via Chelsea Pier wapens naar Ierland. Er stond haar iets van bij dat hij was omgekomen bij een mislukte overval in Boston Harbor waarbij twee schepen waren betrokken.

'Kevin Reynolds was Franks rechterhand, zijn persoonlijke pitbull,' zei Jennings. 'Kevins moeder is twee weken geleden gestorven – niets verdachts – ze is gewoon in haar slaap overleden. Hij gaat het huis te koop zetten, wat het opgraven van de lichamen verklaart. Geen sterk verkoopargument.'

'Heb je hem al achter tralies?'

'Nog niet. Hij is hem waarschijnlijk gesmeerd. Het is een gehaaide klootzak. Ik weet zeker dat hij...'

'Moment, alsjeblieft,' zei Darby, die naar naar de lege hulzen op de vloer keek.

Voorzichtig manoeuvrerend om de voetafdrukken die kriskras over de vloer liepen niet te verstoren, kwam ze bij de eerste huls. Ze hurkte en bekeek hem van dichtbij.

'Precies zo'n soort patroon hebben we twee dagen geleden in Belham gevonden,' zei Darby over haar schouder tegen Jennings. 'Je zult het vast op het nieuws hebben gehoord: een overval in een huis waarbij een vrouw en haar zoon waren betrokken.'

'De vrouw werd vermoord en haar zoon schoot zichzelf dood in het ziekenhuis.'

Darby knikte en ging weer staan.

'Ken je een vrouw met de naam Kendra Sheppard? Ze komt uit Charlestown.'

'Haar ouders zijn vermoord in 1983,' zei Jennings. 'Doodgeschoten in hun slaap met twee verschillende soorten munitie. Ik heb meegewerkt aan de zaak. Kendra verdween nog voor de begrafenis. Aan die zaak heb ik ook gewerkt. Niemand wist wat er met haar was gebeurd. Het zou me niets verbazen als zij een van die lichamen is die hier ligt begraven.'

'Nee, dat is ze niet. De vermoorde vrouw die we in het huis hebben gevonden, leefde onder de naam Amy Hallcox. We hebben haar vingerafdrukken met die van Kendra Sheppard vergeleken. Ze komen overeen.'

Jennings fronste zijn wenkbrauwen. 'Hoelang woonde ze in Belham?'

'Ze woonde in Vermont. Volgens haar zoon was ze hier gekomen voor een paar sollicitatiegesprekken. Wist je dat ze in Belham ooit is opgepakt wegens prostitutie?'

'Daar staat me iets van bij.'

'Enig idee waarom? Ze was negentien.'

'Sullivan zat niet in de prostitutie, als je daarop doelt. Hij hield zich voornamelijk bezig met afpersing. De cocaïne en de heroïne kwamen later.'

'Enig idee waarom haar ouders zijn vermoord?'

'Ik weet zeker dat Sullivan erachter zat. Toen hij nog leefde, kon je op straat nog geen scheet laten zonder zijn permissie. Sullivan heeft zelf de familie Sheppard omgebracht, of hij heeft er iemand opdracht voor gegeven. Of ik dat kan bewijzen? Nee. Maar je kunt er vergif op innemen dat hij er op een of andere manier de hand in heeft gehad.'

Vanuit haar ooghoek zag Darby dat Coop met zijn zaklantaarn in een met bloed bespatte kartonen doos scheen.

'Toen Sullivan zich in Charlestown vestigde,' vervolgde Jennings, 'werd de helft van de inwoners vermoord of verdween van de aardbodem. En dan heb ik het nog niet over de slachtoffers die in en rond Boston woonden. Die kerel was net zo verdorven als Hitler en ging minstens zo grondig te werk. Hij heerste over Charlestown alsof het verdomme een concentratiekamp was. Tegen de tijd dat hij doodging, was het hier net Auschwitz, een spookstad.'

Darby verlegde haar aandacht naar het lichaam op de lemen vloer. Ze zag alleen de marineblauwe broekspijpen en de schoenen; de rest ging schuil achter Jennings.

'Om zoiets te laten gebeuren,' zei Jennings, 'moet je een paar zeer belangrijke mensen op je loonlijst hebben; mensen die van hogerhand zaken kunnen manipuleren, mensen met invloed. Mensen die...'

'Momentje.'

Darby was opzij gestapt om het lichaam beter te kunnen zien. Een blanke man in een pak. De meeste kogels hadden zijn borst getroffen. In zijn rechterbeen was hij twee keer geraakt, een kogel had de slagader in zijn dijbeen doorboord waardoor hij was leeggebloed.

Maar die kogel was de man die zich voor Special Agent Phillips had uitgegeven niet fataal geweest. Daar had het enkele schot in de zijkant van zijn voorhoofd voor gezorgd.

29

Darby trok haar blauwe handschoenen aan en knielde naast het lichaam. In zijn borstzak vond ze een leren mapje. Naast haar verschenen Jennings' afgetrapte zwarte schoenen. Toen ze het mapje opende, zag ze een badge en een identificatiebewijs van de FBI op naam van Special Agent Phillips. Pine had gelijk gehad, ze leken echt. Ze begon de andere zakken te doorzoeken.

'Ken je deze man?' vroeg Jennings.

'Ik heb hem gisteren in het St. Jozefziekenhuis ontmoet. Hij toonde deze badge en identificatie en beweerde dat hij van de FBI was. Hij had zelfs een opsporingsbevel bij zich.'

'Wat kwam hij doen?'

'Hij wilde Kendra Sheppards zoon meenemen en in verzekerde bewaring stellen.' Uit de achterzak van de broek haalde ze een zwarte portefeuille met daarin een in Connecticut uitgegeven rijbewijs en een aantal creditcards op naam van Paul Highsmith. De foto op het rijbewijs kwam overeen met die op het identificatiebewijs van Special Agent Phillips. *Hoeveel namen heeft deze man wel niet?*

'Deze man heet niet Phillips of Highsmith,' zei Jennings. 'Zijn echte naam is Peter Alan. Toen ik met hem te maken had, werkte hij als agent bij het FBI-kantoor in Boston.'

Darby kwam overeind. Coop was doorgelopen om het in een hoek op elkaar gestapelde meubilair te bekijken.

'Ik kende Alan al van vroeger. Ik ben hem hier in Charlestown meer dan eens tegengekomen,' zei Jennings. 'Hij werkte veel met informanten. Veel van die figuren werden door hem in een getuigenbeschermingsprogramma geplaatst, zodat we niet bij ze konden komen. Zoals Billy O'Donnell. Ze noemden hem Billy Drie Vingers. De man was een kanjer in het kraken van brandkasten. Toen Billy zich een keer in Sullivans wijk had gewaagd, waarna Sullivan Billy's rechterhand had gebroken, begon Billy met zijn linkerhand sloten te openen. Nadat Billy in het beschermingsprogramma werd geplaatst, was hij onbereikbaar. De Feds lieten me niet met hem praten.'

'En waarom was dat?'

Jennings stak een kauwgum in zijn mond. 'Weet je hoe Sullivan aan zijn eind is gekomen?'

'Het enige wat ik me herinner is dat hij is omgekomen bij een inval in de haven. Ik zat nog op de middelbare school toen het gebeurde. In 1981 toch?'

'Juli 1983.'

Hetzelfde jaar dat de ouders van Kendra Sheppard zijn vermoord. En mijn vader.

'Laat me je even een korte geschiedenisles geven om je bij te spijkeren,' zei Jennings. 'Sullivan opereerde vanaf het eind van de jaren zestig vanuit Charlestown. Tegen de tijd dat hij overleed, praat je over een periode van dik twintig jaar waarin hij mensen vermoordde of liet verdwijnen, onder wie veel jonge vrouwen zoals degenen die hier in deze kelder liggen begraven. Sullivan wilde ze graag heel jong. Degenen die zich met hem inlieten werden vermoord of verdwenen spoorloos. Vraag me niet hoeveel het er precies waren, ik ben de tel kwijtgeraakt. Laat ik volstaan met te zeggen dat ik stapels dossiers heb van vermiste vrouwen die zich op een gegeven moment in Sullivans buurt ophielden.'

'Zolang de man nog leefde leek hij vrijwel ongrijpbaar, wat vreemd is als je bedenkt dat de politie, de FBI van Boston en de State Police jacht op hem maakten. De klootzak was ze altijd een stap voor. Zoals die keer dat we microfoons in zijn auto hadden verstopt. Een technisch hoogstandje. Het had ons vier uur gekost om ze in te bouwen. Toen we hem de dag daarna met het hele stel volgden, stopte hij naast mijn auto, draaide het raampje omlaag en zei: "Hé, Stan, die microfoons die je in mijn auto hebt verstopt, wil je die nu meteen terughebben, of zal ik ze straks even bij je op kantoor langsbrengen?"

'Dus Sullivan had agenten omgekocht,' zei Darby.

'O, hij zal ongetwijfeld agenten en mensen van de State Police hebben omgekocht, maar ik zal je nog iets veel interessanters vertellen. Volgens mij was Sullivan een informant van de FBI. En als je me zou vragen waarom ik zoiets denk...'

'Waarom denk je dat?'

'Fijn dat je het vraagt. Terwijl de Italianen in North End de een na de ander het loodje legden, ging het Sullivan voor de wind. Hij werd niet één keer gearresteerd.'

'En Reynolds?'

'Ook niet. Het was alsof die twee onaantastbaar waren.'

'Wie heeft die hinderlaag in Boston Harbor gepland?'

'Dat moeten onze goede vrienden van de FBI in Boston zijn geweest. Special Agent Alan speelde onder één hoedje met een van mijn informanten, de eerdergenoemde brandkastenkraker Billy O'Donnell. Toen Billy werd gearresteerd, keek hij aan tegen een langdurige vakantie in een van onze zwaarbeveiligde gevangenissen, dus probeerde hij er onderuit te komen door Alan belangrijke informatie over de heer Francis Sullivan in het vooruitzicht te stellen. Alan ging akkoord en Billy vertelde hem dat Sullivan per schip een grote lading heroïne zou binnenbrengen. Alan informeerde zijn superieuren en zette een hinderlaag op in Boston Harbor, waar de transactie zou plaatsvinden.

Een van hun undercoveragenten,' vervolgde Jennings, 'een zekere Jack King, had net contact met de commandopost toen Sullivan onverwacht aan boord stapte en begon te schieten. King legde het loodje en tegen de tijd dat de hulptroepen arriveerden, stonden beide schepen in lichterlaaie. Er waren geen overlevenden. Sullivan, zijn twee bemanningsleden, de undercoveragenten op het schip, allemaal onherkenbaar verbrand. Hun lichamen werden de volgende morgen door duikers geborgen. Niemand had het overleefd.'

'Was jij erbij?'

'Vergeet het maar. Dit was strikt een FBI-aangelegenheid. De FBI was erop gebrand Sullivan te pakken te krijgen. Toen de Italianen eenmaal uit de weg waren geruimd, werd er zware druk op ze uitgeoefend om vervolgens Sullivan te pakken. Het zou een afgang betekenen als de Boston Police of de State Police het hoofd van Sullivan op een zilveren schaal zou komen aanbieden. Nee, *zíj* zouden het doen, *zíj* sloten ons buiten. Onze informanten verdwenen in het getuigenbeschermingsprogramma, zodat we ze niet meer konden bereiken. Met andere woorden: we kregen geen informatie.'

'Was Reynolds erbij betrokken?'

'Bij de set-up, bedoel je? Waarschijnlijk wel. Sullivan verzette geen stap zonder Reynolds. De FBI heeft naderhand nog geprobeerd het te bewijzen, evenals de Boston Police, maar Kevin had een waterdicht alibi. Het is een geslepen schoft.'

Darby trok een handschoen uit en veegde over haar bezwete voorhoofd. Ze kon niet ontdekken hoe de stukjes van de puzzel in elkaar pasten: Kendra Sheppard die een alias gebruikte; de rol van de FBI;

de lichamen die in de kelder van het huis van de moeder van Kevin Reynolds waren begraven, voormalig handlanger van de nu dode *godfather* van Bostons Ierse maffia. *En vergeet je vader niet. Big Red is op de een of andere manier bij dit alles betrokken.*

'Maar het mooiste moet ik je nog vertellen,' zei Jennings grijnzend, terwijl zijn kauwgum werd gekneed tussen zijn met nicotine bevlekte voortanden.

'Hou me dan niet verder in spanning, vertel op.'

'Je gaat dit geweldig vinden, weet je. Echt geweldig. Deze Special Agent Alan hier?' Jennings tikte met de punt van zijn schoen tegen de dode man. 'Hij was een van de undercoveragenten op het schip. Hij zou overleden moeten zijn.'

30

'Neem me niet kwalijk dat ik deze simpele vraag stel,' zei Darby, 'maar ben je er zeker van dat Special Agent Alan op dat schip was?'

'Dat ben ik,' antwoordde Jennings. 'Maar je hoeft me niet op mijn woord te geloven. Lees de FBI-transcripties. Als de FBI je dat toestaat tenminste. Ik heb minstens drie maanden hun kantoor platgelopen voor ze uiteindelijk met de transcriptie kwamen van wat er die nacht was gebeurd.'

'Heb je gevraagd of je de bandopname mocht horen?' vroeg Darby, die wist dat de FBI de gesprekken tussen de commandopost en het schip had opgenomen.

'Dat heb ik zeker,' zei Jennings. 'Maar ze lieten me de banden niet beluisteren, met als argument dat ze deel uitmaakten van een nog lopend Federaal onderzoek.'

'En jij vertrouwt de FBI niet?' Darby grijnsde.

Jennings lachte. 'Ik weet het. Ik zou meer vertrouwen in onze regeringsdienaren moeten hebben, mevrouw McCormick. Maar ik ben nu eenmaal een koppige, oude man. Ik heb hier in Charlestown te veel gezien, zaken waarvan de haartjes in uw mooie nek rechtovereind zouden gaan staan. Bij gelegenheid zal ik u er wel eens over vertellen, maar nu wil ik weten hoe een FBI-agent kans heeft gezien uit de dood te herrijzen, alleen maar om daarna te worden doodgeschoten in de kelder van Kevin Reynolds, die dan ook nog eens vol blijkt te liggen met menselijke overblijfselen. Mocht je soms ideeën of theorieën hebben, dan zou ik die dolgraag horen.'

De volgende twintig minuten vertelde ze Jennings over haar confrontatie met de onbekende mannen in het bos, over de bestuurder van de bruine bestelbus en over de cameraman met zijn lasermicrofoon.

'Nou, dat is een interessante ontwikkeling,' zei Jennings toen ze klaar was. Hij staarde naar het lichaam op de vloer. 'En dit hier is Peter Alan. Daar durf ik mijn jaarsalaris om te verwedden. Maar je hoeft me niet te geloven. Zijn vingerafdrukken moeten in de databank staan.'

Darby knikte. Van al het federale, staats- en politiepersoneel waren de vingerafdrukken opslagen in het IAFIS, de nationale databank voor vingerafdrukken. 'Ik zal ze hier nemen en de kaart door iemand van het lab laten ophalen, zodat we misschien een voorsprong hebben.'

Boven aan de keldertrap klonken voetstappen.

'Hé, Stan!' riep de agent vanuit de keuken.

'Ja, wat is er?'

'Is er iets mis met je telefoon?'

'Nee, niet dat ik weet. Hoezo?'

'Tim heeft geprobeerd je te bellen, maar hij zegt dat hij steeds je voicemail krijgt. Hij heeft nieuws over Reynolds.'

'Coop heeft je al eerder gebeld, maar kon je ook niet bereiken,' zei Darby. En toen ik je onderweg probeerde te bereiken, kreeg ik ook steeds je voicemail.'

Jennings pakte zijn telefoontje en controleerde het.

'Hé, dat is vreemd.'

'Wat?' vroeg Darby.

'Hij doet helemaal niets. Volgens mij was de batterij opgeladen toen ik van huis ging. Ik zal een reservebatterij pakken. Bel Tim voor me op,' riep hij in de richting van de trap. 'Ik kom zo naar boven.'

Jennings haalde een visitekaartje uit zijn zak en gaf het aan Darby.

'Mocht je een van de heren die je vandaag in Belham hebt gezien, weer tegenkomen, laat het me dan weten. Misschien kan ik je helpen ze te identificeren.'

'Hoe kan ik je bereiken?'

'Vraag maar aan Jake, de agent boven in de keuken. Die weet me wel te vinden.'

'Zet iemand bij de voordeur voordat je gaat. Als de mannen over wie ik het had de boel hier in de gaten houden, dan wil ik ze hier niet binnen hebben. Wel zou ik graag rechercheur Pine van de politie van Belham op de hoogte brengen, aangezien deze twee zaken met elkaar te maken hebben.'

'Daar heb ik geen problemen mee, zolang iedereen elkaar maar alles vertelt.'

'Afgesproken.'

'Mooi. Hou me op de hoogte.'

'Doe ik.'

Jennings haastte zich de keldertrap op en Darby richtte haar aandacht op de kartonnen doos vol beenderen.

Twee schedels, bruingevlekt door hun langdurig verblijf in de grond.

Gezien de gladde structuur van de jukbeenderen en de vorm van het voorhoofd leken beide schedels afkomstig van blanke vrouwen.

'Darby.'

Toen ze zich omdraaide, stond Coop vlak achter haar.

'Terwijl jij met Jennings praatte, heb ik geprobeerd het kantoor van de lijkschouwer te bellen. Maar ik kreeg alleen maar ruis.'

Darby pakte haar eigen telefoon. Die leek in orde maar het display bleef knipperen.

'Doet geen enkele telefoon het hier?' vroeg Coop. 'Dat is toch merkwaardig.'

Darby moest denken aan wat ze eerder op de bewakingstape van het ziekenhuis had gezien. De man die zich als Special Agent had voorgedaan – volgens Jennings Peter Alan – had een soort hoogfrequent stralingsapparaat bij zich gehad dat in het ziekenhuis de elektronische circuits van de bewakingscamera's, computers en telefoons had laten doorbranden. Bevond zich een dergelijk HERF-apparaat hierbeneden?

Darby keek om zich heen in de kelder. Haar blik viel op een zwart doosje dat boven op een kast lag. Het was zo groot als een pakje sigaretten en er brandde een klein, groen lampje. Geen knoppen, alleen een schakelaartje. Ze zette het om en het groene lampje doofde.

Ze controleerde haar mobieltje. Het display flikkerde niet meer.

'Probeer nu je mobiel eens.'

Hij deed het. 'Hij lijkt het te doen. Geen storing. Dat ding daar, is dat zo'n HERF-apparaat waar Teddy Castonguay je over vertelde?'

'Ik denk het niet. In dat geval zouden de telefoons nu nog steeds niet werken. Volgens mij is het een soort stoorzender.'

'Waarom doet Jennings' telefoon het dan niet?'

'Geen idee.' Ze knielde opnieuw naast de man neer en doorzocht de rest van zijn zakken.

In de binnenzak van zijn colbertje vond ze nog een zwart apparaatje. Dit was wat platter en ongeveer half zo groot als een pocketboek. Het was voorzien van een dikke, met rubber beklede antenne en een klein, blauw display dat de frequentie aangaf.

Ik denk dat ik je HERF heb gevonden, Ted.

Het apparaat leek niet aan te staan. Was dat wel het geval geweest, dan hadden hun telefoons geen teken van leven gegeven.

Darby keek naar de kogelhulzen die her en der over de vloer verspreid lagen.

'Het zijn er negentien,' zei Coop.

Een standaard 9mm-magazijn kon zestien patronen bevatten. Een verlengde patroonhouder bood plaats aan het aantal hulzen dat hier op de keldervloer lag. En gezien het geconcentreerde patroon van schotwonden in het lichaam, veronderstelde ze dat de Glock op half-automatisch had gestaan.

Coop stond inmiddels bij de stoffige ladekast die onder een hoek naast de Chinese porseleinkast stond. Hij schuifelde zijdelings naar een oude matras en een gedemonteerd bed die rechtop tegen de muur stonden en knipte zijn zaklantaarn aan.

'Kom eens kijken,' zei hij, en hij scheen met de lichtbundel achter de kast.

31

Darby zag in het stof verschillende schoenafdrukken – waarvan enkele goed genoeg waren om een gipsafdruk van te maken. Te oordelen naar de vorm van de zool en het profiel, waren ze allemaal afkomstig van een sneaker.

'Het profiel verschilt,' zei Coop, 'maar de maat komt overeen met de afdrukken die je aantrof in Belham.'

'Volgens mij ook.'

'Nogal een vreemde plek om je op te houden, vind je niet?'

'Niet als je je verstopt.'

'Precies. Maar als je van plan bent die federale vriend van je neer te knallen, waarom dan niet als hij de trap af komt?'

'Goeie vraag.'

'En toen ik nog even een kijkje nam bij dat graf achter die porseleinkast, heb ik nog een menselijke schedel gevonden.'

'Waarom had je zo'n haast om hierbeneden te komen?'

'Alles wat met Kevin Reynolds te maken heeft maakt me nerveus.'

'Waarom heb je niets over hem gezegd toen we in de auto zaten?'

'Het werd me pas duidelijk dat hij erbij betrokken was toen we deze straat in reden. Toen ik het huis zag, wist ik het zeker.'

'Jennings gaf je het adres. Had je het niet herkend?'

'Darby, ik ken niet iedereen die hier woont.'

'Ken je Reynolds?'

'Natuurlijk ken ik die. Hij bracht herpes naar de stad.'

'Hoe goed ken je hem?'

'Niet erg goed. Hij is een soort buurticoon voor wie mensen nog steeds de straat oversteken als ze hem zien aankomen. In ieder geval de mensen die hier zijn opgegroeid.'

'Je hebt nauwelijks iets gezegd.'

'Ik heb dat verhaal van Jennings al eerder gehoord.' Coop knipte de zaklantaarn uit. 'Ik ga een vingerafdrukkenkaart pakken en Mark en Randy bellen of een van hen hierheen komt, zodat die kaart mee terug kan naar het lab.'

'Vertel me eerst nog wat meer over Reynolds.'

'Hij heeft sinds zijn zeventiende voor Sullivan gewerkt. Kevin was uitsmijter bij McGee's, een plaatselijke bar. Een ongure tent, waar je alleen kwam voor slechte coke of om een mes in je donder te krijgen. Meneer Sullivan, die Kevin een paar keer aan het werk had gezien, bood hem een baantje aan als lijfwacht en chauffeur.'

'Meneer Sullivan?'

'Sorry. Macht der gewoonte. Zo noemde je Sullivan als je hem zag op straat, of als hij naar je toe kwam om een praatje te maken. Frank was nogal gesteld op respect. Als je naliet hem, Reynolds of een van zijn lakeien het nodige respect te betonen, dan kon je maar beter een goede tandartsverzekering hebben, want dan kwam je strompelend thuis met twee blauwe ogen en minstens een ontbrekende tand.'

'Spreek je uit ervaring?'

'Ik heb nooit met een van hen een probleem gehad. Ik ging ze uit de weg. Niet dat het altijd gemakkelijk was. Tijdens mijn jeugd maakten Frank en zijn maten in deze buurt de dienst uit. Je deed wat je werd opgedragen.'

Coop liep naar het graf. 'Het verbaast me dat Franks moeder deze lijken niet heeft geroken. Ik vraag me af of ze er ongebluste kalk overheen hebben gegooid.'

'Weet je wie het zijn?'

'Waarom vraag je dat?'

'Je bent hier opgegroeid.'

'En?'

'Je moet geruchten hebben gehoord over vermiste vrouwen.'

'Frank en zijn makkers werden omringd door een zwerm jonge vrouwen. Als je het IQ had van een regenworm zette hij je vooraan in de rij. Jammer dat die kerel niet meer leeft. Je zou hem fascinerend hebben gevonden.'

'Hoezo?'

'Hij was een seriemoordenaar. De aantallen waar we het hier over hebben, overtreffen die van Ted Bundy.'

'Er staat me niets van bij dat Sullivan ooit is gearresteerd.'

'Dat is hij ook niet. De man was onaantastbaar. Een status die je alleen maar met hulp van binnenuit kunt handhaven.'

'Iemand die we kennen?'

Coop schudde zijn hoofd.

'Ken je de namen van sommige van Sullivans vrouwelijke slachtoffers?'

'Nee.'

'Je moet toch íéts weten. De man woonde in Charlestown, ik weet zeker dat je...'

'Darby, ik ben geen wandelend geschiedenisboek als het gaat om alle randdebielen die hier hebben gewoond.'

'Wat zit je dwars?'

'Sullivan is oud zeer voor me. De mensen die hier woonden toen ik opgroeide, ook mijn ouders, beschouwden hem als een soort Robin Hood die, hoewel niemand hem echt aardig vond, werd gewaardeerd omdat hij de stad behoedde voor drugs. Waar geen mallemoer van klopte. Sullivan begon heroïne te verkopen in Zuid-Boston en verdiende geld als water terwijl hij hier mooi weer speelde met het verhaal dat hij iedereen om zeep zou helpen die hij erop betrapte het spul te verkopen. De man kon als geen ander mensen tegen elkaar uitspelen.'

Dat is niet het hele verhaal, dacht ze.

'En dan nog iets. Je weet hoe ik over Charlestown denk. Dat het nog steeds de reputatie heeft dat iedereen die hier van de bijstand leeft rondloopt met plannen een bank of een geldtransport te overvallen. Hebben we dan geen problemen meer met aso's en junks? Natuurlijk hebben we die. Maar welke plaats heeft die niet? De pers wil iedereen echter laten geloven dat hier niets anders woont. Maar Charlestown is veranderd. De stadsvernieuwing heeft een resocialisatie op gang gebracht waardoor het geteisem grotendeels heeft plaatsgemaakt voor een ander, beter soort mensen. Maar daar hoor je de pers niet over. En als straks bekend wordt dat in het huis van Kevin Reynolds botten zijn gevonden, dan krijgen we dat geouwehoer over de Ierse maffia weer voor de zoveelste keer over ons heen. Het is net een remspoor dat je niet uit je onderbroek krijgt gewassen.'

'Bedankt voor het aanschouwelijk maken,' zei Darby.

'Geen dank. Kunnen we dan nu aan het werk?'

Darby gaf geen antwoord. Coop verzweeg iets voor haar. Ze voelde het gewoon. 'Wat is er met Kendra Sheppard dat je echt dwarszit?'

Hij hief zijn ogen ten hemel.

'Je bent niet eerlijk tegen me, Coop.'

'Het spijt me dat je daar zo over denkt.'

'Je zei geen woord in de auto, en ook hier...'

'Je was zelf ook niet erg spraakzaam.'

'Wat is er aan de hand?'

'Darby, ik heb je alles verteld wat ik weet. Waarom maak je hier verdomme een kruisverhoor van?'

Omdat liegen nooit je sterkste punt was, Coop. Ik kan het zien aan je ogen. En hoe sterker ik aandring, hoe meer je in de verdediging gaat.

'Ik ga nu naar boven, haal de vingerafdrukkaart en bel het kantoor van de lijkschouwer,' zei hij, elk woord benadrukkend. 'En aangezien je me kennelijk niet vertrouwt, mag je me met alle plezier vergezellen.'

'Ik heb nooit gezegd dat ik je niet vertrouw.'

'Kan ik in dat geval uit het beklaagdenbankje komen om een beetje te werken? Of wil je me nog langer boven een zacht vuurtje roosteren?'

'Bel Operaties en vraag ze Castonguay op te piepen,' zei Darby. 'Ik wil dat hij hier foto's komt nemen. En zeg hem dat ik denk dat ik zijn HERF-apparaat heb gevonden.'

32

Jamie zat alleen in de woonkamer en wachtte tot de televisiereclame was afgelopen. Boven hoorde ze Carter met zijn Spiderman-figuurtjes in bad spelen. Michael was nog steeds in zijn kamer. Toen de jongens waren thuisgekomen van het kamp, was Michael direct naar boven gegaan en had de deur van zijn kamer met een klap achter zich dichtgeslagen. Ze was naar hem toegegaan om met hem te praten, maar hij had zijn deur op slot gedaan. Hij had niet met haar willen praten en geweigerd voor het eten naar beneden te komen.

Ze had aan Carter gevraagd wat Michael dwarszat, maar die had alleen maar zijn schouders opgehaald.

Het antwoordapparaat had later een aanknopingspunt geboden. Toen ze thuis was gekomen, was ze vergeten te kijken of er was gebeld.

'Goedemiddag, mevrouw Russo. Dit is Tara French, de directeur van het Babo-sportkamp in Wellesley.' De beleefde stem van de vrouw had iets aarzelends, alsof ze niet goed wist hoe ze een moeilijk onderwerp ter sprake moest brengen. 'Belt u me alstublieft, zodra u dat schikt, zo snel mogelijk terug. Ik zou graag willen spreken over...'

Michael, had Jamie gedacht, en ze wiste de boodschap. Er was vandaag tijdens het kamp iets gebeurd. Ze zou Michael eerst wat tijd gunnen om af te koelen, daarna zijn versie van het gebeurde horen en dan direct morgenochtend de directeur van het kamp terugbellen.

De tweede boodschap kwam van pater Humphrey: 'Jamie, bel me even. Alsjeblieft. Ik ben... Ik maak me nogal zorgen om je.'

Het reclameblok was afgelopen. De nieuwslezer van het NECN, het New England Cable News, een oudere man met zilvergrijs haar en stralend witte tanden waarvan ze vermoedde dat ze vals waren, begon met ernstige stem te praten over het hoofdonderwerp: 'Een schokkende moord en een huiveringwekkende ontdekking in Charlestown, in het geboortehuis van Kevin Reynolds, voormalig compagnon van Frank Sullivan, Bostons beruchte leider van de Ierse maffia.'

Frank Sullivan. Jamie kende natuurlijk de naam, maar behalve zijn reputatie betreffende verdenking van moord, afpersing en plotseling spoorloos verdwijnende mensen, kon ze zich verder geen bijzonderheden over hem herinneren. Ze was in februari 1992 geslaagd op de politieacademie, bijna tien jaar na Sullivans dood. Tegen de tijd dat ze in Boston haar eerste surveillancediensten reed, was zowel de Italiaanse als Ierse maffia ontmanteld. Een jaar later werd ze overgeplaatst naar Wellesley, een stadje waar het grootste vergrijp een sporadische inbraak was. Ze had Dan in dat jaar ontmoet. Ze waren getrouwd en ze was gestopt met werken toen ze in verwachting was van Carter.

De nieuwslezer met stralend witte tanden maakte plaats voor een Aziatisch ogende verslaggever die ter plaatse verslag deed uit Charlestown. In de ramen en op het natte wegdek achter de verslaggever zag Jamie blauwe en witte zwaailichten oplichten.

De verslaggever vatte de gebeurtenissen van die middag kort samen: 'Andrea Fucilla uit Charlestown, bewoonster van een appartement tegenover het geboortehuis van Kevin Reynolds, hoorde pistoolschoten en waarschuwde de politie.'

Op het scherm verscheen een oudere vrouw met een olijfkleurige huid. Op haar scheve neus rustte een bril met een paar dikke glazen. Ze stond onder een paraplu, maar haar haar hing in natte slierten langs haar hoofd. Ze sprak gebrekkig Engels.

'Ik sta aan telefoon en praat met mijn dochter, toen ik knallen hoor, als van voetzoekers. Maar omdat ik denk niet voetzoekers, dus ik bel politie.'

'Hoe wist u dat de schoten uit het huis van Reynolds kwamen?' vroeg de verslaggever.

'Ik sta bij open raam en rook mijn sigaret als ik hoor *pang-pang-pang, pang-pang-pang*. Dat ik aan politie verteld. Dat en wat ik zag.'

'Wat hebt u gezien, mevrouw Fucilla?'

Jamie voelde een ijskoude rilling langs haar ruggengraat kruipen.

'Ik zag man uit huis komen,' zei de oudere vrouw. 'Ik zijn gezicht niet goed gezien, want zijn hoofd gebogen door regen. Hij droeg Red Sox-windjack en baseballpet.'

Ik zag een man uit huis komen. Een man.

Jamie haalde diep adem. Het beklemmende gevoel verween uit haar borst.

Op het scherm was weer de verslaggever te zien. 'De politie bevestigt dat in het huis het lichaam van een doodgeschoten man is aangetroffen, maar weigert verder bijzonderheden te geven over de in de kelder ontdekte menselijke resten.

Mary Sullivan, moeder van Kevin Reynolds, overleed vorige maand. Buurtbewoners hebben Reynolds de afgelopen weken regelmatig in Charlestown gezien en ons verteld dat hij van plan was het huis van zijn moeder te verkopen.'

Naast de verslaggever verscheen de nieuwslezer in beeld.

'Wordt Kevin Reynolds als verdachte beschouwd?' vroeg de nieuwslezer.

'De politie, die verder elk commentaar weigerde, liet weten dat hij zeker hun belangstelling heeft,' antwoordde de verslaggever. 'Ze vragen elke inwoner die Kevin Reynolds heeft gezien, te bellen met het politiebureau.'

Opnieuw wisselde het beeld en op het scherm verscheen een foto van Kevin Reynolds. Deze opname moest al enige jaren oud zijn, dacht Jamie. Reynolds had een lang gezicht en een haakneus, maar hier was zijn krullende haar bruin en niet grijs. En zijn outfit kwam regelrecht uit de jaren tachtig: een zonnebril met lichtroze getinte glazen en een zware, gouden ketting over een wit Champion-T-shirt, dat zo strak zat dat zijn borstpartij zich eronder aftekende.

Onder in het beeld liep een gratis telefoonnummer over het scherm. De verslaggever beloofde de kijkers met meer details te komen zodra zich nieuwe ontwikkelingen voordeden.

Jamie was er zeker van dat Reynolds een van de mannen was geweest die haar man hadden vermoord en ze besefte dat ze snel moest handelen. Maar eerst moest ze hem uit zijn tent zien te lokken.

Ze stond op van de bank, veegde haar klamme handen af aan haar broek en dacht na over het idee dat haar sinds haar vertrek deze ochtend uit Charlestown door het hoofd had gespeeld. Net toen ze de televisie uit wilde zetten – Carter zat nog steeds boven in bad – begon de nieuwslezer met een kort historisch overzicht van de relatie tussen Kevin Reynolds en Frank Sullivan.

Op het scherm verscheen een politiefoto in zwart-wit van Frank Sullivans eerste arrestatie op tweeëntwintigjarige leeftijd. Hij had dik, golvend blond haar en hij droeg een regenjas. Een paar centimeter onder zijn gladgeschoren kin hield hij een bord van de Boston Police met zijn naam en nummer.

Op zijn rechterpols had hij een litteken – het leek sprekend op het litteken dat Ben Masters had gehad.

Ze knipperde met haar ogen en vroeg zich af of ze spoken zag, maar het litteken was er echt. Dezelfde vorm, dezelfde afmetingen.

Ze richtte haar aandacht op Frank Sullivans grote, afstaande oren. Ben had net zulke flaporen gehad.

Afbeeldingen van een jongere Frank Sullivan wisselden elkaar af op het scherm. Ze hoorde vaag dat de nieuwslezer met het paardengebit iets zei over hoe Sullivan, geboren in Oost-Boston en enig kind van een alleenstaande moeder, begonnen was met het stelen van auto's voordat hij carrière maakte met gewapende roofovervallen. Na arrestatie wegens een bankoverval in Chelsea had hij twee jaar in een gevangenis in Cambridge gezeten.

Er werd een surveillancefoto getoond van een veel oudere Francis Sullivan; volgens de nieuwslezer gemaakt een maand voordat hij tijdens een mislukte actie van de FBI in Boston Harbor zou omkomen. Het schaarse haar rond Sullivans kale schedel was volkomen grijs. Hij had grote oren en de huid onder zijn kin was slap en gerimpeld

Ben had ook zo'n kippennek gehad toen ze hem bij haar thuis had gezien. En hij had ook precies zo'n litteken...

Francis Sullivan is dood, fluisterde een stemmetje in haar.

Ben heeft dezelfde oren en dat litteken op zijn pols lijkt precies hetzelfde.

Puur toeval, Jamie.

Nee, dat is het niet.

Ze legde de stem het zwijgen op, pakte de afstandsbediening en zocht koortsachtig de pauzeknop. Daar. Ze zette het beeld stil, gooide de afstandsbediening neer en rende naar de kelder.

33

Jamie trok een la van Dans bureau open, griste er het paspoort en rijbewijs van Ben Masters uit en rende terug naar de woonkamer boven. Ze vouwde het paspoort open en hield de foto naast de opname van de oudere Frank Sullivan op het scherm.

Bens neusvleugels waren smaller, maar zijn neus was even lang en hoekig als die van Frank Sullivan. Beide gezichten waren langwerpig, met hetzelfde hoge voorhoofd en beide mannen hadden hoekige kaken en een kuiltje in hun kin.

Maar er waren ook verschillen: Bens kippennek was verdwenen. De huid van zijn gezicht was strak en glad – nergens een rimpel te bekennen. En hij had een volle, zwarte haardos.

Geverfd, dacht ze. *Hij moet een haartransplantie hebben gehad, of misschien is het een pruik. Weet je wel wat je zegt?* zei een stemmetje in haar hoofd.

Ja, dat wist ze.

Frank Sullivan was Ben Masters. Dat wist ze zeker.

Ze kende in Wellesley enkele succesvolle managers die er na een week herstel na enkele kleine ingrepen weer ontspannen en jonger uitzagen, alsof ze een lange vakantie achter de rug hadden. Mannen van middelbare leeftijd, die alles in het werk stelden om er jeugdig uit te blijven zien. Niets was beangstigender voor een man dan het idee niet meer aantrekkelijk te zijn voor jongere vrouwen, die, hoe wrang ook, sowieso hun belangstelling voor hen hadden verloren.

Om zijn gedaanteverwisseling naar Ben Masters te completeren, had Frank Sullivan een totale gezichtsreconstructie ondergaan. Hij had zichzelf van een nieuwe haardos voorzien, maar hij had niets aan zijn oren laten doen en ook het kuiltje in zijn kin was er nog. Misschien dat niemand Frank Sullivan zou herkennen als hij hem op straat tegenkwam, maar als je deze twee foto's naast elkaar hield, dan zag je de overeenkomsten.

Denk je nog steeds dat dit toeval is? vroeg ze dat sceptisch klinkende stemmetje in haar hoofd.

Het gaf geen antwoord.

Feit: Frank Sullivan is Ben Masters.

Feit: Ben Masters is Frank Sullivan.

Feit: Frank Sullivan en Ben Masters zijn een en dezelfde persoon.

Jamie pakte de afstandsbediening en drukte op PLAY.

Na vijf eindeloos lijkende minuten van alleen maar commentaar, kwam eindelijk het gedeelte met de actie van de FBI in de zomer van 1983, waarbij Frank om het leven kwam. Daarbij waren ook twee partners van Frank omgekomen, samen met vier op het schip aanwezige undercoveragenten van de FBI: Jack King, Peter Alan, Steve White en Anthony Frissora.

Op het scherm verschenen de foto's van de vier mannen. Jamie drukte op PAUSE.

Peter Alan... Hij leek sterk op de man die ze in de kelder had neergeschoten – en Kevin Reynolds had hem Peter genoemd. Toch was ze nog niet helemaal zeker. En die Anthony Frissora, waarom kwam hij haar zo bekend voor?

De man die ik in het huis in Belham heb neergeschoten... Ik durf te zweren dat het Anthony Frissora was.

Dus nu beweer je – klonk het innerlijke stemmetje weer – *dat je, afgezien van een man die al dood was en Frank Sullivan heette, nog twee mannen hebt vermoord – twee dode FBI-agenten, namelijk Peter Alan en Anthony Frissora.*

Ze twijfelde er niet aan dat Ben Masters en Frank Sullivan een en dezelfde persoon waren, maar Peter Alan en Anthony Frissora... De foto's op het scherm waren minstens twintig jaar oud, maar hun gezichten... Er was een onmiskenbare gelijkenis met de gezichten van de mannen die ze had doodgeschoten.

Ze bande de gedachte even uit haar hoofd en drukte op PLAY.

'Frank Sullivans vrijwel verkoolde lichaam,' wist de nieuwslezer te vertellen, 'werd naast dat van zijn moeder begraven op een begraafplaats in Charlestown.'

Jamie vroeg zich af wie daar werkelijk lag begraven en hoe het Frank Sullivan was gelukt zijn eigen dood te ensceneren en het stilzwijgen van zowel de FBI als de Boston Police te kopen. Haar gedachten gingen terug naar de man die ze in de kelder had doodgeschoten, de man die ze alleen kende als Peter.

Onder het jasje van zijn pak had hij een schouderholster met pistool gedragen en ze herinnerde zich dat hij iets had gezegd over een poging in het ziekenhuis een jongen te bezoeken die Sean heette en dat hij daarbij problemen had gekregen met een of andere vrouw van de Boston Police.

Was de man die Peter heette een agent geweest? Er was duidelijk een relatie tussen hem, Kevin Reynolds en Ben Masters.

Sullivan was nu Ben Masters. Kevin Reynolds had gewerkt voor Sullivan. Reynolds had gezegd een telefoontje te verwachten van Ben.

Dat moet Ben Masters zijn geweest, dacht ze.

En als de man die Peter heette een soort agent was geweest, had hij Sullivan dan geholpen bij het ensceneren van diens dood?

Je vergeet even dat Peter samenwerkte met andere mensen – zoals de man die je neerschoot in het huis en de mannen die het lichaam weghaalden uit het bos en het huis in de gaten hielden. Een man is nooit in staat alleen iemands dood te ensceneren, maar een hele groep agenten samen...

Frank Sullivan stierf in de zomer van 1983, om daarna te verrijzen als Benjamin Masters, die vijf jaar geleden haar huis binnendrong en haar man vermoordde.

Waarom was Sullivan/Ben uit zijn schuilplaats gekomen?

Wat er met je man en je kinderen is gebeurd, had de man die Peter heette gezegd, *daar heb ik niets mee te maken. Je moet me geloven. Dat was allemaal het werk van Kevin en Ben...*

Ze volgde nog twintig minuten het nieuws. Er werd niets gezegd over een vermiste man die Ben Masters heette, maar ze wist zeker dat er druk overlegd zou worden tussen Kevin Reynolds en zijn mensen.

Boven hoorde ze Carter roepen.

'Mam... mam, ik krijg het koud!'

Ze deed de televisie uit en stond op, trillend over haar hele lichaam. Ze stak het paspoort en het rijbewijs in haar zak en liep naar de trap.

'Pak... eh... een handdoek. Droog... eh... jezelf... af. Ben... eh... zo... eh... bij... je.'

'Oké.'

Toen liep ze naar de kelder en pakte Bens telefoontje. Ze deed de batterij erin en zette het aan. Ze wist dat ze dit snel moest doen, dat het signaal in de gaten werd gehouden door deze groep mannen. Ze wist dat een van hen Jack heette. Ze had Peter iets horen zeggen over een zekere Jack die het huis in Belham in de gaten hield.

Op het display verscheen de melding dat Ben nog eens elf oproepen had gemist. Ze tikte de melding aan en op het display verscheen het telefoonlogboek. Pontius had gebeld. Geen oproepen van de man die Alan heette.

Ze vond de functie 'Berichten' en tikte die aan. Er opende zich een wit scherm waarop je een boodschap kon tikken. Toen ze 'Pontius' begon te typen, vulde het telefoontje automatisch de volledige naam in.

Ze tikte de boodschap in die ze de afgelopen uren steeds weer opnieuw had overwogen:

ONTMOET ME VANMIDDAG OM 5 UUR IN WATERMAN PARK IN BELHAM. KOM ALLEEN. WE ZIJN ERIN GELUISD. PRAAT MET NIEMAND. DUMP JE TELEFOON, ZODAT ZE JE NIET KUNNEN VOLGEN. LEG HET WEL UIT ALS JE HIER BENT. HEB GEZORGD VOOR EEN VEILIGE AFTOCHT. GELD, NIEUWE ID, PASPOORT EN CHAUFFEUR. WEES VOORZICHTIG. LET GOED OP DAT NIEMAND JE VOLGT.

Over dat 'kom alleen' had ze de hele middag getwijfeld; het had iets van een valstrik en ze vroeg zich af of het Reynolds zou alarmeren. Haar plan zou alleen werken als hij alleen kwam.

Te gevaarlijk, zei haar innerlijke stemmetje.

Misschien wel, maar dit was de enige manier om Reynolds naar haar toe te krijgen. Ze verwachtte dat hij een kans om met Ben Masters/Frank Sullivan te praten niet voorbij zou laten gaan. Reynolds, die meerdere keren had gebeld, was duidelijk in paniek over wat de politie in zijn kelder had gevonden. En nu kwam Ben om hem te helpen. Ze wist vrijwel zeker dat Reynolds de instructies in haar boodschap zou opvolgen. Als iemand je een reddingsboei toewerpt, dan zeg je niet eerst: 'Neemt u me niet kwalijk, maar voordat ik die vastpak, heb ik eerst nog een paar vragen.' Je grijpt hem vast en dankt God in de hemel voor zoveel geluk.

Stel dat jou iets overkomt. Michael en Carter hebben hun vader al verloren. Laat ze niet ook nog hun moeder kwijtraken.

Jamie keek naar de foto die Dan op de muur had geplakt. Het was een foto waarop Carter, nog een baby, op schoot zit bij Michael. Genomen op een strand bij Cape Cod, hun laatste vakantie samen als gezin. De twee jongens lachten haar toe vanaf de foto. Ze zagen er gezond en onbezorgd uit. Zonder littekens op hun lichaam. Zonder herinneringen aan hun vader die wordt doodgemarteld in de keuken. Zonder dodenkamer.

Je kunt iets anders bedenken. Je hoeft niet...

Ze drukte op VERZENDEN. De boodschap bleef nog een ogenblik op het scherm, en verdween daarna in cyberspace, of waar deze dingen ook naartoe gingen.

Jamie verwijderde de batterij, deed alles terug in de la en ging toen naar boven om zich om haar kinderen te bekommeren.

34

Darby, die zich net uit haar overall had geworsteld, liep ongeduldig heen en weer over het versleten tapijt van de lege slaapkamer boven aan de trap. Ze wachtte tot dokter Howard Edgar weer aan de lijn kwam. De nieuwe forensisch antropoloog van de staat, die nog geen week geleden was verhuisd naar zijn huis in Quincy, was nu in vreemde kamers vol verhuisdozen op zoek naar pen en papier.

Ze had het mobieltje van een agent geleend en was naar boven gegaan, weg van het lawaai. Jennings had zijn mannen in de keuken verzameld en ze kon hem horen praten.

'Die tip die we hadden over Kevin Reynolds? Dat bleek zijn neef te zijn, wat niet zo vreemd is, want ze lijken op elkaar als twee druppels water. We móéten hem vinden. Sommige van jullie zijn hier opgegroeid. Net als ik, dus ik weet wat jullie denken: de buurtbewoners praten niet met ons. Zwijgplicht en meer van dat geouwehoer. Vertel ze dat de overblijfselen die we hebben gevonden misschien afkomstig zijn van meisjes hier uit de buurt. Dat zal helpen. Probeer ze daarmee aan de praat te krijgen. Vraag rond bij bekenden. Bel elke gepensioneerde wijkagent van wie je weet dat hij in de tijd van Sullivan in deze straten rondliep. Elke naam die je loskrijgt zal ons een stap dichter brengen bij de identificatie van deze stoffelijke overschotten.'

Witte lichten gleden langs de kale muren van de slaapkamer. Darby keek door de smerige ruiten naar de talrijke gezichten beneden.

Het merendeel van de buurtbewoners had het voor die avond wel voor gezien gehouden, maar het aantal mensen van de media leek zich te hebben verdubbeld. Verslaggevers, cameramensen en fotografen verdrongen zich achter de afscheiding en iedereen staarde met gespannen blik naar de voordeur. De ontdekking van de overblijfselen was uitgelekt.

'Sorry dat ik u heb laten wachten, dokter McCormick,' klonk Edgars nasale stem weer door de telefoon. 'Wat is het adres?'

Ze gaf het hem. 'Weet u hoe u in Charlestown moet komen?'

'Nee. Maar dat maakt niet uit. Mijn vrouw heeft een TomTom voor me gekocht, dus zelfs iemand zonder enig richtinggevoel zoals ik moet het adres probleemloos kunnen vinden. En, wat hebt u gevonden?'

'Drie lichamen, waarvan een in verregaande staat van ontbinding. De andere twee zijn tot op het geraamte vergaan. Vermoedelijk vrouwen. Identificatie aan de hand van gebitsgegevens kunt u wel vergeten. Hun tanden werden getrokken voordat ze werden begraven. En de persoon of personen die dit hebben gedaan, hebben ook hun handen en voeten afgehakt. Het is een klassieke maffiabegrafenis van voor de tijd van het DNA.

Ik heb de grond doorzocht, maar ik heb geen handwortelbeentjes of middenhandsbeentjes gevonden. En als u het scheenbeen bekijkt, dan zult u groeven aantreffen die volgens mij overeenkomen met die van een cirkelzaag.'

'Hopelijk kunnen we op een andere manier hun identiteit vaststellen,' zei Edgar. 'Ik test niet graag mitochondriaal DNA. Het is een enorm tijdrovende methode en bovendien erg duur.'

Edgar was te benauwd voor de accountants van de stad, en dat was geen goed teken.

'Mogelijk liggen hier nog meer overblijfselen begraven,' zei Darby. 'Ik heb maar een klein gedeelte van de onverharde keldervloer opgegraven. Het grootste gedeelte is bedekt met beton. Daarom zou ik u willen vragen uw sonarapparatuur mee te nemen en ook een paar mensen die kunnen helpen het meubilair te verplaatsen. Aangezien de ruimte nogal beperkt is, dacht ik aan niet meer dan drie of vier personen.'

'Dr. Carter heeft me de lijst van laatstejaarsstudenten gegeven, maar die heb ik niet hier. Dan moet ik eerst even bij mijn kantoor langs. Neem me niet kwalijk. Gewoonlijk heb ik mijn zaken beter op orde.'

'Er is geen haast bij. U bent hier nog wel even, waarschijnlijk een groot gedeelte van de nacht.' *Net als ik,* voegde Darby daar in stilte aan toe. Ze had extra forensische teams laten oproepen om te helpen bij het onderzoek van het huis.

'Dr. McCormick, tenzij het spoed vereist, geef ik er de voorkeur aan de overblijfselen *in situ* te onderzoeken.'

'Dat verwachtte ik al. Ik heb wat graafwerk verricht rond de beenderen, in de hoop iets van kleding of sieraden te vinden die ons wat verder zouden kunnen helpen, maar afgezien daarvan is alles onaangeroerd gebleven.'

'Dank u,' zei Edgar. 'Ik ben daar zo snel mogelijk.'

Darby klapte haar telefoontje dicht. Ze wilde dat ze nu naar huis kon, om lekker lang te douchen. Haar natte kleren plakten aan haar huid en ze voelde zich net zo groezelig als de ruiten van deze slaapkamer. Ze keek op haar horloge. Halfelf.

Op straat bliksemden flitslampen en fotocamera's ratelden als machinegeweren toen twee medewerkers van het kantoor van de lijkschouwer in witte overall en met gezichtsmasker een lijkzak met het lichaam van Peter Alan de stoep bij de voordeur af droegen. Het leek verdomme wel een filmpremière. Camera's werden omhooggehouden om de gebeurtenis vast te leggen. Overal stonden cameramensen: op daken van busjes en auto's, op het trottoir of samen met sommige buren op de stoep voor hun huis.

Aan de overkant van de straat stond een vrouw in een roze tanktopje met bijpassend kort broekje op de trap voor het huis op de hoek te praten met een kale, forsgebouwde man.

Dat is de bestuurder van de bruine bestelbus. Hij draagt hetzelfde lichtgrijze jasje met de bruine broek.

Zonder haar blik van hem af te wenden, klapte Darby haar telefoontje open en toetste Coops voorgeprogrammeerde nummer in.

'Waar ben je?' vroeg ze zodra hij opnam.

'In de kelder.'

'Ga naar de voorkamer boven en kijk uit het raam aan de straatkant. Ik leg het wel uit als je daar bent.'

Kaalkop stond vlak naast de vrouw en fluisterde in haar oor terwijl ze met over elkaar geslagen armen naar haar blote voeten staarde. Darby liet haar blik door de straat gaan. Nergens een bruine bestelbus te bekennen. *Waarschijnlijk stond die in een van de zijstraten geparkeerd.*

'Oké,' zei Coop. 'Ik ben er.'

'Kijk naar de overkant van de straat, aan de rechterkant. Zie je daar die vrouw met dat strakke, roze broekje? Die met het woord "trouble" op haar achterste gestikt?'

'Ik zie haar.'

'Die man naast haar? Die met het figuur van een bierton? Die heb ik vanochtend in Belham gezien. Hij was degene die de bestelbus bestuurde. Ik wil dat je hem in het oog houdt terwijl ik met Jennings praat.'

35

Darby schoof het telefoontje aan haar riem terwijl ze de slaapkamer uit liep. Ze liep snel de trap af en drong zich tussen de agenten door die in de keuken op een kluitje stonden.

Jennings stond in de doorgang tussen de keuken en de woonkamer. Ze kwam naast hem staan, zag Coop door een van de ramen de straat in de gaten houden en richtte zich toen tot de groep mannen. Jennings was nog steeds aan het praten toen ze hem onderbrak.

'Neem me niet kwalijk, rechercheur. Heren, ik heb even uw aandacht nodig. Nu, graag... Dank u. Ik moet snel praten, dus luister goed. Er is geen tijd om vragen te stellen.'

Ze had alles goed overdacht en sprak vlug maar duidelijk.

'Jack Cooper houdt nu vanuit de woonkamer een man aan de overkant van de straat in het oog. De man is kaal, ongeveer een meter tachtig groot en hij heeft de bouw van een bierton. Hij draagt een lichtgrijs sportcolbert en een bruine broek. Hij is gewapend. Deze persoon is belangrijk, zowel voor dit onderzoek als voor het onderzoek dat momenteel in Belham loopt. Hij werkt samen met een of meerdere personen die zich kunnen voordoen als FBI-agenten. Mogelijk rijden ze in een bruine bestelbus met een nummerplaat uit Massachusetts.'

Ze gaf ze het kenteken. 'Zelfs als het busje hier niet ergens staat, dan nog weet ik zeker dat hij niet alleen is gekomen. Ik wil dat jullie je opdelen in groepjes en de wijk afsluiten door naar de volgende straathoeken te gaan.' Ze kende Charlestown als haar broekzak. Ze ratelde de namen op en draaide zich toen om naar Coop. 'Staat de man nog steeds aan de overkant van de straat?'

'Ja,' antwoordde Coop.

'Mooi zo. Kijk voor je vertrekt eerst even om wie het gaat,' zei ze, zich weer tot de mannen richtend. En gebruik onder geen voorwaarde je mobilofoon. Volgens mij hebben deze mensen een politiescanner.'

'Wat is je mobiele nummer?' vroeg ze, en ze wees naar de man die vlak voor haar stond.

Hij gaf het haar. Ze sloeg het nummer op in haar eigen telefoon.

'Hoe heet je?' vroeg Darby.

'Gavin.'

'Mocht ik assistentie nodig hebben, of in geval van problemen, dan bel ik Gavin. Rechercheur Jennings neemt het hier verder van me over.'

'En wat gaat u dan doen?' vroeg een politieman ergens achteraan.

'Ik ga mezelf aan hem voorstellen,' antwoordde Darby. 'Hem welkom heten in de buurt.'

Er werd zacht gelachen.

Ze deed de achterdeur open die uitkwam op een steeg vol afvalbakken en zwarte afvalzakken. Ze sprintte de steeg uit, sloeg links af en stak rennend Thatcher Street over, waarbij haar pistoolholster voortdurend tegen haar heup bonsde. Nu rechtsaf Grover Street in. Binnen een minuut had ze Grafton Street bereikt. Vandaar rechtsaf, de straat oversteken en dan terug omhoog tot boven aan Old Rutherford Street, waar Kaalkop stond te praten.

Al die ochtenden die ze in haar SWAT-uitrusting had moeten rennen, kwamen haar nu van pas. Ze liep soepel en licht en in een hoog tempo.

Toen ze bij Grafton Street rechts afsloeg, zag ze tot haar verbazing Kaalkop met zijn leren schoenen op een drafje over het trottoir lopen.

Waarom had Coop haar niet gebeld?

Darby vertraagde haar pas. Zweet stond op haar voorhoofd en haar hart bonkte, maar ze was niet buiten adem.

Kaalkop bleef staan onder een straatlantaarn en ze zag dat hij een telefoon tegen zijn oor hield. Hij was bijna een kop groter dan zij – ze schatte hem een meter vijfentachtig – en twee keer zo breed. Ook zag ze nu duidelijk zijn pokdalige gezicht. Hij was zonder twijfel dezelfde man die ze eerder die dag had gezien.

Kaalkops ogen schoten haar kant op. Ze wilde net naar haar wapen grijpen, toen hij met een snelle beweging wegdook in een steeg tussen twee flatgebouwen.

Shit. Darby begon weer te rennen.

Binnen enkele ogenblikken had ze de hoek van de steeg bereikt en ze hoorde de echo van voetstappen. Toen ze zich de steeg in waagde, zag ze zijn donkere gestalte langs vuilnisbakken wegrennen. Ze ging achter hem aan, maar vertraagde haar tempo toen ze bij de volgende hoek was gekomen, waar ze hem in de richting van de straat zag rennen. Ze volgde hem.

Kaalkop mocht dan niet echt in vorm zijn, voor zo'n zware man liep hij verrassend soepel en snel. Daarbij had hij een grote voorsprong.

Darby was behoorlijk op hem ingelopen toen ze een autoportier hoorde dichtslaan, gevolgd door het gepiep van wegscheurende autobanden. Tegen de tijd dat ze de straat had bereikt, zag ze nog net een donkere auto uit het zicht verdwijnen.

36

Jamie legde de elektrische tondeuse op de kranten waarmee ze de toilettafel had bedekt. Nadat ze bij Michael was geweest, zou ze haar haren afscheren. Hij was zijn kamer al uit geweest om naar de wc te gaan en ze hoopte dat hij de deur niet opnieuw op slot had gedaan.

Dat had hij niet.

Ze opende zachtjes de deur. Hij lag op zijn zij, vast in slaap.

De rechterkant van zijn gezicht was opgezwollen.

Michael bewoog zich niet toen ze zachtjes de lakens opzij trok, naast hem in bed schoof en haar arm om zijn middel sloeg.

Dit is de enige manier om mijn kind te kunnen aanraken: door stiekem naast hem in bed te kruipen terwijl hij slaapt. Dit de enige manier om me dicht bij hem te voelen.

Tranen prikten in haar ogen. Ze knipperde ze weg, gaf hem een kus op zijn wang en ging toen dicht tegen hem aan liggen. Onder zijn T-shirt kon ze het dikke, rubberachtige litteken voelen waar de artsen hem hadden geopereerd om zijn leven te redden.

Michael, het spijt me zo vreselijk voor alles wat je hebt moeten doorstaan en nog steeds moet meemaken. Als er een manier was om dit alles ongedaan te kunnen maken, dan zou ik dat doen. Dat zweer ik bij God.

Michael schrok wakker. Zijn hoofd kwam met een ruk omhoog. Hij verwachtte Carter te zien, soms kroop zijn jongere broer naast hem in bed. Maar toen Michael haar zag leek hij geschrokken. 'Wat is er?' vroeg hij met een stem nog schor van de slaap. 'Ben je ziek?'

'Ik... ben... oké.'

Zijn blik was kil en afstandelijk.

'Wat ruik ik...? Het is net alsof je vuurwerk hebt afgestoken.'

Hij ruikt het cordiet, dacht ze. Hoeveel water en zeep je ook gebruikte, de lucht van kruitdamp kreeg je niet weg. Ze had het advies van haar wapeninstructeur opgevolgd en haar handen met citroensap geboend, maar kennelijk had het niet geholpen.

'Je... eh... gezicht. Wat... eh... is er... eh...'

'O, niets bijzonders.' Zijn hoofd viel weer terug in het kussen.

'Gevochten?'

Hij gaf geen antwoord. Hij had zich weer naar het raam gedraaid.

'Directeur... van... eh... kamp... heeft... eh... gebeld.'

Hij zuchtte. 'Ik had vandaag ruzie met Tommy Gerrard.'

'Waarom?'

'Maakt niet uit. Ik moest me melden bij mevrouw French. Toen ik bij haar op kantoor was, heb ik gezegd dat ik daar weg wilde, dus ik veronderstel dat je met me zit opgescheept.'

Jamie drukte een kus op zijn achterhoofd en trok hem even tegen zich aan. Ze voelde hoe zijn lichaam verstrakte, maar hij duwde haar niet van zich af en ook trok hij haar arm niet weg.

'Sorry,' zei ze, en ze knuffelde hem nog een keer. 'Sorry dat... eh... Tommy... je... eh... zo... eh... heeft bezeerd.'

Michael antwoordde niet.

'Hou... eh... van je.'

'Je bent eerst naar hem gegaan.'

Jamie verstarde.

'Je dacht dat je maar een van ons kon redden,' zei hij. 'En je koos voor Carter.'

'Niet waar,' zei ze, terwijl ze zich aan hem vastklampte.

'Ik was daar, weet je nog. Ik heb je gezien.' Zijn stem, nauwelijks meer dan gefluister, miste elke emotie. 'Je bent eerst naar hem gegaan.'

Hij had gelijk. Ze was eerst naar Carter gegaan. Zodra ze kans had gezien zich uit de stoel te bevrijden en naar 911 had gebeld, had ze met een keukenmes het plakband doorgesneden waarmee zijn achttien maanden oude broertje in een stoel zat vastgebonden. Daarna had ze Carter mond-op-mondbeademing gegeven terwijl Michael, nog steeds vastgebonden op een stoel, bezig was dood te bloeden. Haar eerste prioriteit was geweest Carter te redden. Hij was nog zo klein en getroffen door twee kogels en hij bloedde hevig. Tegen de tijd dat de ambulance arriveerde, had Michael het bewustzijn verloren. Michael herinnerde zich dus wat er toen gebeurd was, iets wat de toch al bestaande afstand tussen hen gedurende al deze jaren alleen maar had vergroot. Maar dit was de eerste keer dat hij er openlijk over sprak en zijn woorden gingen als een priem door haar hart.

Jamie haalde krampachtig adem. De woorden die ze zo graag wilde zeggen, bleven ergens steken op de vernielde weg tussen haar hersens en haar tong. Ze kuste Michael in zijn nek en opnieuw voelde ze het lichaam van haar zoon verstrakken. Toen, niet meer in staat zich nog in te houden, begon ze te huilen. Terwijl de tranen over haar gezicht stroomden, kuste ze hem in zijn nek en zei: 'Het spijt me, Michael. Het spijt me.' Ze bleef de woorden herhalen, fluisterend, wensend dat ze kon verdwijnen uit deze slaapkamer, uit dit huis. Dat ze haar boeltje kon pakken en kon gaan naar een plek waar hun herinneringen zouden worden schoongewassen en hun littekens zouden verdwijnen. Een plek waar ze wakker konden worden zonder de komende dag met angst en zorgen tegemoet te zien.

37

Darby belde Gavin en vroeg hem iedereen terug te roepen. En te zeggen dat de persoon in kwestie was ontsnapt. Ze verbrak de verbinding en ging op zoek naar Coop.

Ver hoefde ze niet te zoeken. Ze vond hem in gesprek met de aantrekkelijke vrouw met het strakke, roze broekje met het woord 'trouble' op haar achterste gestikt. Ze heette Michelle Baxter. Ze had samen met Coop op school gezeten, vanaf de kleuterschool tot en met de middelbare school.

Baxter rook naar bier en sigaretten. Haar lippen waren felrood, haar gezicht zat dik onder de make-up en haar ogen waren zwaar aangezet met eyeliner. Ze lachte en flirtte met Coop en ze gedroeg zich alsof ze het middelpunt was van een laat buurtfeestje.

'Waar woon je, Michelle?' vroeg Darby.

'Hier,' antwoordde Michelle, gebarend naar het appartementengebouw achter haar. 'Wil je een biertje of zo?'

'Nee, dank je. We hebben dienst. Kunnen we boven even praten?'

'Zeker, waarom niet?' Baxter trapte haar sigaret uit en liep de trap op.

'Laat haar eerst met mij praten,' zei Coop, terwijl hij zich omdraaide naar Darby. 'Je weet hoe het is in Charlestown. Niemand wil met de politie praten. Maar ik ben van hier, dus misschien lukt het mij haar aan de praat te krijgen.'

'Het enige wat die vrouw wil, Coop, is een manier vinden om jou in haar bed te krijgen. Trouwens, ze heeft ons allebei boven gevraagd. Volgens mij wil ze wel met me praten.'

Het donkere trappenhuis stonk naar oude sigarettenrook en kattenpis. Ergens draaide iemand 'Gimme Shelter' van de Beatles. Baxter begon wankelend de trap te beklimmen.

'Wacht,' zei Coop, en hij pakte haar arm. 'Ik help je even.'

'Goh, wat ben jij een schatje.' Ze kuste hem op zijn wang, waarbij een vuurrode afdruk van haar lippen achterbleef. Giechelend keek ze om naar Darby. 'Is hij niet sexy?'

'Ongelooflijk,' antwoordde Darby.

Het appartement op de vijfde verdieping had parketvloeren vol krassen en was ingericht met een allegaartje van tweedehandsmeubilair. De keukentafel en het aanrecht lagen vol met kranten, tijdschriften, pakken macaroni en blikjes goedkope frisdrank.

Baxter wilde roken, dus liep ze door naar het balkon. Beneden op straat flitsten blauwe en witte lichten. De hele buurt was wakker en Darby zag meerdere mensen vanachter hun ramen staan toekijken.

Coop schoof de glazen balkondeur dicht en ging met over elkaar geslagen armen tegen de muur staan. Baxter ging in een plastic tuinstoel zitten, legde haar blote voeten op de leuning en stak een sigaret op.

Darby leunde met de onderkant van haar rug tegen de balustrade die ze met beide handen omklemd hield. Michelle Baxter liet haar hoofd achteroverzakken en blies een lange rookwolk de zwoele avondlucht in. Grijze flarden rook dreven omhoog tussen de slipjes en kanten beha's die aan de waslijn boven haar hoofd hingen.

'De man met wie je eerder stond te praten,' zei Darby. 'Die met dat grijze jasje. Je zei dat hij een agent was.'

'Dat klopt,' antwoordde Baxter terwijl ze een lok geblondeerd haar voor haar rode ogen wegveegde. 'Hij had een badge en zo.'

'"En zo." Bedoel je daarmee dat je ook zijn identificatie hebt gezien?'

'Nee, alleen zijn badge.'

'Hoe heette hij?'

'Weet ik niet. Hij heeft geen naam genoemd. Sommige mensen hebben schijt aan manieren, weet je.' Baxter glimlachte, maar haar ogen waren dood. 'Ben je van hier?'

'Ik ben opgegroeid in Belham.'

'Dat is geen Charlestown.'

'Dat weet ik.'

'Het is hier anders.'

'Hoezo?'

'Nou, gewoon... anders.' Baxter inhaleerde diep. 'Ik heb over je gelezen in de krant, toen je die malloot had gepakt die in zijn kelder vrouwen aan mootjes hakte. Je bent een soort dokter. Mag je medicijnen voorschrijven en dat soort dingen?'

'Zo'n soort dokter ben ik niet.'

'Nou, jammer. Wat voor een soort dokter ben je dan?'
'Ik heb een doctoraat in crimineel gedrag.'
'Waarom ben je eigenlijk met hem?' Baxter wees naar Coop.
Darby glimlachte.
'Ik zie jullie hier regelmatig samen,' zei Baxter. 'Zijn jullie een stel of is het zo'n vriendschap met een paar extra's?'
'Darby's eisen liggen een stuk hoger,' zei Coop.
'Dat klopt,' antwoordde Darby. 'Die agent met wie je sprak, zijn badge, hoe zag die eruit?'
'Zoals elke andere badge. Net zoals die je aan je riem hebt zitten.'
'Beschrijf hem eens voor me.'
'Nou, gewoon, goudkleurig metaal, met "Boston Police" erop.'
'Waarover wilde hij met je praten?'
'Hij wilde weten wie ik Kevin Reynolds' huis in en uit had zien gaan.'
Darby wachtte even. 'En, wat heb je hem gezegd?' vroeg ze toen de vrouw verder zweeg.
'Dat ik niets heb gezien,' antwoordde Baxter. 'En dat is ook zo.'
'Waarom praatte hij met je?'
'Wat bedoel je?'
'Waarom speciaal met jou?'
Baxter haalde haar schouders op. Haar blik keerde zich naar binnen en ze trok zich terug naar een plek waar ze waarschijnlijk het grootste deel van haar leven doorbracht – een plek waar niemand haar kon bereiken, met hoge, onneembare muren en vergrendelde deuren.
'Darby,' zei Coop. 'Laat ons hier even alleen praten.'
'Ze hoeft niet weg,' zei Baxter. Ze draaide haar hoofd en keek hem aan met die lege blik in haar ogen. 'Er is niets wat ik je zou willen zeggen waar zij niet bij mag zijn. Jij mag hier dan wonen, Coop, maar je bent nog steeds agent. Wat het er voor mij niet makkelijker op maakt, denk je niet?'
'Wat moet dat betekenen?' vroeg Darby.
'Helemaal niets, ik zit Coop gewoon een beetje te jennen,' antwoordde Baxter. Ze wierp een blik op haar horloge. 'Kunnen we dit gesprekje afsluiten? Ik ben afgepeigerd. Ik ben de hele avond in touw geweest.'
'Ik wist niet dat Wal-Mart nog zo laat open was,' zei Coop.
'Begin nou niet tegen mij, Coop.'
'Hield je het zelf voor gezien of ben je weer ontslagen?'

'Ik moest er wel mee ophouden,' zei Baxter. 'Iedereen die daar werkt *no hablo inglés*. En aangezien ik geen Spaans spreek, gaf ik de voorkeur aan vroegtijdige pensionering.'

'Dus ben je weer gaan strippen?'

'Ga naar huis, Coop. Ik ben te moe en te oud om weer een preek te moeten aanhoren. Misschien zou je eens bij jezelf te rade moeten gaan.'

'Leuk je weer eens gezien te hebben, Michelle,' zei Coop. 'Pas goed op jezelf.' Hij keek Darby aan en knikte met zijn hoofd naar de deur.

'Michelle,' zei Darby. 'De man met wie je stond te praten, was geen agent.'

'Waarom droeg hij dan een badge?'

'Hij deed zich voor als iemand van de politie.'

'Wat moet ik zeggen? Ik heb zijn badge gezien.'

'Waarom praatte je dan met hem? Was er bij jullie soort niet een zogenaamde zwijgplicht?'

'Jullie soort.' Baxter lachte schamper.

'Waarom praatte je met hem?'

'Ik had weinig keus. Deze gast kan behoorlijk overtuigend zijn.'

Kan, dacht Darby. 'Hoe ken je hem?'

'Luister, dat doet er niet toe. Het verandert niets als ik het je vertel.'

'Dan kun je het me net zo goed vertellen.'

Baxter trok aan haar sigaret en staarde in de ruimte, alsof het leven dat ze zich had voorgesteld op haar wachtte ergens voorbij deze platte daken en vuile ramen, een plek lichtjaren verwijderd van deze historische straten, waar Paul Revere en andere Amerikaanse vrijheidsstrijders de ene na de andere aanvalsgolf van het Engelse leger hadden afgeslagen.

'Kom,' zei Coop, en hij keek naar Darby. 'Laten we gaan. Dit is tijdsverspilling.'

'Mijn moeder, God hebbe haar ziel,' zei Baxter, 'was verslaafd aan coke. Ernstig verslaafd. Op het laatst had ze zo'n beetje alles verpand wat we bezaten... wat al niet veel was... en toen meneer Sullivan...'

'Michelle,' onderbrak Coop haar, 'je hoeft dit niet te vertellen.'

'Waarom pak je niet even een biertje?' zei Baxter, en ze schoot haar sigaret weg. 'Of, beter nog, loop even naar mijn medicijnkastje in de badkamer en neem wat van dat spul dat ik altijd neem als ik ongesteld moet worden. Misschien dat je daarvan opknapt.'

38

Darby zag hoe Baxter een flesje Budweiser uit de koelkast pakte en naast haar stoel zette. Haar aandacht, eigenlijk bezorgdheid, ging uit naar Coop. Op de een of andere manier riep de uitdrukking op zijn gezicht een herinnering op aan haar moeder, Sheila. Hoe ze gespannen heen en weer liep in de wachtkamer van de Spoedeisende Hulp terwijl Big Red werd geopereerd. Haar moeder, zelf verpleegster, had toen al geweten dat er geen hoop meer was, dat de man met wie ze eenentwintig jaar getrouwd was geweest, te veel bloed had verloren en hersendood was.

'Ik heb altijd al geweten dat mijn moeder van coke hield,' zei Baxter, en ze liet de dop van het bierflesje op het balkon vallen. 'Ik heb haar een paar keer betrapt toen ze met een van haar vriendjes aan het snuiven was, maar pas toen meneer Sullivan het me vertelde begreep ik hoe groot haar probleem was. Trouwens, meneer Sullivan is Frank Sullivan. Iedereen in de stad noemde hem meneer Sullivan, zelfs de bejaarden. De man was nogal op respect gesteld, zoals Coop je zeker zal hebben verteld. Coop, weet je nog die keer dat...'

'Laat de goeie, ouwe tijd maar even zitten, oké?' zei Coop 'Weet je de naam van die agent nu wel of niet?'

'Misschien wil Darby wel graag weten hoe het was om hier in Chuck-town op te groeien met meneer Sullivan. Ik heb zo'n idee dat je haar niets hebt verteld over je eigen... hoe zal ik het zeggen... persoonlijke ervaringen.'

'Laten we gaan, Darby. Dit is tijdverspilling.'

'Dus op een dag komt meneer Sullivan na schooltijd langs om me te vertellen dat mijn moeder met spoed naar het ziekenhuis is gebracht. Overdosis, zei hij. Natuurlijk was ik overstuur. Mijn moeder en ik konden dan niet goed met elkaar overweg, zeker niet meer na het vertrek van mijn ouwe heer, maar ik was pas dertien en de vrouw was, ondanks al haar fouten, mijn hele wereld, snap je?

Meneer Sullivan slaat zijn arm om me heen en terwijl ik daar zo sta te snotteren, zegt hij de hele tijd tegen me dat ik niet ongerust hoef te zijn en dat hij ervoor zal zorgen dat alles in orde komt. Als ik bij hem in de auto ben gestapt, rijden we naar een winkelcentrum, waar hij nieuwe kleren voor me koopt en make-up en parfum. Zoek maar uit, zegt hij. Een meisje van mijn leeftijd, zegt hij, zou er niet zo moeten uitzien.

Weer onderweg naar huis, vertelt meneer Sullivan over het geld dat mijn moeder hem schuldig is vanwege haar drugsprobleem, en daar komt de ziekenhuisrekening nog bovenop, aangezien ze niet is verzekerd. Dus neemt hij me mee naar zijn huis, en zegt dat ik boven moet gaan douchen, want we gaan naar het ziekenhuis om daar samen met zijn drietjes te bespreken hoe we dit probleem gaan oplossen. Ik huil nog steeds en dan krijg ik een soort... je zou het buitenlichamelijke ervaring kunnen noemen, wanneer meneer Sullivan besluit om bij me onder de douche te komen. Hij zegt dat ik dapper moet zijn, dapper voor mijn moeder.'

Baxter neemt een lange haal van een nieuwe sigaret. 'Ik heb me altijd afgevraagd wat er gebeurd zou zijn als ik niet geprobeerd had me tegen hem te verzetten. Misschien had hij het pistool dan niet gebruikt.'

Coop masseerde zijn slapen. Baxter dronk haar bier. Darby stond er roerloos bij.

'De meisjes die ik leerde kennen waren erg aardig,' zei Baxter. 'Ze waren ongeveer van mijn leeftijd. Ze leerden me hoe je deze mannen snel kon laten klaarkomen.'

'Welke meisjes?' vroeg Darby. 'Waar heb je het over?'

'Meneer Sullivan organiseerde feestjes in van die chique hotels in Boston. Daar huurde hij twee keer per maand een suite. Ik en de meisjes die hij meebracht, mochten gratis drinken. Alles het beste van het beste. En er was coke in overvloed, of heroïne, of wat we maar wilden. Bij de wat ruigere types snoof ik soms wat heroïne om het draaglijker te maken.'

'Hoe vaak is dit gebeurd?'

'Na een maand of twee ben ik de tel kwijt geraakt.'

'Heb je dit aangegeven?'

'Bij de politie, bedoel je?'

'Ja.'

Baxter lachte. 'Wie denk je dat ik daar in het hotel pijpte?'

'Volgens mij hebben we wel genoeg gehoord,' zei Coop.

'Dat van die videoband wist ik pas later,' zei Baxter. 'Meneer Sullivan had videocamera's geïnstalleerd. Misschien voor het geval sommige van de agenten niet met hem wilden samenwerken of zoiets. Ik denk dat hij de banden uiteindelijk heeft verkocht aan een van die pornobazen in China of Japan. Daar zijn ze gek op dat echte kinky gedoe. Zeg Coop, heb jij niet een van die banden van Jimmy DeCarlo's vrijgezellenfeestje gezien?'

Coop gaf geen antwoord. Het zweet op zijn voorhoofd had niets met de hitte te maken.

'Waar is ermee gebeurd?' vroeg Baxter. 'Met die band, bedoel ik.'

'Dat weet ik niet,' antwoordde Coop met gesmoorde stem.

'O, ik dacht dat jij hem misschien had vernietigd. Niet dat het uitmaakt, waarschijnlijk staat hij ergens op een internetsite.'

'Heb jij je moeder ooit verteld wat Sullivan je heeft aangedaan?'

'Dat wist ze al,' antwoordde Baxter. 'Meneer Sullivan liet haar in het ziekenhuis de polaroidfoto's zien, die waarop hij het pistool tegen mijn hoofd gedrukt hield terwijl ik hem pijpte, juist die grepen haar echt aan.'

'Heeft ze je dat verteld?'

'Dat hoefde ze niet. Meneer Sullivan nam me mee naar het ziekenhuis. Ik was erbij toen hij haar de foto's liet zien. Volgens mij wilde hij me erbij hebben om zijn punt duidelijk te maken.'

'Is je moeder naar de politie gegaan?'

'Ben je wel lekker? Ze zei me dat ik mijn mond dicht moest houden en moest doen wat van me werd verwacht, want anders zou het wel eens net zo slecht met me kunnen aflopen als met sommige andere vriendinnetjes van meneer Sullivan. En aangezien ik hier met je zit te praten, waar denk je dat ik toen voor heb gekozen?'

Darby's hoofd tolde. Ze wist niet wat ze erger moest vinden: de manier waarop de vrouw met de emotieloze stem van een zombie de meest afschuwelijke details vertelde van haar herhaaldelijke verkrachtingen door politieagenten en een voormalig gangster, of het feit dat dit allemaal was gebeurd met medeweten van haar moeder.

'Michelle,' zei Darby, 'weet je misschien namen van vermiste vrouwen die met Sullivan omgingen?'

'Ik zou het zo niet weten. Vraag het Coop. Hij heeft met een paar van meneer Sullivans jonge vriendinnetjes gescharreld.'

'Niet waar,' zei Coop, zijn stem was schor. 'Dat is niet waar.'

'Sorry, nee, dat is waar. Je scharrelde niet met ze, je neukte ze alleen maar. Jij en al die andere kameraden van je op die feestjes.'

Coop duwde zich met een ruk los van de balustrade. 'Daar heb ik nóóit aan meegedaan, Michelle, en dat weet je.'

'Hé, wie ben ik om je verwijten dat je hem erin hebt gehangen? Dat is meer iets voor priesters, nietwaar?'

'Laat iedereen doodvallen, en jij ook, Michelle. Ik ben hier weg.'

Coop rukte de glazen schuifdeur open en trok die met een klap achter zich dicht. Darby wilde hem volgen, maar bedacht zich. Ze wilde weten wat dit verdomme allemaal te betekenen had.

39

'Volgens mij heb ik hem in verlegenheid gebracht,' zei Baxter, en ze pakte haar pakje Marlboro's.

'Volgens mij was dat precies je bedoeling,' zei Darby, die ondanks haar verwarring en medelijden met de vrouw iets van woede in zich voelde opkomen.

'Coop en ik hebben een stukje geschiedenis samen.'

'Wat voor geschiedenis? Waren jullie een stel?'

'Was het maar waar. Daar was hij te veeleisend voor. Hij is zó'n lekker ding dat hij kon krijgen wie hij wilde. Ik ken geen vrouw die hem niet tussen de lakens zou willen, maar dat idee zul je zelf ook wel eens hebben gehad, of niet soms?'

'Wat voor afspraak is er tussen jullie?'

'Dat zul je aan hem moeten vragen. En verder zou ik het voor vanavond gezien willen houden.'

'Blijf zitten. Ik wil nog wat weten over de agenten die je tijdens die hotelfeestjes hebt ontmoet.'

'Ik weet geen namen, als je dat soms wilt vragen. Om een of andere vreemde reden hebben ze me die niet verteld.'

'Zou je hun gezichten herkennen?'

'Ze droegen Halloweenmaskers. Met een masker op kun je de gekste dingen doen.'

'Heb je misschien namen horen noemen? Heeft een van de andere vrouwen wel eens iets losgelaten?'

'Nee en nee. Het enige wat ik heb gezien, was hun pik. Als je politiefoto's hebt van lullen, dan kan ik je misschien helpen.'

'De man met wie je eerder sprak...'

'Dat is een agent,' zei Baxter, en ze stak een nieuwe sigaret op. 'En vraag me niet om zijn naam, want die heeft hij nooit gehad.'

'Wat bedoel je?'

'Wat ik bedoel, is dat er mensen zijn die hier komen en gaan als geesten. Vraag Coop. Hij zal je hetzelfde vertellen.'

'Was deze agent een van de mannen die je in het hotel hebt ontmoet?'

'Dat zou me niet verbazen.'

'En die andere meisjes in het hotel, kende je die?'

Baxter liet haar hoofd achteroverzakken en staarde rokend naar de donkere hemel. 'De meeste zijn dood of in de gevangenis.'

'Waren er meisjes bij die je kende?'

'Sommige van hen kwamen uit Charlestown. Meneer Sullivan had het liefst plaatselijke meisjes. Chauvinisme, of zo.'

'Was Kendra Sheppard een van deze meisjes?'

'Ik ken niemand die zo heet.'

'Weet je het zeker? Ze is hier opgegroeid. Sterker nog, haar ouders werden hier ongeveer drie straten verderop vermoord. Je moet het je herinneren. Haar ouders werden in hun slaap doodgeschoten. Daarna verdween Kendra op mysterieuze wijze.'

'Er gingen hier een hoop mensen dood. Of ze verdwenen.'

'Michelle, waarom heb je me dat verhaal over je moeder verteld?'

'Omdat ik dacht dat je een geschiedenislesje wel zou kunnen waarderen, doc.'

'Volgens mij is het meer dan dat.'

Ergens in de verte klonk het geluid van dichtslaande autoportieren. Baxter reageerde alsof ze een geweerschot hoorde. Ze sprong op uit haar stoel, greep met beide handen de balustrade vast en staarde gespannen omlaag naar de donkere straat waar een groepje mensen, gewapend met emmers, schoppen en grondzeven, rond een busje stonden. Darby kon de korte, gedrongen gestalte onderscheiden van doctor Edgar, druk doende zijn woeste Albert Einstein-haar te fatsoeneren.

'Wie zijn die mensen?' vroeg Baxter.

'Antropologiestudenten.'

Baxter leek verward.

'Ze zijn gekomen om beenderen op te graven in de kelder,' zei Darby. 'We hebben de resten van drie lichamen gevonden. Allemaal vrouwen.

Baxter zei niets. Ze staarde naar de groep mannen die het huis binnengingen.

'Het zal nog moeilijk worden om deze vrouwen te identificeren,' zei Darby. 'Iemand heeft hun tanden eruit getrokken en hun handen en voeten afgehakt. Als je iets weet dat ons zou kunnen...'

'Sorry, ik kan je niet helpen.'

'Kun je niet of wil je niet?'

'Geesten kun je niet vinden.'

'Ik kan je even niet volgen.'

'Wat ik al zei, er zijn nog steeds van die mensen die door deze stad rondwaren. Ze hebben geen naam en ze komen en gaan. Als geesten.'

'Zoals de man met wie je eerder sprak?'

'Je lijkt me best een aardig iemand,' zei Baxter, met haar ogen op het huis gericht. 'Maar het punt is dat niemand met je zal praten. Doen ze dat wel, dan verdwijnen ze of krijgen ze een ongeluk. De badge aan je riem daar? Die had je net zo goed met hondenstront kunnen insmeren.'

Darby ging naast Baxter staan en leunde met haar ellebogen op de balustrade. 'Kendra Sheppard woonde samen met haar zoon in Vermont,' zei ze.

Geen reactie.

'Kendra leefde daar onder een andere naam, Amy Hallcox,' vervolgde Darby. 'Zij en haar zoon kwamen een paar dagen geleden naar Belham.'

'Hoe oud is haar zoon?'

'Twaalf. Een man die zich voordeed als FBI-agent, kwam in het ziekenhuis naar zijn kamer. Sean, Kendra's zoon, raakte helemaal overstuur bij het idee dat hij met de man mee zou moeten. Wat denk je dat hij deed?'

Baxter gaf geen antwoord.

'Sean probeerde zelfmoord te plegen,' zei Darby. 'Hij schoot zichzelf in het hoofd. Het schijnt dat hij een wapen bij zich droeg om zichzelf te beschermen. Voordat hij zichzelf probeerde te doden, vertelde hij me dat zijn moeder bang was dat deze mannen haar zouden vinden. Wat ze is gelukt. In Belham. Wil je weten wat er met Kendra is gebeurd?'

'Niet echt.'

'Iemand heeft haar vastgebonden aan een stoel en haar keel doorgesneden.'

Baxter staarde naar de balustrade en peuterde met haar lange nagel, versierd met namaakdiamantjes, maantjes en sterretjes, een stukje verf los.

'Ken je iemand die zoiets zou doen?' vroeg Darby.

'Nee.'

'Wist je dat Kendra Sheppard haar naam had veranderd en gevlucht was?'

'Nee.'

'Ben je bereid dit onder ede te verklaren?'

'Ja hoor, waarom niet? Als je wilt kun je me meteen inzweren. Onder een van de poten van de keukentafel vind je een bijbel. Ik had iets nodig tegen het wiebelen.'

'Als je bang bent, dan kan ik je in beschermende hechtenis laten plaatsen.'

'Bij de FBI?' Baxter lachte smalend. 'Nee, dank je. Dan riskeer ik nog liever de echte wereld.'

'Michelle, wat jij hebt doorgemaakt... Ik kan je niet zeggen hoe erg ik dat voor je vind,' probeerde Darby opnieuw, in de hoop dat haar oprechte gevoelens in haar stem zouden doorklinken. 'Dat heb je niet verdiend. Zoiets verdient niemand.'

'Ik hoef je medelijden niet. Ik wilde je alleen maar duidelijk maken hoe de situatie hier ligt.'

'Ik kan je namen geven van hulpverleners met wie je kosteloos kunt praten.'

'Praten is niet genoeg om te veranderen wat er is gebeurd. Het kan wat je meedraagt in je hoofd niet laten verdwijnen.'

'Het kan helpen.'

'Kan zijn, maar ik hou me liever aan mijn Ambien en Percocet. Die pillen verrichten wonderen.'

Darby legde haar kaartje op de balustrade. 'Als je morgen nuchter bent, bel me dan op. Dan praten we verder.'

Baxter duwde zich af van de balustrade. 'Neem op weg naar buiten gerust een paar biertjes mee,' zei ze, en ze drukte haar sigaret op het kaartje uit.

40

Darby trok de deur van Baxters appartement achter zich dicht en stond alleen in het donkere trappenhuis, verdwaasd en wankelend op haar benen. Het kwam niet door het verhaal van de vrouw. Baxters herhaaldelijke mishandeling en vernedering door een seksueel roofdier en mogelijke seriemoordenaar… dat soort verhalen en alle denkbare varianten daarop waren van alle tijden. Daarvan had Darby in haar lab talrijke dossiers die teruggingen naar haar eerste tijd op het lab, wanneer ze herhaaldelijk met een verkrachtingskit naar een ziekenhuis werd gestuurd om uitstrijkjes te maken bij een vrouwelijk slachtoffer – altijd jong, altijd kwetsbaar. Het aanhoren van dit soort verhalen, vaak uit de eerste hand, over hoe deze vrouwen waren misbruikt en mishandeld, hadden haar gehard tegen de talloze manieren waarop mannen in staat waren vrouwen pijn te doen, ze angst aan te jagen, te vernederen en uiteindelijk op een verschrikkelijke manier te doden. Na zoveel te hebben gezien, na zoveel verhalen te hebben gehoord, had een normale, gezonde geest geen andere keuze dan zichzelf af te schermen. Zoals mensen houten platen voor de ramen van hun huis spijkeren om de kwetsbaarste plekken te beschermen tegen de volgende, onvoorspelbare storm, moest je jezelf afsluiten of blijvende schade riskeren.

Maar elk kasteel, hoe goed beveiligd ook, heeft altijd ergens een kwetsbare plek. Hoeveel stormen het ook heeft meegemaakt en weerstaan, elke storm is weer anders, uniek in zijn eigen soort. Wat Darby zo had aangegrepen, wat haar benen dat krachteloze gevoel had gegeven toen ze de trap naar de voordeur af liep, was de levenloze, nee, zielloze toon geweest waarop Baxter over haar persoonlijke verschrikkingen had gesproken. Het was alsof God haar persoonlijk haar noodlot had ingefluisterd. *Sorry, je hebt hier geen keus, je hebt het maar te accepteren.*

En dat was precies wat er was gebeurd. Baxter had niet naar de politie kunnen gaan. En haar moeder, de enige persoon op deze wereld die geacht werd haar in bescherming te nemen, had haar dochter gezegd haar mond te houden en haar tijd uit te zitten. *Jezus.*

Darby deed de voordeur open en zag Coop aan de overkant van de straat heen en weer lopen. Hij was aan het bellen. Toen hij haar zag aankomen, zei hij iets tegen de persoon aan de andere kant van de lijn en verbrak daarna de verbinding.

Hij maakte zich los uit de zich oplossende menigte en ontmoette haar midden op straat. Ze had hem in al die jaren dat ze hem kende nog nooit zo kwaad en gekwetst gezien.

'Laten we hier en nu één ding duidelijk stellen,' zei hij, met moeite zijn stem beheersend. 'Die opmerking van dat geschifte drankorgel over dat ik naar die feestjes zou gaan om, zoals ze het zo treffend formuleerde, ergens mijn pik in te hangen, dat slaat helemaal nergens op. Dat zweer ik.'

Darby knikte, maar zei niets.

'Wat, geloof je me soms niet?'

'Natuurlijk geloof ik je,' zei ze. 'Het is me alleen nog niet helemaal duidelijk wat er precies gebeurd is.'

'Kom op, zeg het maar. Ik zie het in je ogen.'

'Heb jij een videoband gezien waarop Baxter werd verkracht?'

Coop klemde zijn kaken op elkaar en zijn gezicht kleurde rood.

'Heb ik dingen gedaan waar ik niet trots op ben?' zei hij na een ogenblik. 'Nou en of. Maar je hebt het over iets wat meer dan twintig jaar geleden is gebeurd. Ik was toen negentien en in een kamer met een stelletje kerels, onder wie een aantal beruchte bajesklanten. Als ik toen iets met die band had geprobeerd, dan zou ik nu verdomme in een rolstoel een plaats delict komen binnenrijden.'

'Fijn stelletje vrienden had je daar.'

'Luister, het spijt me wat Michelle is overkomen. Het is een verschrikkelijk drama.'

'Nee, Coop, het is een misdrijf.'

'Helemaal mee eens,' zei hij, en hij hief zijn handen in een gebaar van overgave. 'Maar vergeef me dat ik me nu even niet gedraag alsof ik daar helemaal kapot van ben. Veel mensen, ook ik, hebben geprobeerd Michelle te helpen. Ik heb een waslijst van mensen die zich voor haar hebben ingezet, die haar aan legale baantjes hielpen, compleet met ziektekostenverzekering. Maar steeds weer verknalt ze het en rent ze weer terug naar de shit. Als je wilt, breng ik je naar iemand die tot twee keer toe een ontwenningskuur voor haar betaalde.'

'Wat voor afspraak hebben jullie?'

'Er ís geen afspraak.'
'Toch speelt er iets. Je bleef proberen me weg te krijgen uit haar appartement.'
'Ik had weinig zin om haar verhaal voor de zoveelste keer aan te horen. Op een gegeven moment moet je ophouden het slachtoffer te spelen en besluiten verder te gaan met je leven, je eigen verantwoordelijkheid te nemen en ophouden met jezelf rond te wentelen in zelfbeklag.'
'Spreek je uit eigen ervaring?'
'Ik heb hier genoeg van.' Hij draaide zich om en wilde weglopen.
'Ik heb je gevraagd om op die man te letten,' zei ze, terwijl ze hem bij de arm greep. 'Waarom belde je me niet toen hij wegging?'
'Dat heb ik geprobeerd, maar ik kreeg alleen maar ruis.'
'Geef me je telefoon.'
'Waarom?'
'Geef nou maar.'
'Ik heb er genoeg van om...'
Ze trok zijn telefoontje van zijn riem, klapte het open en bekeek de lijst met uitgaande gesprekken. Coop had haar niet gebeld.
'Waarom lieg je tegen me?'
Hij ontweek haar blik en staarde naar het flatgebouw aan de overkant van de straat.
'Die agent met wie Baxter stond te praten,' zei Darby. 'Je kent hem, hè?'
Hij gaf geen antwoord.
'Baxter vertelde me dat deze man een geest is. Dat jij me hetzelfde zou vertellen. Waar ken je hem van?'
'Hou erover op, oké?'
'Nee, ik hou er niet over op. Als je iets weet, Coop... als je bewust iets achterhoudt dat verband houdt met deze zaak, dan...'
'Ik wil van deze zaak worden gehaald en weg bij jouw eenheid. Ik wil weg bij de CSU.'
Darby deed haar mond open, maar kon geen woord uitbrengen. Ze had Coop duidelijk verstaan en zijn woorden galmden nog na in haar hoofd.
'Ik ga nu naar kantoor om aan het papierwerk te beginnen,' zei hij.
'Wat voor reden vul je in op je overplaatsingsverzoek?'
'Tegenstrijdige belangen.'
'Met betrekking tot wat? Kendra Sheppard? Of ken je de namen van de vrouwen die we in de kelder hebben gevonden?'

'Ik weet niet wie het zijn.'

'Maar je hebt wel een idee, toch?'

'Nee, dat heb ik niet.'

Je liegt, dacht ze. Ze zag het aan zijn ogen.

'Waarom had je zo'n haast om het huis van Kevin Reynolds binnen te komen?'

Hij antwoordde niet.

'Waarom vertrouw je me niet?'

'Met vertrouwen heeft het niets te maken.'

'Wat is het dan?'

'Je hebt de papieren op je bureau als je terugkomt.'

'Ik ga ze niet tekenen.'

'Dat moet jij weten,' zei hij, en toen liep hij weg.

Darby staarde hem nog steeds na toen haar telefoon ging. Ze trok het telefoontje uit de houder en keek op het display. Het was Randy Scott.

'De vingerafdruk die Coop van de patroon met de holle punt heeft gehaald, heeft alle bellen van de databank laten rinkelen,' zei Randy. 'Volgens IAFIS is de afdruk afkomstig van een zekere Francis Sullivan uit Charlestown, Massachusetts.'

'Dat is onmogelijk. Frank Sullivan is...'

'Dood, ja, ik weet het. Hier staat dat hij in juli 1983 is omgekomen.'

'Er moet sprake zijn van een vergissing.'

'IAFIS geeft een 98 procent match. Volgens mij is het geen vergissing.'

Darby zocht de straat af naar Coop en zag hem met Artie Pine staan praten. 'En de afdrukken uit het huis, is daar al iets van binnen?'

'Dat heb ik gecheckt. Nee, nog niets.'

'Misschien heb ik hier jullie hulp nodig, zowel van jou als van Mark.'

'Geen probleem. We zijn hier bijna klaar met het bewijsmateriaal.'

Ze verbrak de verbinding en stopte het telefoontje in haar zak. Ze wilde nog een poging bij Coop wagen. Hij wist iets, en ze begreep niet waarom hij...

Het huis ontplofte. Versplinterd hout, puin en lichamen vlogen met een vernietigende kracht door de lucht. Direct daarna explodeerde de Ford Explorer van het forensisch lab en Darby voelde hoe ze door een paar onzichtbare handen van de grond werd getild en achteruit werd geworpen. Zwaaiend met haar armen vloog ze door de lucht en werd toen tegen een geparkeerde auto gesmakt, waarbij ze met haar hoofd tegen een raampje sloeg dat verbrijzelde toen ze het bewustzijn verloor.

Dag 3

41

Jamie zat achter het stuur van haar auto. De raampjes waren dicht en de airco stond laag, zodat ze niet zou zweten onder haar kleren die meer voor een zachte herfstochtend geschikt waren – spijkerbroek, haar afgetrapte Timberland-werkschoenen en een van Dans slobberige, katoenen T-shirts. Het ruimzittende shirt verhulde haar borsten en de schouderholster met de Magnum en was minder benauwd dan het windjack dat ze in de kelder van Mary Sullivan had gedragen.

Ook droeg ze Michaels imitatie Ray-Ban Wayfarer-zonnebril en een van zijn favoriete baseballpetten – een knalgele, met daarop geborduurd een halfwakkere Homer Simpson in witte slobberonderbroek, met als onderschrift LADYKILLER. Ze droeg de klep omlaag, om de operatielittekens op haar voorhoofd te verbergen. Haar haren had ze gemillimeterd met de tondeuse. Op een afstand, en zeker bij dit grauwe licht, kon ze gemakkelijk voor een man doorgaan.

Ze leunde voorover en inspecteerde zichzelf voor de tweede keer in een uur in de binnenspiegel van de auto. Van dichtbij kon ze doorgaan voor een spichtige, jonge man – met enigszins vrouwelijke trekken, dat wel, maar het opvallende litteken langs haar kaak en het schone verband op de zijkant van haar gezwollen gezicht compenseerden dat weer.

Een iel kereltje dat een pak rammel heeft gehad, dacht ze. Perfect. Ze moest lijken op de chauffeur die Ben Masters had ingehuurd om Kevin Reynolds in veiligheid te brengen.

Jamie keek op het dashboardklokje. 04:45. Nog vijftien minuten, dan was het zover.

Ze pakte het flesje Gatorade. Op de bodem had zich een laagje wit bezinksel gevormd. Ze had zes van haar Xanax-kalmeringstabletten met een lepel verpulverd en toen het poeder in de helderrode energiedrank gegoten. Eén pil was voldoende om haar suf te maken. Een mastodont als Reynolds zou er minstens drie of vier voor nodig hebben. Ze schatte dat zes pillen hem waarschijnlijk in slaap zouden brengen. En als hij eenmaal onder zeil was, dan zou ze hem boeien en onder een dekzeil verbergen, en daarna zo'n tien minuten verder rijden naar een afgelegen plek aan de andere kant van dit bos.

Mocht Reynolds niet willen meewerken, dan moest ze hier ter plaatse met hem afrekenen.

Ze was niet bang dat ze zou worden gezien of gehoord. Tenzij iemand zich geroepen voelde om te studeren of geïnteresseerd was in onkruid, was er geen reden om naar Waterman Park te komen. Toen haar vader nog leefde, had hij haar verteld hoe hard de recessie in de jaren tachtig Belham had getroffen, en Waterman Park was het eerste geweest waarop de gemeente had bezuinigd. De fontein, de klimrekken en de glijbanen waren allemaal weggehaald. Het enige wat overbleef was een lang, breed veld met opgeschoten, vergeeld gras en kale, door de zon gebarsten stukken grond. En de brug.

De brug was overigens de belangrijkste reden waarom ze voor deze plek had gekozen. Het was de enige manier om het park in en uit te komen. Je kon over de brug binnenkomen maar het park niet lopend via het bos verlaten, of je moest je dwars door het dichte struikgewas willen worstelen. Geen kans dat Reynolds haar zou kunnen verrassen.

Achteroverleunend in haar stoel, gingen haar gedachten naar Michael.

Je dacht dat je maar een van ons kon redden, had hij haar gezegd, *en je koos voor Carter.*

Michael had gelijk. Ze hád voor Carter gekozen. Impulsief, misschien zelfs weloverwogen. En hoewel ze voor haar keuze een aantal logische redenen had kunnen aanvoeren – Carter was de jongste geweest, haar baby – kon ze niet ontsnappen aan het gevoel dat haar had overheerst sinds de dag dat Michael was geboren. Michael was moeilijk geweest, een echte huilbaby die was uitgegroeid tot een koppige jongen die er kennelijk het vreemde genoegen in schiep zich bij elke gelegenheid tegen haar te keren. Zo was er die bijzonder gênante scène in de supermarkt geweest toen Michael zes was. Ze had geweigerd de gesuikerde cornflakes voor hem te kopen die hij op een televisiereclame had gezien, waarop hij had gereageerd door de pakken uit het schap te rukken en ze te vertrappen. Ze had hem gillend en schoppend de zaak uit gedragen. Toen ze, nadat ze eindelijk de auto had bereikt, tot het uiterste getergd en met een pijnlijke keel van het schreeuwen, het verachtelijke, zelfvoldane lachje op zijn gezicht had gezien, had ze hem willen slaan. Later had ze Dan opgebiecht dat ze Michael als een soort emotionele vampier beschouwde, een wezen dat zich voedde met haar woede.

Dan had haar gezegd dat ze te hard oordeelde. Maar dat kon hij gemakkelijk zeggen, omdat Michael zich tegenover hem heel anders gedroeg.

Carter was zijn volstrekte tegenpool. Carter was makkelijk. Hij was goedlachs en vermakelijk. Zeker, hij was een sloddervos en net als andere normale kinderen kon hij soms zijn buien hebben. Maar zelfs op bijna zevenjarige leeftijd was Carter opmerkelijk sociaal. Hij voelde zich slecht als hij iets verkeerds had gedaan en verontschuldigde zich daarvoor. Iets wat Michael nooit deed. Net als Dan was Michael een binnenvetter, die nooit zijn gevoelens toonde en niemand te dichtbij liet komen.

Niet waar. Michael had Dan toegestaan dicht bij hem te komen.

Had ze die nacht door eerst voor Carter te kiezen, de dunne, onzichtbare draad verbroken die haar en Michael als moeder en zoon met elkaar verbond? Ze vroeg zich af hoe Michael zou reageren als hij wist dat de man die hem had neergeschoten dood was, drijvend in de kofferbak van een auto onder de oppervlakte van het water van Belham Quarry. De littekens op Michaels borst en rug zouden helen, maar hoe zat het met zijn geestelijke littekens? Zou de wetenschap hoe Ben had geleden Michael helpen herstellen?

Het doden van Ben Masters had haar zeker geholpen.

Jamie liet haar blik door het verlaten park dwalen. De laatste keer dat ze hier was geweest, was op die warme middag in juli geweest, toen ze haar vader had begraven. Ze was samen met Dan geweest. Ze was naar Waterman Park gegaan, een geliefde plek uit hun jeugd, waar ze Dan verhalen had verteld over de lange zomers die ze met haar ouders in het park had doorgebracht. In die tijd kon je nog aan een klimrek hangen, bij de schommels op je beurt wachten of van een van de vier glijbanen glijden. Daarna kon je afkoelen in het betonnen pierenbadje in het midden van het veld, en soms, tussen de middag, opende meneer Quincy, de gymleraar van de middelbare school, zijn camper om limonade, ijs, hotdogs, hamburgers en *snotties* – frietjes, overgoten met gesmolten kaas – te verkopen. Twee keer per dag kwam er een ijscokar. Tijdens de lange wintermaanden maakte de gemeente van het zwembad een schaatsbaan.

Gedurende die middag met Dan was geen enkele auto of persoon het park binnengekomen. Joggers, fietsers en hondenbezitters gaven de voorkeur aan paden aan de noordkant van het bos – zo'n twaalf kilometer van de plek waar haar auto stond geparkeerd. Ze was hier alleen.

Tot dit moment dan. Over de brug naderde langzaam een personenauto.

42

Jamies hand gleed langzaam onder de opengeslagen *Globe* op haar schoot en sloot zich om de Glock die tegen haar buik rustte. Ze had nog ruim voldoende munitie over.

Ze liet haar mond openhangen, alsof ze tijdens het wachten in slaap was gevallen. Vanachter haar zonnebril zag ze hoe de donkergekleurde auto aan het eind van de brug stopte. De bestuurder keerde niet om. De auto bleef daar staan, met stationair draaiende motor.

Als dit Reynolds is, dacht ze, *dan controleert hij waarschijnlijk of hij hier alleen is.*

Ze keek omlaag naar haar schoot. Het pistool met de geluiddemper ging volledig schuil onder de krant. Geen kans dat Reynolds het zou kunnen zien.

Toen de auto over de bochtige weg met gebarsten asfalt zijn weg vervolgde, voelde ze hoe de typische combinatie van angst en adrenaline door haar aderen joeg. Ze voelde zich waakzaam en gespannen, maar niet bang. Wat Reynolds ook tegen haar mocht ondernemen, ze zou een manier vinden om met hem af te rekenen.

Mits hij alleen komt, Jamie. Daar hangt alles van af.

De auto, een donkerblauwe Ford Taurus met een scheefhangende achterbumper, stopte naast het trottoir bij de ingang van het parkeerterrein van het park. De ramen waren open en ze kon het gezicht van de bestuurder zien.

Kevin Reynolds legde zijn arm op de leuning van de passagiersstoel en keek haar kant op. Er zat verder niemand in de auto. Hij was alleen gekomen.

Reynolds nam een trek van zijn sigaret en bleef voor zich uit staren. Wachtte hij tot ze naar hem toe zou komen?

Ze had die mogelijkheid voorzien. Naast haar op de passagiersstoel stond Michaels rugzak, volgepropt met zijn vuile wasgoed alsof hij vol met geld zat. Als ze de rugzak op een handige manier droeg, kon ze haar Glock erachter verbergen. Toegegeven, het was een beetje link, maar ze wilde Reynolds uit de auto hebben, niet erin. Het zou zoveel makkelijker zijn als ze hem buiten de auto kon uitschakelen. Het gaf haar zoveel meer bewegingsruimte als hij besloot zijn wapen te trekken.

Laat hem komen, dacht ze, en ze voelde de zware bandenlichter die ze in de mouw van haar sweatshirt had verstopt. Een flinke klap op de ader achter zijn oor zou de bloedtoevoer naar zijn hersenen onderbreken en zijn centrale zenuwstelsel uitschakelen. Hij zou snel buiten westen zijn.

En dan was er nog altijd zijn kaak. Een rake klap zou de vloeistofdruk in zijn oor verstoren. Hij zou zijn evenwicht verliezen en zijn knieën zouden knikken. Succes verzekerd.

En laten we zijn knieschijven niet vergeten.

Reynolds schoot zijn sigaret weg met zijn vingers uit het raampje, maar hij stapte niet uit en bleef achter het stuur zitten.

Hij ruikt een valstrik, Jamie.

Nee, dat is niet zo. Als dat zo was, dan zou hij wel wegrijden.

Maak dat je hier wegkomt. Ga naar huis, naar de kinderen en...

Reynolds opende het portier.

Met een droge mond en een hart dat steeds harder en harder bonkte, zag ze Reynolds in het grauwe licht uitstappen. Hij trok een pakje sigaretten uit het borstzakje van zijn zwartzijden overhemd met korte mouwen. Hij droeg het zoals Tony Soprano, over zijn broek om zijn omvangrijke buik ruimte te bieden. Ze kon niet zien of hij gewapend was.

Toe nou, stop met dat getreuzel. Kom hierheen en maak jezelf bekend.

Daar kwam hij dan.

Reynolds' hoge sneakers knerpten op het grind.

Voor de auto bleef hij staan en bestudeerde rokend de slapende persoon achter het stuur.

Jamie verroerde zich niet. Zonder haar hoofd te bewegen, zag ze hem vanachter haar zonnebril naar haar staren. Haar vinger kromde zich om de trekker terwijl ze wachtte totdat hij op haar portier zou komen kloppen. Dat zou het mooiste zijn. Op het ogenblik dat hij het portier opendeed en zich naar binnen boog om de bestuurder wakker te maken, zou ze de Glock in zijn maag drukken.

Reynolds liep terug naar de Taurus.

Hij opende het portier, stapte weer achter het stuur, startte de motor en reed de parkeerplaats op.

Jamies ademhaling was licht en regelmatig toen hij voor haar auto stopte. Boven het geluid van de airco uit hoorde ze het geronk van de automotor en ze zag hoe hij haar observeerde.

Opeens gaf Reynolds vol gas. Met krijsende banden scheurde hij weg naar de uitgang van de parkeerplaats.

Jamie gooide het portier open. Een warme windvlaag blies de opengeslagen krant van haar schoot en de in de mouw van haar sweatshirt verstopte bandenlichter gleed door haar hand en kletterde op de grond. Ze richtte de Glock, klaar om te vuren, maar Reynolds was al te ver weg. Hij scheurde met grote snelheid naar de brug, waarbij de kraaien in de bomen verschrikt opvlogen.

43

Toen Darby knipperend haar ogen opende, zag ze een stalen frame met daarachter een houten stoel met verbleekte, bruine kussens. Ze lag in een ziekenhuis.

Aan de muur bij het voeteneind van haar bed hing een klok. Halfzeven. Afgaande op het vage licht dat door de zonwering viel, veronderstelde ze dat het ochtend moest zijn. Ze vroeg zich af hoelang ze buiten kennis was geweest.

Ze kon haar handen en haar tenen bewegen. Gelukkig. Ze betastte haar gezicht en voelde het dikke gaasverband dat om de rechterkant van haar hoofd was gewikkeld. Pijn voelde ze niet.

Ze herinnerde zich wat er was gebeurd, nog een goed teken. Dat was lang niet altijd het geval bij een zware hersenschudding of hoofdletsel. Soms was je kortetermijngeheugen verdwenen. Ze wist nog dat ze Coop met Pine had zien praten toen het huis explodeerde. Versplinterd hout en brokken puin...

Coop. Coop had vlak bij het huis gestaan toen het ontplofte.

Toen ze langzaam haar hoofd ophief, schoot er een verzengende pijn doorheen, alsof een gloeiende pook in het midden van haar hersens werd gestoken.

Haar hoofd viel terug op het kussen en tussen haar opeengeklemde tanden haalde ze diep adem om de opkomende golf van braaksel terug te dringen.

Ergens begon een apparaat te piepen. Een verpleegster kwam binnen en injecteerde iets in haar infuus.

Darby begon net weer in slaap te vallen, toen ze Artie Pine naast haar bed zag staan. Zijn overhemd was gescheurd en zijn dikke, bleke onderarmen waren bedekt met roet en geronnen bloed.

'Met u komt alles weer in orde, mevrouw McCormick. U bent behoorlijk toegetakeld, maar godzijdank hebt u die dikke schedel van uw vader geërfd.'

Coop is oké, was haar laatste gedachte toen ze langzaam in slaap dommelde. *Pine stond naast Coop, dus Coop is oké. Een beetje toegetakeld, maar in elk geval oké.*

Het volgende moment dat ze haar ogen opendeed, baadde de kamer in het zonlicht. Met toegeknepen ogen keek ze naar de klok aan de muur. Dertien over negen.

Opnieuw hief ze haar hoofd op. Deze keer geen misselijkheid, maar een ander soort pijn, alsof tegen elke vierkante centimeter van haar schedel spijkers werden gedrukt. Haar maag speelde weer op en ze liet haar hoofd weer op het kussen zakken.

De arts die haar kwam onderzoeken, zag eruit alsof hij net de puberteit was ontgroeid. Boven de borstzak van zijn witte doktersjas stond MASS. GENERAL HOSPITAL gestikt. Hij scheen met een lampje in haar ogen en begon vragen te stellen.

'Wat is uw naam?'

'Darby McCormick.'

'En waar woont u, mevrouw, McCormick?'

'Temple Street, Boston.' Haar stem klonk hees. 'Het is augustus en ik weet hoe de president heet. Zowel mijn korte- als mijn langetermijngeheugen is prima in orde.'

De arts glimlachte. 'Ze hadden me al voor u gewaarschuwd.'

'Ze?'

'Uw vrienden wachten in de gang,' zei hij, en hij klikte het lampje uit. 'U hebt een behoorlijke hersenschudding opgelopen, maar u vertoont niet de ernstigere bijverschijnselen zoals geheugenverlies of verminderd gezichtsvermogen. De CT-scan toont geen hersenbeschadiging. U hebt een paar snijwonden in uw gezicht als gevolg van glas. Als het verband eraf gaat, ziet u een aardig borduurwerkje van hechtingen, maar dat moet binnen drie of vier weken zijn geheeld, waarschijnlijk zonder littekens achter te laten.'

'Ik lijd aan HIH.'

'Aan wat?'

'Een Hopeloze Ierse Huid,' antwoordde Darby. 'Ik hou er gegarandeerd littekens aan over.'

De arts grinnikte. 'Maak u geen zorgen. Dat fiksen we later dan wel weer. Voelt u zich in staat wat bezoek te ontvangen?'

'Geen probleem. Wanneer mag ik weg?'

'Waarschijnlijk vanmiddag,' antwoordde hij. 'We hebben u tegen de pijn en om u te helpen slapen een kleine dosis Demarol toegediend. Voelt u zich misselijk?'

'Nogal.' Haar maag verdroeg Demarol slecht.

'Dat zou met een paar uur minder moeten worden,' zei hij. 'Iemand zal u naar huis moeten brengen. En voorlopig zult u...'
'Ik weet het. Rust moeten houden, me ontspannen, niet bukken, enzovoort, enzovoort.'
De arts gaf haar instructies over hoe ze haar wonden moest verzorgen en beloofde haar een recept voor Percocet uit te schrijven. Nadat hij was vertrokken, belde Darby met de telefoon van het ziekenhuis de strafinrichting Cedar Junction. Ze kreeg directeur Skinner aan de lijn en legde uit waar ze was en wat er was gebeurd. Skinner zei dat hij op elk ogenblik van de dag een afspraak met Ezekiel kon regelen, als hij maar een uurtje van tevoren gewaarschuwd werd. Ze beloofde hem te bellen zo gauw ze het ziekenhuis had verlaten.
De deur ging open. Ze verwachtte Coop te zien, maar het was Artie Pine. Hij schoof een stoel bij haar bed.
'Toen ik je vond was je buiten westen,' zei hij. 'Tegen de tijd dat ik je naar de ambulance had gebracht, was je aan het brabbelen, maar ik mag doodvallen als ik begrijp waar je het over had.'
'Hoe is het met Coop?'
'Wie?'
'Jackson Cooper. Die kerel van het forensisch lab die op David Beckham lijkt. Je stond met hem te praten toen het huis explodeerde.'
'O, die. Die spierbonk. Die heeft een behoorlijke smak gemaakt, maar hij is in orde. De commissaris is hier. Ze is even aan het bellen. Ze wil dat... O, daar is ze al.'
Darby probeerde rechtop te gaan zitten.
'Blijf liggen,' zei Pine. 'Ik zal je bed omhoog doen.'
Aan het voeteneinde van haar bed stond Chadzynski. Ze droeg een van haar zwarte, gedistingeerde mantelpakjes. Darby's blik ging naar de man in een bruin slobberpak. Hij had bloemkooloren en een grote, lelijke neus die te vaak was gebroken. Hij stond geleund tegen de muur bij de deur en staarde haar aan met een humorloze blik. Een man, vermoedde ze, die liever te maken had met cijfers en statistieken dan met mensen.
'Dit is inspecteur Warner,' zei Chadzynski. 'Toen ik hoorde wat er was gebeurd, heb ik hem voor je kamer gezet.'
Warner knikte.
'Rechercheur Pine vertelde me over de explosie,' zei Chadzynski.
'Explosies,' zei Darby. 'Het waren er twee. Eerst het huis en vlak daarna het busje van het lab. Door de manier waarop het huis ontplofte – er waren geen vlammen, het vloog gewoon de lucht in –

dacht ik eerst dat het misschien een gasexplosie kon zijn. Maar toen daarna de Explorer explodeerde, wist ik dat het een bom was... twee bommen.'

Op het gewoonlijk onbewogen gezicht van Chadzynski stond iets van woede af te lezen. Of was het angst?

'Hoeveel?' vroeg Darby.

'Nog te vroeg om te zeggen.'

'Edgar en zijn studenten waren in het huis.'

'Dat weet ik. Ze horen bij de vermisten.'

'En rechercheur Jennings? Hij had de leiding van het onderzoek in Charlestown.'

Chadzynski keek Pine vragend aan.

'Van Jennings weet ik niets,' zei hij. 'Ik liep naar het huis toen ik je partner van het lab tegenkwam. Ik vroeg hem naar de laatste stand van zaken toen het huis ontplofte.'

'Rechercheur Pine?' vroeg Chadzynski. 'Zou u ons een ogenblikje alleen kunnen laten?'

'Zoals u wilt.' Pine keek Darby aan. 'Doc zegt dat je niet alleen naar huis mag rijden.'

'Maar ik woon hier vlakbij.'

'Maar toch.' Hij gaf haar een klopje op haar hand. 'Ik wacht buiten op je.'

'Dank u voor uw genereuze aanbod, rechercheur Pine,' zei Chadzynski. 'Maar voor het vervoer van mevrouw McCormick zal ik wel zorgen. Trouwens, ik weet zeker dat u graag snel naar Belham teruggaat om uzelf wat op te knappen en weer aan het werk te gaan.'

Pine keek alsof een deur in zijn gezicht werd dichtgeslagen. Darby keek hem na terwijl hij naar de deur liep.

44

Darby reikte naar het plastic bekertje met water op het nachtkastje.

Chadzynski vouwde haar handen op haar rug. Warner keek door het smalle raampje in de deur en knikte toen naar de commissaris.

'Inspecteur Warner laat mijn kantoor en dienstauto zo'n twee of drie keer per week op afluisterapparatuur controleren,' zei Chadzynski. 'Daarbij is vanmorgen nog een microfoon in het portier van mijn auto ontdekt.'

'Het zijn behoorlijk slimme dingen,' zei Warner op schorre, grimmige toon. 'Ze worden op afstand geactiveerd om batterijen te sparen en ze hebben een bereik van vijf kilometer.'

'Inspecteur Warner laat een paar mensen die hij vertrouwt mijn kantoor doorzoeken,' zei Chadzynski. 'En als ze daarmee klaar zijn, nemen ze jouw kantoor onder handen en daarna het hele lab.'

Mensen die hij vertrouwt, dacht Darby.

Ze likte haar droge lippen af en keek toen Warner aan. 'Wie bent u?' vroeg ze.

'Meneer Warner is hoofd van de afdeling Anti-Corruptie,' beantwoordde Chadzynski haar vraag.

De agenten die bij Anti-Corruptie werkten, rapporteerden direct aan de commissaris. Alleen Chadzynski kende hun identiteit.

'Het nieuws toont livebeelden van de explosie,' zei Chadzynski. 'Het moet door een of andere tv-camera zijn opgenomen. In elk geval heb ik de commandant van het explosieventeam de beelden laten bekijken en volgens hen zijn de explosies veroorzaakt door een IED.'

Een *improvised explosives device,* dacht Darby. Een handgemaakte bom. Dat leek logisch – twee afzonderlijke explosies, twee afzonderlijke ladingen.

'Weten we al van welk type?'

'Volgens het explosieventeam valt daar pas wat over te zeggen als ze de brokstukken hebben doorzocht. Daar zijn ze op dit moment mee bezig,' zei Chadzynski. 'Wel zijn ze het erover eens dat gezien de aard van de explosies bij het huis en het voertuig, het bij de IED gebruikte type springstof van plastic moet zijn geweest, zoals een C4, of dynamiet.'

'Volgens mij hadden ze geen tijdmechanisme. Ik denk dat iemand het huis in de gaten heeft gehouden en ze tot ontploffing heeft gebracht.'

'Misschien was het wel de mysterieuze man met het bruine busje die je in Belham hebt gezien.'

'Hoe weet u dat?' Darby had haar rapport nog niet ingeleverd – ze had nog niet eens de tijd gehad om het te schrijven.

'Ik heb Jackson Cooper vanmorgen direct in mijn kantoor gesproken,' zei Chadzynski. 'Hij bracht me op de hoogte. Volgens hem was het gebied rond het huis behoorlijk afgegrendeld.'

'Dat klopt.'

'Ook vertelde hij dat de voordeur werd bewaakt door een politieagent. En dat je hem en rechercheur Jennings had gevraagd geen agenten van de FBI in het huis toe te laten.'

Darby knikte, beseffend waar Chadzynski op aanstuurde en waarom inspecteur Warner en zijn Anti-Corruptieteam nu in beeld waren verschenen.

'Volgens mij is het redelijk om aan te nemen dat toen je arriveerde de IED's zich nog niet in het huis of het CSU-busje bevonden,' zei Chadzynski. 'Om het huis binnen te komen, moet iemand zich hebben voorgedaan als agent van de Boston Police, of hij moet echt van de politie zijn geweest.'

'Mee eens,' zei Darby. 'Hebt u daarom Pine gevraagd de kamer te verlaten?'

'Ik heb geen enkele reden hem te verdenken. Het was gewoon een voorzorgsmaatregel, maar ik wil dit onderzoek beperken tot de mensen die ik vertrouw, jou en inspecteur Warner. We hebben inmiddels te maken met een bijkomstig probleem: het slachtoffer dat in de kelder van het voormalig huis van Kevin Reynolds is gevonden, blijkt een FBI-agent te zijn, een zekere Peter Alan, die tijdens de inval op het schip van Frank Sullivan is omgekomen.'

'Jennings zei dat hij dacht dat de man Peter Alan was. Dat weten we pas zeker als we zijn vingerafdrukken vergelijken.'

'De vingerafdrukken zijn vanmorgen binnengekomen. Het is Peter Alan. Dat heb ik van meneer Cooper gehoord.'

'Behalve Frank Sullivan zijn er nog vier FBI-agenten om het leven gekomen: Peter Alan, Jack King, Tony Frissora en Steven White.'

'En als Alan nog in leven is, moeten we volgens mij met de mogelijkheid rekening houden dat de anderen dat ook zijn.'

'Wat de heer Cooper me ook liet weten,' zei Chadzynski, 'was dat de man die je vader heeft vermoord, heeft gevraagd een gesprek met je te mogen hebben. Over de reden waarom was hij nogal vaag.'

'Ik had vanmorgen om tien uur een afspraak met John Ezekiel om over Amy Hallcox te praten. Haar echte naam is Kendra Sheppard. Ze bezocht hem de dag voordat ze werd vermoord.'

'Ja, dat weet ik. Meneer Cooper heeft het me verteld. En wat Ezekiel betreft: ik zal inspecteur Warner met hem laten praten.'

'Ezekiel zei dat hij alleen maar met mij wilde praten.'

'Waarom?'

'Dat weet ik pas als ik met hem praat.'

'Heb je eerder met hem gesproken?'

'Nee,' antwoordde Darby. 'Nooit.'

Chadzynski onthield zich van verder commentaar.

'Meneer Cooper heeft verzocht de CSU te mogen verlaten.'

'Ja,' zei Darby. 'Dat weet ik.'

'Zijn verzoek verraste me nogal, net als jou, veronderstel ik, aangezien ik weet hoezeer je hem waardeert, zowel persoonlijk als beroepsmatig.'

Darby zweeg.

'De reden die hij noemde was tegenstrijdige belangen, maar op de details wilde hij niet verder ingaan,' zei Chadzynski. 'Heb jij misschien een idee?'

'Kendra Sheppard en hij hebben in het verleden iets gehad samen. Ze kwamen allebei uit Charlestown.'

'De heer Cooper heeft nagelaten me dat feit te vertellen.'

'Hij moet het zijn vergeten.'

'Aan je stem te horen, geloof je dat zelf ook niet.'

Dat klopte. 'Commissaris, ik zou graag willen dat u een paar man op Michelle Baxter liet zetten.'

'Wie?'

'Ze woont in Charlestown, in een flatgebouw in de straat recht tegenover het huis van Reynolds. Ze is de vrouw die stond te praten met de bestuurder van de bruine bestelbus die ik gisteren in Belham heb gezien, de Mystery Man, zoals u hem noemt.'

'Dit is voor het eerst dat ik van deze vrouw hoor.'

Coop had het haar niet verteld.

'Houdt de heer Cooper bewust informatie achter die voor deze zaak van belang is?'

'Hij heeft Kendra Sheppard geïdentificeerd,' zei Darby. 'Hij...'

'Beantwoord mijn vraag, alsjeblieft.'

Darby nam een slok water. Coop wíst iets. Dat voelde ze gewoon. Wettelijk gesproken was hij niet verplicht iets te zeggen, maar als Chadzynski ontdekte dat hij belangrijke informatie achterhield, dan kon hij zijn carrière in Boston wel vaarwel zeggen. Er zou een disciplinaire hoorzitting plaatsvinden, waarna hij gezien zijn vlekkeloze staat van dienst waarschijnlijk niet zou worden ontslagen, maar zou worden verzocht zijn ontslag in te dienen. Als hij geluk had.

Maar als er door Coops welbewust zwijgen iemand dood of gewond was, dan zou hij, nog afgezien van mogelijke rechtsvervolging, nooit meer opsporingsonderzoek mogen doen.

'Darby?'

'Ja, volgens mij houdt hij iets achter.'

'Dan stel ik voor dat je met hem praat. Vandaag nog.'

'Dat zal ik doen. Nadat ik met Ezekiel heb gesproken.'

'Voel je je wel goed genoeg om naar de gevangenis te gaan?'

Darby knikte.

'Inspecteur Warner rijdt je erheen,' zei Chadzynski. 'Ik zou graag willen dat hij jouw auto neemt. Dan kan hij die controleren op afluisterapparatuur, terwijl jij in de gevangenis bent.'

Darby beschreef haar auto en vertelde Warner over de garage verderop in de straat. Ze vond de sleutels op haar nachtkastje en gaf ze aan hem.

Chadzynski liep naar de deur en voordat ze opendeed, draaide ze zich om.

'Misschien zou je de heer Cooper eraan kunnen herinneren wat hij op het spel zet,' zei ze, terwijl ze Darby doordringend aankeek. 'Ik hoop, in zijn belang, dat hij niet welbewust essentiële informatie achterhoudt.'

Ik ook, dacht Darby, en ze pakte haar telefoon.

45

Jamie zat in een tuinstoel in een stralende ochtendzon en viste een sigaret uit een pakje Marlboro dat ze op de terugweg naar Belham had gekocht. Ze was op haar achttiende begonnen met roken, maar was gestopt toen zij en Dan hadden besloten dat ze aan kinderen toe waren.

Halverwege haar tweede sigaret besefte ze hoe erg ze het roken had gemist, hoe de nicotine haar hoofd helder maakte en haar zenuwen kalmeerde.

De kinderen waren buiten bij haar. Michael lag in een hangmat, die was opgehangen in de schaduw tussen twee iepen. Op zijn buik lag een opengeslagen boek. Hij hield het met één hand vast. In zijn andere hand, bungelend over de rand van de hangmat, hield hij losjes een zoemend, rood laserzwaard. Carter, in een bruine Jedi-cape, rende over het gras dat nodig gemaaid moest worden, en maakte met de capuchon over zijn hoofd afwisselend onbeholpen radslagen en dwaze sprongen. Hij liet zijn laserzwaard vallen, strekte zijn vingers uit naar zijn oudere broer en bewoog ze met bezwerende gebaren.

'Je let niet op,' riep Carter.

'Wat dan?' Michael draaide zich naar hem toe.

'Ik gebruik de Kracht op je.'

'Welke Kracht?'

'Bliksem. Ik laat het bliksemen uit mijn vingers.'

'Cart, die Kracht kun je niet gebruiken.'

'Welles.'

'Niet waar, dombo, dat kun je niet. Hoe vaak moet ik je nu nog zeggen dat alleen de Dark Side de Bliksemkracht kan gebruiken? Je bent Luke Skywalker, weet je nog. Hij hoort bij de goeien. Die kunnen dat niet gebruiken.'

'Ik ben een speciale Jedi Master. Wij kennen alle geheimen,' zei Carter, die fanatiek zijn vingers bewoog en knetterende bliksemgeluiden maakte, waarbij het spuug in het rond vloog.

'Jij je zin,' zei Michael, die zijn aandacht weer op zijn boek richtte. 'Ik weer het af met mijn laserzwaard, net als Mace Windu in Deel Drie.'

Jamie keek glimlachend toe. Ondanks het heftige conflict dat ze gisteren met Michael had gehad, was ze blij haar beide jongens om zich heen te hebben. De confrontatie met Kevin Reynolds deze morgen had haar angst aangejaagd. Voordat ze naar de achtertuin was gekomen, had ze Bens telefoontje gecontroleerd. Reynolds had niet gebeld of een sms gestuurd.

Ze was er vrijwel zeker van dat Reynolds haar niet had herkend. Akkoord, hij had weliswaar vlak voor haar auto gestaan en haar door de voorruit aangestaard, maar ze had een zonnebril gedragen en de klep van haar baseballpet diep over haar voorhoofd getrokken. Voeg daarbij het feit dat het buiten nog schemerdonker was, dan was gewoon uitgesloten dat hij haar kon hebben herkend.

Onderweg naar huis had ze zich even in paniek afgevraagd of Reynolds misschien haar nummerplaat had opgenomen. Had hij het park verlaten om door een van zijn makkers het kenteken te laten natrekken? Maar haar paniek was snel verdwenen toen ze zich herinnerde dat er geen nummerplaat op de voorkant van de auto zat. De plastic houder was een paar maanden geleden gebroken en ze had de plaat achterin gelegd voor het geval de politie haar zou aanhouden.

Misschien heeft hij je auto herkend.

Uitgesloten. Toen Ben en zijn maten vijf jaar geleden haar huis waren binnengedrongen, had in de garage een gloednieuwe, donkerblauwe Honda Pilot gestaan. Kort na Dans dood had ze, vanwege de hoge termijnbetalingen, de Pilot ingeruild voor een tweedehands minivan.

Toch was Reynolds weggegaan. *Iets* had hem argwanend gemaakt.

Een gevoel van teleurstelling maakte zich van haar meester. *Zo dichtbij,* dacht ze. *Hij was zo verdomd dichtbij... Ik had moeten uitstappen en hem neer moeten schieten.*

Hield Reynolds zich hier nog ergens op? Hier in de buurt van Charlestown? Of had hij de staat verlaten?

Je zult hem niet vinden, Jamie. Het wordt tijd om je boeltje te pakken en te vertrekken.

Nee. Ze ging niet weg. Niet *nu.* De afgelopen vijf jaar had ze geleefd met de allesoverheersende angst dat de mannen die Dan hadden vermoord en de man die ze alleen kende als Ben op een dag naar het huis zouden terugkomen om alsnog het karwei af te maken. Als door een mirakel had ze Ben gevonden en nu was Ben dood. En nu wist ze dat Kevin Reynolds de tweede man was. Ze *moest* hem vinden. Ze mocht nu niet stoppen. Niet nu ze zo dichtbij was.

Ben je opeens het gedeelte vergeten dat hij wegscheurde uit het park? Hij is weg, Jamie. Je kunt niet meer dicht bij hem komen. Je hebt hem naar je toe gelokt door je voor te doen als Ben Masters. Een goed plan, echt waar, maar het heeft niet gewerkt. Dus pak in wat je nodig hebt, neem de kinderen mee en vertrek.

Er stonden slechts *drie* namen in het telefoonboek van Bens mobieltje: Pontius, oftewel Kevin Reynolds, Alan, en iemand met de naam Judas. Waarom zo weinig namen? Misschien was het telefoontje pas nieuw en had hij nog geen tijd gehad om meerdere namen in te voeren. Of misschien gebruikte hij het alleen bij dringende zaken, om zo de nummers die hij nodig had bij de hand te hebben. Haar gedachten gingen terug naar de kelder van Mary Reynolds, toen ze Kevin Reynolds iets had horen zeggen over het feit dat Ben mobiele telefoons wantrouwde.

Jamie dacht na over Judas. Bij zijn naam stonden drie telefoonnummers. Bel ze op – niet met Bens toestel, maar met een publieke telefoon.

Geloof je nu écht dat Reynolds geen contact met die Judas heeft opgenomen? Na alles wat er deze morgen in het park is gebeurd?

Je weet niet of Reynolds en Judas elkaar kennen.

Dat klopt. Dat weet ik niet. En jij ook niet. Voor hetzelfde geld heeft Reynolds je wel herkend en praat hij nu met Judas.

Daarom moet ik erachter zien te komen wie hij is. Ik moet...

Wat jij moet doen, Jamie, is allereerst je kinderen in veiligheid brengen. Of wil je opnieuw doormaken wat er in de dodenkamer is gebeurd?

Beelden drongen zich aan haar op. Ze probeerde ze te negeren, maar opeens was ze bezig haar handen van het plakband te bevrijden – als door een wonder was ze niet dood of bewusteloos. Ze zag hoe ze het plakband van een enkel rukte en opstond. Voor haar andere enkel was geen tijd. Carter en Michael zaten vastgebonden op een stoel, huilend, hevig bloedend. Ze hadden een ambulance nodig, anders gingen ze dood. De stoel achter zich aan slepend, rende ze over de overloop, de trap af, naar de keuken, waar ze Dan zag, vooroverhangend in de gootsteen. Uit zijn hand, of wat er van over was – een bloederige stomp van vermalen spieren, stukken gescheurde huid en botsplinters – druppelde bloed op de vloer, dat een steeds groter wordende plas vormde. Zijn hoofd, opzij gedraaid liggend in de met bloed bespatte gootsteen, had een donkerrode kleur van de om zijn nek aangesnoerde lus, waarvan het andere eind in de afvalvernietiger was gevoerd. Ze pakte een mes uit het messenblok, sneed haar andere enkel van de stoel los en greep de telefoon toen bloed haar keel verstikte. Ineenkrimpend en wankelend op haar benen, hoorde ze hoe de telefonist van 911 maar bleef herhalen: 'Wat zegt u, ik kan u niet verstaan?' Ze zag zichzelf in de kamer staan, in een dikke mist van kruitdamp. Carter bewoog zich niet en hij was zo klein, te klein om zoveel bloed te kunnen verliezen. O, lieve God. Ze zakte op haar knieën en sneed zijn boeien los terwijl Michael haar snikkend en bloed ophoestend aankeek en zei dat hij bang was. 'Hou vol, lieverd, hou vol, er is hulp onderweg,' riep ze, daarna beseffend dat ze het tegen Carter had, niet tegen Michael. Ze gaf haar baby mond-op-mondbeademing en steeds als ze hem adem inblies zag ze zijn kleine borstje rijzen. Naast hem liggend op de vloer, gilde ze in de telefoon naar de telefonist dat hij zich moest haasten. 'Schiet op, in godsnaam, alsjeblieft.' Carters ogen gingen open. Hij hoestte bloed op, maar hij ademde. Zijn ogen werden groot van angst en ze vulden zich met tranen en terwijl hij nog meer bloed ophoestte, begon hij te huilen. 'Mama? Mama?'

Jamie stond met een schok op. Haar sigaret viel uit haar handen en ze struikelde bijna over de tuinstoel.

'M-M-Michael. Kom... eh... hier.'

Michael kwam dansend op blote voeten over het opgeschoten gras naar haar toe terwijl Carter zich verder bekwaamde met het laserzwaard.

Michael kwam voor haar staan en sloeg zijn armen over elkaar. 'Wat heb ik nu weer fout gedaan?' vroeg hij.

'Wat... eh... dacht je... eh ... ervan... eh... om te... eh... verhuizen?'

'Bedoel je weg uit dit huis?'

Ze knikte.

'Waarheen?'

'Waar... eh... zou je... eh... heen willen?'

Er leefde iets in hem op. Ze zag het in zijn ogen en de manier waarop hij zich ontspande.

Michael liet zich op de rand van de tuinstoel zakken en staarde haar verbijsterd aan, alsof hij gewoon niet kon geloven dat nu eindelijk eens met zijn mening en verlangens rekening werd gehouden.

'Meen je dat écht?'

Ze knikte.

'Ik heb altijd graag ergens willen wonen waar het warm is,' zei Michael na een poosje. 'Pa vertelde me eens dat jullie ooit in San Diego zijn geweest.'

Ze glimlachte bij de herinnering aan hun vakantie van twee weken toen ze begin twintig waren. Lome, landerige middagen op Solano Beach en lange wandelingen door Del Mar en Coronado. Zon en strand en vrijen in de hotelkamer, hun lichamen warm en gebruind en ruikend naar zonnebrandcrème.

'Pa zei dat jullie er bijna waren gaan wonen.'

Opnieuw knikte ze. Ze hadden erover gesproken, maar hun hart lag in New England.

'Laten we... eh... inpakken en eh... wegwezen.'

'Wanneer?'

'Van... eh... vandaag.'

Hij keek haar verbluft aan, maar in zijn ogen was ook iets van ongerustheid te lezen. 'Vanwaar die haast?' vroeg hij.

'Geen... eh... haast.... Heb... eh... nagedacht over... eh... wat je zei. Niet... eh... gelukkig hier... Geen reden... eh... om langer... te blijven...'

'En het huis dan?'

'Makelaar,' antwoordde ze. Het kon even duren voor het zou worden verkocht, zeker in deze beroerde economische situatie, maar totdat ze werk vond, zouden ze het even kunnen uitzingen van het spaargeld.

Ze boog zich in haar stoel naar hem toe en nam glimlachend zijn hand in de hare. 'Nieuwe... start. Je... eh... verdient het.'

'Denk je dat Carter het zou willen?'

'Ik denk... eh... dat hij... eh... met jou... eh... overal gelukkig is.'

'Oké.'

'Ben je... eh... blij?'

'Dat ben ik. Het komt alleen zo, eh... plotseling, weet je? En waarom rook je?'

'Slechte... eh... gewoonte.'

'Zou je niet moeten doen. Ze noemen het niet voor niets kankerstokjes.'

'Kun je... eh... helpen... eh... inpakken?'

'Natuurlijk, geen probleem. Waarom is je haar zo kort? Je lijkt wel een vent.'

'Het is... eh... zo warm... eh... dat ik het... eh... korter wilde.'

'Zo zie je je littekens.'
'We... eh... moeten... eh... dozen hebben.'
'Je laat je zeker nog een keer opereren, of niet? Daarom heb je je hoofd vrijwel kaalgeschoren.' Hij leek zo bang, zo kwetsbaar.
Ze nam zijn hoofd tussen haar handen. 'Nee... eh... geen operatie.'
'Lieg je niet tegen me?'
Ze drukte een kus op zijn hoofd. 'Ik hou van je,' zei ze.
'Ik ook van jou.'
Terwijl Jamie het huis binnenging, doemde het beeld van Kevin Reynolds bij haar op, wachtend, ergens dichtbij. Ze pakte gejaagd haar autosleutels.

46

In de strafinrichting Cedar Junction in Walpole, een van de strengst beveiligde mannengevangenissen van de staat, golden strikte kledingvoorschriften voor vrouwelijke bezoekers. Tank- en haltertopjes waren niet toegestaan. Evenals mouwloze bloesjes, doorkijkblouses, joggingpakken en fitnesskleding of nauwsluitende stretchkleren. Broeken mochten geen scheuren of gaten hebben. Ook mochten ze geen open zakken hebben, zoals cargobroeken. Korte broeken en rokken, korter dan tien centimeter boven de knie, werden als te uitdagend beschouwd. Hetzelfde gold voor alle kleding die de rug of het middenrif van de vrouw vrijliet.

Darby legde haar koppelriem, sleutels, portefeuille, badge en telefoontje in een plastic schaal. Na haar pistool te hebben gecontroleerd, stak ze haar handen omhoog, waarna een bewaker, een zwaargebouwde zwarte vrouw, haar lichaam aftastte met een metaaldetector.

Naast een metalen deur stond een jonge, mannelijke bewaker. Darby schatte hem begin dertig. Hij droeg een overhemd met korte mouwen. Hij staarde naar de snijwonden en de talrijke hechtingen aan de rechterkant van haar gezwollen gezicht. Inspecteur Warner had haar naar haar appartement gereden en in de auto gewacht terwijl ze naar boven was gegaan om een douche te nemen. Ze had vlug iets uit haar kast gepakt en zich haastig aangekleed. Toen ze besefte dat ze een ceintuur was vergeten, had ze haar canvas koppelriem uit haar ladekast gepakt. Om niet nog meer tijd te verspillen, had ze besloten haar gezicht niet opnieuw te verbinden.

'Draagt u een beugelbeha?' vroeg de vrouwelijke bewaker.

'Nee,' antwoordde Darby. 'En tot uw geruststelling kan ik zeggen dat ik er vanmorgen aan heb gedacht om niet mijn kruisloze slipje aan te trekken.'

De vrouw grinnikte zacht. De mannelijke bewaker vertrok geen spier, kennelijk vastbesloten zijn pose 'geen geintjes of je zult het bezuren' te handhaven. De manier waarop zijn bicepsen zich spanden onder zijn gebruinde huid deed haar aan Coop denken. Ze had onderweg vanuit de auto geprobeerd hem via zijn mobieltje en zijn telefoon op het lab te bellen, maar ze had alleen zijn voicemail gekregen.

'Heel goed,' zei de vrouw, en ze legde de detector weer op de tafel. 'Blij te kunnen constateren dat u de tijd hebt genomen de kledingvoorschriften te lezen, iets wat bijna niemand doet. De vrouwelijke bezoekers zijn het ergste. Die komen hier zomaar binnenparaderen in hotpants of in een minirok zonder ondergoed en dan worden ze nog giftig ook als we tegen ze zeggen: sorry, eh, "mevrouw", zo mag u hier niet binnen, zo met uw hele hebben en houwen op een presenteerblaadje. U moet iets fatsoenlijkers aantrekken.'

De vrouw trok een paar latex handschoenen aan. 'Nog een keer uw handen omhoog, graag, doctor McCormick. Ik moet uw zakken doorzoeken.'

Darby wilde het gesprek gaande houden. Het leidde haar even af van de gedachten die door haar bonkende hoofd tolden – god, wat deed het pijn. 'Het leukste vond ik dat over badkleding,' zei ze.

'Dat hebben we eraan moeten toevoegen. Het zal zo'n drie jaar geleden zijn. Wat denkt u? Een vrouw, die in een striptent werkte, besloot om direct na haar optreden haar vriend een bezoekje te brengen. Ze kwam hier binnenhuppelen op torenhoge naaldhakken, terwijl haar borsten bijna uit haar bikini floepten. Ik zou u verhalen kunnen vertellen... Nou, alles in orde, doctor McCormick. Zodra u weer terugkomt, liggen uw wapen en uw andere spullen hier bij mij achter deze balie op u te wachten.'

'Dank u.' Darby pakte de bekraste, leren schrijfmap die boven op de röntgenscanner lag. 'Kan ik die meenemen? Misschien moet ik notities maken.'

'Laat me even kijken.'

De vrouw bladerde door de computergegevens van John Ezekiel die Darby van de directeur had gekregen. Vervolgens inspecteerde ze de insteekvakken en opbergvakjes en trok de dop van Darby's balpen; een zwarte plastic Pilot, met een metalen punt.

'Hebt u nog andere pennen bij u?'

'Alleen deze.'

'Oké, u mag hem meenemen. Maar zorg er wel voor dat u ermee terugkomt. Ik heb weinig zin om die man daarbinnen te moeten fouilleren en vanwege die notities de pineut te zijn, begrijpt u wel?'

Darby knikte, haar ogen gericht op een kleurenmonitor waarop een kleine, spierwit betegelde spreekkamer was te zien. In het midden stonden een grijsmetalen tafel en twee stoelen. Een ervan was met bouten aan de vloer geschroefd.

'We kijken mee, maar we kunnen niets horen,' zei de vrouw. 'Wanneer ze Ezekiel binnenbrengen, wordt hij vastgeketend aan de stoel die aan de vloer vastgeschroefd is, dus u hoeft zich nergens zorgen om te maken... tenzij hij opeens verandert in de Ongelooflijke Hulk.' Ze lachte om haar eigen grapje. 'Wanneer uw gesprek met hem is afgelopen, zwaai dan naar de camera of bons op de deur. Billy Biceps daar laat u in en uit.'

De vrouw pakte haar borstmicrofoon. 'Patrick, we zijn zover. Hij mag binnenkomen.'

De jonge bewaker liep naar de stalen deur.

Darby staarde naar de voortkruipende secondewijzer op de wandklok.

Bijna twee minuten later klonk een zoemtoon. Sloten klikten open.

De mannelijke bewaker opende de deur. Darby voelde haar hart in haar keel kloppen, hetzelfde gevoel had ze gehad toen ze voor het eerst tijdens een SWAT-oefening uit een helikopter was abgeseild. Beheerst liep ze langs de bewaker de spreekkamer binnen.

John Ezekiel leek in geen enkel opzicht meer op de politiefoto die ze zich herinnerde. Zijn dikke, blonde haar had de vreemde, gelige kleur die ze bij zware rokers had gezien. Zijn spieren waren geslonken en onder het zoemende, witte tl-licht aan het plafond leek zijn bleke huid bijna doorschijnend.

'Goedemorgen, doctor McCormick.'

Ze had zich een zwaardere stem voorgesteld. Ezekiels heldere, vriendelijke stem deed haar denken aan een opgewekte receptionist in een hotel.

Het zoemsignaal klonk opnieuw en de elektronische sloten gingen met een dreun dicht. Darby voelde het geluid in haar borstkas resoneren.

'Hoe weet u dat ik doctor ben?' vroeg ze, terwijl ze dichter naar de tafel toe liep.

'Sinds ik over u in de kranten heb gelezen, ben ik u blijven volgen,' antwoordde hij. 'U staat vaak in de krant. En bent ook op de televisie. U werkt als speciaal onderzoeker bij de CSU in Boston en u bent gespecialiseerd in forensisch onderzoek en afwijkend gedrag van criminelen. Mensen als ik, dus.'

Darby schoof een stoel naar achter en ging zitten. Ezekiel staarde haar vanaf de andere kant van de tafel aan. Zijn ogen waren zo dof en levenloos als van een marmeren borstbeeld.

Dat moet door de medicijnen komen, dacht Darby. Ezekiel leed aan een schizoaffectieve stoornis, de depressieve variant, het moeilijkst te behandelen. Volgens zijn gegevens werd hij momenteel behandeld met een combinatie van Clozaril, een antipsychoticum en lithium als stemmingsstabilisator.

'Ik heb begrepen dat u met me wilde praten over Amy Hallcox.'

'Kendra Sheppard, bedoelt u,' zei hij.

'Wie is dat?'

'U weet heel goed wie dat is.' Ezekiel boog zich met rammelende kettingen voorover in zijn stoel. 'Liegen is geen goede manier om vertrouwen op te bouwen,' zei hij, waarbij hij haar strak aankeek. 'Als ik u niet vertrouw, dan kan ik de waarheid niet vertellen, begrijpt u?'

'Ik begrijp het.'

'Lieg dan niet meer tegen me. Als u dat weer doet, is dit gesprek afgelopen.'

'Begrepen. Waarom wilde u me spreken over Kendra Sheppard?'

'Hebt u dit vertrek gecontroleerd op afluisterapparatuur?'

'Nee.'

Hij leek verbaasd. 'Waarom niet?'

'Omdat het in de gevangenis niet is toegestaan ons gesprek af te luisteren.'

'Ze observeren ons met camera's.'

'Dat klopt, maar er is me verzekerd dat niemand meeluistert.'

'Verzekerd door wie? Door de bewakers buiten voor de deur?'

'Ik heb geen apparatuur om deze ruimte op microfoons te controleren, meneer Ezekiel. Wat stelt u voor?'

'Kom naast me zitten, dan fluister ik in uw oor.'

'Geen denken aan.'

'Ik doe u geen kwaad, als u dat soms denkt. Dat zou ik niet eens kunnen. Kijk maar.' Hij deed een poging zijn geboeide polsen op te tillen, wat natuurlijk niet lukte. Ze wist dat ze vastzaten aan de ketting om zijn middel, die weer was vastgeketend aan de stoel.

'Het is voor uw eigen veiligheid,' zei hij. 'En die van mij.'

'Kan zijn, maar de gevangenis zou het niet toestaan.'

'Vraag het ze, alstublieft.'

'Dan kan ik niet met u praten. Het spijt me.' Darby stond op. 'Het beste, meneer Ezekiel.'

'Wees voorzichtig daarbuiten.'
Ze bonsde op de deur.
'En beloof me dat u bij de FBI uit de buurt blijft,' zei Ezekiel. 'Ik vertrouw die klootzakken niet.'

47

Darby ging de aangrenzende ruimte binnen. Staande onder het kille licht van de tl-buizen, overwoog ze of ze zou meegaan met de waandenkbeelden van de schizofrene man.

Ezekiel kende Amy Hallcox' echte naam. Kendra was hem komen opzoeken, ze hadden met elkaar gepraat en nu was ze dood. En haar zoon had geprobeerd zichzelf te doden nadat een man die zich als FBI-agent voordeed zijn kamer in het ziekenhuis was binnengekomen en gedreigd had de jongen mee te nemen en 'onder toezicht' te plaatsen. En deze man was ook inderdaad een FBI-agent, een zekere Peter Alan, die geacht werd twintig jaar geleden te zijn gestorven en die nu in het mortuarium bleek te liggen.

Beide bewakers staarden haar verbaasd aan. Toen ze hen over Ezekiels verzoek vertelde, schudde Billy Biceps zijn hoofd.

'Uitgesloten,' zei de vrouwelijke bewaker. 'Dat kunnen we onmogelijk toestaan. Die man is een berucht bijter. Hij zet zijn tanden in uw oor en scheurt het compleet van uw hoofd.'

'Heeft hij dat eerder gedaan?' vroeg Darby.

'Al twee keer. De laatste keer probeerde hij het oor zelfs door te slikken. Hij lukte hem niet, maar hij had het zo verminkt dat de chirurg het niet meer kon aanzetten. Wilt u soms met maar één oor rondlopen?'

'Misschien compenseert het de littekens op mijn gezicht.'

'Ik dacht dat doctors slimmer waren.'

'Ik zal met directeur Skinner praten,' zei Darby. 'Waar is uw telefoon?'

Skinner wilde er niet van horen. Maar Darby bleef aandringen en argumenten voor haar verzoek aanvoeren, terwijl ze op de monitor zag hoe Ezekiel pogingen ondernam om onder de tafel naar afluisterapparatuur te zoeken.

Ze dacht na over wat Skinner haar had verteld over hoe Ezekiel een van de verplegers had 'geglast', toen Skinner zei: 'Oké, vooruit dan maar, doe het dan maar op uw manier. Maar als Ezekiel u ernstig verwondt, dan is de gevangenis daarvoor niet aansprakelijk.'

'Dat begrijp ik.'

'Dat is niet genoeg. Ik wil het u horen zeggen.'

'Ik aanvaard alle verantwoordelijkheid.'

Ze was weer terug in de spreekkamer. Nadat de deuren waren vergrendeld, pakte ze haar stoel en zette die aan de andere kant van de tafel naast de stoel van Ezekiel. Daarna draaide ze hem met de rugleuning naar de tafel, zodat ze bewegingsruimte zou hebben voor het geval hij iets zou ondernemen.

'Nog iets dichterbij,' zei hij.

Ze schoof de stoel met haar voet dichter naast die van hem.

'Dank u.' Zijn glimlach ontblootte zijn scheefstaande, gele tanden. 'U bent een erg moedige vrouw, doctor McCormick. En zelfverzekerd. U hebt uw emoties onder controle. Ik weet zeker dat u me met uw blote handen in mootjes zou hakken als dat nodig mocht zijn.'

'Inderdaad. Daar kunt u op rekenen.'

'Ik waardeer uw eerlijkheid. Gaat u zitten.'

Ze rook de stank van zijn met sigarettenrook doortrokken oranje overall en de chemische lucht van de shampoo die in de gevangenis werd gebruikt om de gevangenen te ontluizen. Op zijn vingers zaten bruine nicotinevlekken en zijn nagels waren dof en bruin – dezelfde vingers die het pistool hadden vastgehouden waarmee haar vader was doodgeschoten. Zijn ogen waren niet langer dof en levenloos, maar straalden helder en levendig van voldoening.

'U ruikt heerlijk,' zei hij.

'Dat kan ik van u niet zeggen.'

Hij grinnikte zacht. 'Wat is er met uw mooie gezicht gebeurd?'

'Een ongeluk,' antwoordde ze.

'Ongelofelijk hoeveel u op hem lijkt, uw vader, bedoel ik. Tommy had hetzelfde donkerrode haar en diezelfde doordringende, groene ogen. Grappig hoe genen werken, vindt u niet?'

'Hebt u mijn vader gekend?'

'Heel goed. Ik bewonderde hem erg. Mag ik dichterbij komen?'

Darby knikte. De kettingen rammelden toen Ezekiel zich bewoog. Ze voelde zijn bakkebaard langs haar wang strijken.

Zijn mond was vlak bij haar oor en ze hoorde het moeizame piepen van zijn longen. Zijn zurige adem stonk als een klamme windvlaag in een tunnelbuis van de metro.

'Kendra bracht me in contact met uw vader,' fluisterde hij. 'Ik heb gehoord wat er met haar zoon is gebeurd. Trouwens, hoe is het met hem?'

Ze bracht haar mond naar zijn oor. 'Hij is hersendood,' fluisterde ze. 'Wie is de vader?'

'Kendra zei dat een of andere vent haar zwanger had gemaakt en dat ze had besloten de baby te houden. Ze wilde me de naam van de vader niet vertellen. Heeft iemand, voordat de jongen schoot, nog de kans gehad om met hem te praten?'

'Ja, ik. Heel kort. Hij vroeg of hij mijn vader kon spreken. Hij wist niet dat hij dood was.'

'Kendra ook niet. Ze hoorde het pas toen ze in Belham kwam.'

'Dat kan ik me niet voorstellen.'

'Kendra had Charlestown al verlaten voordat uw vader werd vermoord. Ik had geen flauw idee waar ze kon zijn – wat precies de bedoeling was – en ik heb ook nooit geprobeerd om haar te vinden. Ik wilde haar niet in gevaar brengen. Niemand heeft verder ooit nog iets van haar gehoord. Ik heb het haar oude vrienden gevraagd. Daarom heeft Kendra het zo lang weten te overleven. Ze belde niemand thuis, uit angst dat iemands telefoon werd afgetapt en dat ze haar zo zouden vinden. En toen was er nog geen internet.'

'Hoe is ze het te weten gekomen?'

'Ze kwam naar Belham, ging naar het huis waar je hebt gewoond en sprak met de nieuwe eigenaars. Die kwamen zelf uit Belham en ze kenden je familie. Trouwens, het speet me te horen dat uw moeder was overleden.'

Ezekiels stem klonk overdreven aangedaan, alsof hij haar persoonlijk had gekend.

'Nadat Kendra het hoorde van uw vader, heeft ze na wat rondvragen mijn nieuwe verblijfadres gevonden en een bezoek geregeld,' fluisterde hij. 'U begrijpt dat ze behoorlijk van streek was en dat ze wilde weten wat er gebeurd was. Ze was erg op uw vader gesteld. Big Red was een bijzondere man. Zo zijn er maar weinig. Ik betreur nog elke dag wat hem is overkomen.'

Darby slikte. Haar hand balde zich tot een vuist. Ze staarde naar zijn magere nek en hoopte bijna dat hij zou proberen iets tegen haar te ondernemen. Ze zou zijn nek breken voordat de bewakers binnen waren. *Ik zal hem niet doden. Ik breek zijn nek op een manier waardoor hij totaal verlamd zal raken en de rest van zijn dagen met luiers en vloeibare voeding zal moeten slijten.*

'Ik weet wat u denkt,' fluisterde hij.

'En dat is, meneer Ezekiel?'

'U vraagt zich af waarom Kendra helemaal uit Vermont moest komen als ze gewoon in een telefooncel het politiebureau in Belham had kunnen bellen en naar uw vader had kunnen vragen. Dan zou iemand haar hebben verteld wat er gebeurd was.'

'En waarom deed ze dat niet?'

'Omdat bij politiebureaus tegenwoordig alles wordt geregistreerd, elk telefoongesprek, beveiligingscamera's nemen je op vanaf het moment dat je binnenkomt. Ze durfde het risico niet te nemen dat iemand haar zou herkennen. Kendra vertrouwde de politie niet, maar uw vader vertrouwde ze wel. Het laatste wat hij haar zei voordat ze vertrok, was dat ze in geval van problemen nooit het politiebureau moest bellen of erheen gaan. De telefoonlijnen werden afgeluisterd en hij had ontdekt dat iemand microfoons in zijn kantoor had laten plaatsen. Big Red zei dat ze dan naar zijn huis moest gaan en dat is wat ze deed.'

'Waarom was Kendra op zoek naar mijn vader?'

'Wat weet u van Francis Sullivan, de baas van de Ierse maffia?'

Weer die naam, dacht Darby. 'Ik weet dat hij dood is.'

'Ik heb meneer Sullivan gekend. "Meneer", zo noemde je hem, zelfs als je voor hem werkte. Tot mijn schande moet ik bekennen dat ik de oude handel weer oppakte waardoor ik de eerste keer in de gevangenis belandde: het verkopen van drugs. Ik had een heel netwerk van klanten. Meneer Sullivan wilde daar gebruik van maken en ik had geld nodig. Wat weet u van Kendra?'

'Ik weet dat ze werd gearresteerd wegens prostitutie.'

'Kendra had een drugsprobleem. Cocaïne. Ze had al een tijdje getippeld toen meneer Sullivan haar meenam naar die hotelfeestjes, waar ze haar diensten bewees aan een aantal mannen, waaronder agenten.'

Michelle Baxter had haar hetzelfde verteld.

'Meneer Sullivan,' fluisterde Ezekiel, 'hield van ruige seks.'

Darby herinnerde zich dat Baxter had verteld dat Sullivan haar een pistool tegen het hoofd had gehouden.

'Kendra had er geen problemen mee, dus mocht ze blijven. Hoewel hij iets had met jonge meisjes, was dat niet waar hij echt op kickte. Ik geloofde de verhalen pas toen ik onverwacht bij hem binnenliep... Hij was met een jong meisje. Ik kende haar naam niet, want ze kwam niet uit de buurt, maar ik kon zien dat ze nog heel erg jong was. Ik zag pas later... dat ze een beugel had. Het arme kind zat op haar handen en knieën op het bed. Meneer Sullivan zat achter haar en ragde er lustig op los terwijl hij haar hoofd aan haar haren achterovertrok om haar keel te kunnen doorsnijden.'

In gedachten zag Darby Kendra Sheppard voor zich, vastgebonden aan de keukenstoel, haar hals bijna doorgesneden.

'Ik wilde hem tegenhouden, maar het meisje had al te veel bloed verloren,' fluisterde hij. 'Meneer Sullivan zag me... ik stond als versteend in de deuropening. Hij zat onder het bloed, alsof hij erin had gebaad. Hij stond op het bed, doodkalm, echt waar, ik verzin het niet. Hij kwam niet op me af. In plaats daarvan wees hij met het opengeklapte scheermes naar het arme jonge kind, dat in haar doodsangst tegen de muren op vloog en bijna stikte in haar eigen bloed, en zei: "Vooruit Zeke, jouw beurt. Er zit nog voldoende leven in haar." Op dat moment wist ik niet hoe snel ik moest wegkomen.'

Darby schraapte haar dichtgeknepen keel. 'Waar is dit gebeurd?'

'In het huis van Kevin Reynolds in Charlestown. Hij woonde daar met Mary Jane, zijn moeder. Boven aan de trap rechts is een slaapkamer. Daar nam meneer Sullivan al zijn... slachtoffers mee naartoe. Kendra trof hem daar soms als hij een middagdutje deed. Ze vertelde me eens dat je daar, zelfs in de winter, het bloed kon ruiken. Die lucht ging nooit weg, zei ze, hoe vaak je de vloerbedekking ook schoonmaakte of verving.'

'Wat deed u nadat u dat had gezien?'

'Ik heb me een paar dagen schuilgehouden. Ik wist dat meneer Sullivan me zocht... ik was een getuige, een risico. Ik ging naar Kendra. Haar kon ik vertrouwen. Nadat ik haar had verteld wat ik had gezien, bracht ze me in contact met uw vader.'

'Waarom?'

'Toen u in het ziekenhuis sprak met Kendra's zoon, vertrouwde hij u toen?'

'Hij vertelde me dat zijn echte naam Sean was.'

'Wat nog meer?'

'Dat hij wist waarom zijn grootouders waren vermoord. We kregen niet de kans om er verder over te praten.'

'Waarom niet?'

'We werden gestoord.'

'Door de FBI?'

Haar adem stokte. Deze informatie was niet door de media vermeld.

'Luister goed naar me,' zei Ezekiel. 'De mannen die Kendra Sheppard hebben vermoord, waren ooit FBI-agenten van het kantoor in Boston. Hun opdracht was het ontmantelen van de Ierse en Italiaanse maffia. Maar hun belangrijkste taak was meneer Sullivan beschermen.'

Darby herinnerde zich wat Jennings haar had verteld over Sullivans speciale status. 'Was hij een informant?'

'Meneer Sullivan was veel waardevoller dan dat.' Ezekiel slikte, zijn ademhaling ging gejaagd. 'Hij was een federaal agent. De FBI had een federaal agent aan het hoofd van de Ierse maffia gezet. Sullivans echte naam is Benjamin Masters.'

'Heeft Kendra u dat verteld?'

'Nee,' antwoordde Ezekiel. 'Uw vader.'

48

Darby had het gevoel alsof zich een stalen klauw om haar maag sloot. Zweetdruppels kropen omlaag over haar ribben.

'Ik weet maar twee namen,' fluisterde Ezekiel. 'Toen ze nog leefden en als FBI-agent in dienst waren, waren hun namen Peter Alan en Jack King. Maar u zult ze niet vinden. Ze zijn samen met Sullivan omgekomen bij een brand op een schip. Ik weet niet hoe ze nu heten.'

'Meneer Ezekiel,' vroeg Darby na een korte aarzeling. 'Kunt u...'

'Ik weet wat u wilt zeggen,' onderbrak hij haar. '"Deze man is een halfgare schizofreen die dit allemaal maar verzint". Maar ik verzin dit niet. Na mijn eerste arrestatie heeft een of andere kwakzalver me met die belachelijke diagnose opgescheept die sindsdien als een etiket aan me is blijven plakken.' Ezekiel sprak snel, steeds sneller. Zijn toenemende woede maakte zijn woordenvloed steeds slechter verstaanbaar.

'Was ik paranoïde? Had ik het idee dat ik voortdurend in de gaten werd gehouden? Absoluut. Bij mijn soort werk kun je niet voorzichtig genoeg zijn. Je weet nooit wie je kunt vertrouwen. Paranoia houdt je buiten in leven. Maar ik hoor geen stemmen die er niet zijn en ik geloof niet dat ruimtewezens mijn hersengolven aftappen, of dat soort flauwekul. Maar hoe vaak ik ze dat ook vertel, ze blijven komen om drie keer per week die troep in mijn lijf te spuiten. Het enige resultaat is dat ik voortdurend in een soort roes verkeer, wat me handelbaarder maakt. Ik begrijp dat u sceptisch bent en ik neem het u niet kwalijk, maar hoe mijn huidige psychische toestand ook mag zijn, feit blijft dat Kendra Sheppard me heeft bezocht, of niet soms?'

'U hebt me niet verteld waarom ze u heeft bezocht.'

'Kendra werkte samen met uw vader en gaf hem informatie over Sullivan en zijn mannen. Kendra was degene die ontdekte dat Sullivan een FBI-agent was en zij vertelde het aan uw vader. Die verhalen over zijn eerdere arrestaties en dat hij in de nor had gezeten? Flauwekul. Allemaal verzonnen om hem een dekmantel te geven. Kendra ontdekte wie Sullivan écht was en ook dat de FBI in Boston plaatselijke getuigen en informanten erin luisde. Sommigen werden vermoord, anderen verdwenen gewoon. En dan waren er nog de getuigen en informanten die in een beschermingsprogramma werden geplaatst. En wat denk je? Ze zijn allemaal dood.'

Darby herinnerde zich Baxters opmerking over de mogelijkheid om in beschermende hechtenis te worden geplaatst. *Nee, dank je. Dan riskeer ik nog liever de echte wereld.*

'Zoals die Jimmy Lucas,' fluisterde hij. 'Hij zou in een dergelijk programma worden geplaatst. De Feds haalden hem op en brachten hem ergens heen waar Reynolds hem vervolgens wurgde. Ik heb Reynolds er ooit over horen praten. Net als Kendra, maar die was zo slim om er een bandopname van te maken.'

'Nam ze hun gesprekken op?'

'In het hotel en in het huis van Kevin Reynolds. Toen Sullivan ontdekte wat ze aan het doen was, ging hij naar haar huis om haar en haar familie te vermoorden. Maar Kendra was er niet. Ze was erg slim, daarom heeft ze zo lang weten te overleven. Ze voelde dat Sullivan wist dat er iets gaande was, dus maakte ze dat ze wegkwam en ging naar uw vader. Ze hielp uw vader. Ze gaf hem geluidsbanden en ze hielp hem mensen Boston en Charlestown uit te smokkelen om...'

'Wat voor mensen?'

'Getuigen. Sommige jonge vrouwen van de hotelfeestjes. Er waren er een paar die Kendra vertrouwde. Ze hielpen haar met het opnemen van de gesprekken, door de bandrecorders en van die *pinhole* camera's te verstoppen die uw vader haar gaf. Kendra wilde Sullivans ondergang. Ze hielp uw vader bewijzen tegen hem te verzamelen. Als je er even over nadenkt zat het geniaal in elkaar. Hele teams binnen de Boston Police en de State Police stonden waarschijnlijk bij Sullivan op de loonlijst – agenten die allemaal hun informatie deelden met de FBI, die dat op zijn beurt natuurlijk weer doorspeelde aan Sullivan. En dan was er Kendra die samenwerkte met een wijkagent uit Belham.

Uw vader wist met wie hij te maken had. Hij had de banden beluisterd, hij wist wat die FBI-agenten in Boston uitvoerden en hij kende de namen van de agenten van de politie van Boston en de State Police die bij Sullivan op de loonlijst stonden. Sullivan en zijn vrienden bij de FBI waren Charlestowns versie van de Gestapo. Getuigen en informanten durfden nooit iets te zeggen omdat ze wisten dat ze vermoord zouden worden. Uw vader was gedwongen de zaken in eigen hand te nemen. Bij de politie van Belham kon hij niemand vertrouwen, maar hij kon deze mensen ook niet aan hun lot overlaten. Hij wist met wie hij te maken had, dus moest hij ze zo ver mogelijk bij Charlestown uit de buurt zien te krijgen en ze een nieuwe identiteit bezorgen. We hebben het over tientallen mensenlevens die hij heeft gered.'

'Werkte mijn vader samen met een collega?'

'Dat weet ik niet. Kendra zei dat ze altijd alleen was als ze met uw vader sprak. Ik heb hem maar een paar keer ontmoet, altijd alleen. Kendra bracht me naar hem toe. Ik vertelde hem wat ik had gezien en Big Red bezorgde me een schuiladres. Een week later was uw vader dood en werd ik gearresteerd. Weer een maand later kwamen Sullivan en zijn maatjes van de FBI om bij die overval in Boston Harbor en dat was het einde van het verhaal.'

'Waarom waren deze mannen al die tijd naar haar op zoek?'

'Omdat de banden die ze Big Red had gegeven, alleen maar kopieën waren,' fluisterde Ezekiel. 'Kendra vertelde me dat ze de originele banden had gehouden, en ook allerlei notities over de Feds – tijden, plaatsen, dat soort informatie. Ook hield ze een lijst bij met de namen van mensen die uw vader de staat uit had gesmokkeld. En al die tijd wist Kendra niet beter of deze FBI-agenten waren samen met Sullivan om het leven gekomen. Dat veranderde ongeveer een jaar geleden. Ze woonde toen in... Wisconsin, geloof ik. Ze werkte daar bij een kleine verzekeringsmaatschappij, vertelde ze. Op een dag reed ze van haar werk naar huis, toen ze besefte dat ze iets op kantoor had laten liggen. Ze reed terug en ze wilde net voor het kantoor stoppen, toen ze Peter Alan het gebouw binnen zag gaan. De andere man, die Jack King heette, zat achter het stuur van een recht voor de ingang geparkeerde auto. Ze haalde Sean van school en reed direct door, liet al haar spullen achter en ging op zoek naar een nieuwe plek om te wonen.'

'Wat heeft ze Sean verteld?'

'Kendra zei dat ze hem álles heeft verteld. Ze moest wel want nadat ze uit Wisconsin waren vertrokken veranderden ze voortdurend van identiteit. Daarom besloot ze uiteindelijk te praten, vanwege Sean. Ze wilde niet dat hem iets zou overkomen. Ze verhuisden naar New Jersey. Na een inbraak in hun appartement raakte ze in paniek. Ze vertrok naar Vermont en veranderde opnieuw haar naam, deze keer in Amy Hallcox. Ze was ervaren als het ging om het aannemen van een andere identiteit. Ze werkte altijd ergens waar ze makkelijk aan een sofinummer kon komen, bijvoorbeeld bij kleine verzekeringsmaatschappijen. Ze vertelde me dat ze er schoon genoeg van had om steeds maar te moeten vluchten, en dat het tijd werd om bekend te maken wat ze wist voordat ze haar zouden ombrengen. Ze was de laatste die nog over was.'

'De laatste van wie?'

'De laatste van alle mensen die uw vader uit Charlestown had gesmokkeld. Nadat ze Alan had gezien, had ze wat speurwerk verricht. Ze trok haar lijst met namen na en ontdekte dat iedereen was vermoord. Allemaal onopgeloste moorden. Deze geheime Gestapo-eenheid van dode FBI-agenten had ze allemaal weten te vinden en vermoord.'

'Hoe?'

'Uw vader moet een lijst hebben gehad. Die moeten ze hebben geconfisqueerd, net als de banden en al het andere bewijsmateriaal dat hij had. Ze hadden moeite Kendra te vinden omdat ze steeds van identiteit veranderde als ze verhuisde.'

'Was de hele FBI erbij betrokken, of alleen het bureau in Boston?'

'Dat weet ik niet. Kendra heeft het alleen maar gehad over FBI-agenten uit Boston.'

Darby dacht aan het overhoopgehaalde huis in Belham. Ook haar huis in Vermont was doorzocht.

'Kendra zei dat ze alle banden en notities nog had,' fluisterde hij. 'Maar ze heeft me niet verteld waar ze die had. Ik heb haar gezegd geen slapende honden wakker te maken. Niet dat het iets zou hebben uitgemaakt. Sinds ze Charlestown verliet is er twintig jaar voorbijgegaan. Wat zou ze ermee opgeschoten zijn om nu alles wat ze wist aan de grote klok te hangen? De FBI zou hebben volgehouden dat de betreffende FBI-agenten ook daadwerkelijk op die twee schepen zijn omgekomen. Het zou van haar alleen maar een doelwit hebben gemaakt. En wanneer ze te weten komen dat u met mij hebt gesproken – en dat zullen ze – dan zult u een doelwit zijn.'

'Is Kevin Reynolds een federaal agent?'

'Kendra vermoedde het, maar ze kon het niet bewijzen.'

'Heeft ze u verteld wie er op die banden te horen waren?'

'Nee. We hadden maar veertig minuten spreektijd. Zij heeft alleen maar gepraat en ik heb alleen maar geluisterd.'

'Wist ze wie mijn vader heeft vermoord?'

'Ook dat weet ik niet. Toen uw vader werd vermoord, zat ik in dat motel. Wat ik natuurlijk ook tegen die fantastische pro-Deoadvocaat van me heb gezegd. Het motel verklaarde dat ik niet stond ingeschreven. Geen rekeningen, niets. Niet dat het er toe deed. De FBI had me erin geluisd. Ze stalen mijn auto, vonden het wapen dat bij me thuis lag en zorgden voor genoeg bewijsmateriaal om mijn schuld onomstotelijk te kunnen aantonen. En omdat ik geen enkel bewijs had om mijn beweringen hard te maken, dacht mijn advocaat dat hij luisterde naar het paranoïde gebazel van een schizofreen.'

'Mijn vader zou u nooit alleen in een hotel hebben achtergelaten. Hij zou voor iemand hebben gezorgd om u te bewaken.'

'Hij zei dat hij iemand had die het hotel in de gaten hield, iemand die hij vertrouwde. Ik weet niet wie het was. Ik heb de man nooit gezien.'

'Ik zal het uitzoeken.'

'Nee,' siste hij. 'Ik heb u niet gevraagd te komen om me te helpen, maar om u te waarschuwen voor deze zogenaamde FBI-agenten. Ik heb geen idee of ze nog steeds voor de FBI werken, maar ze zijn nog steeds op zoek naar die banden. Ga níét naar ze op zoek. U weet wat uw vader is overkomen. En Kendra. En mocht u toevallig deze banden in handen krijgen, vernietig ze dan. Denk niet dat u deze mensen kunt ontmaskeren. U kunt niemand vertrouwen en zeker niemand binnen uw eigen organisatie. Sullivan had een hoop mensen van de Boston Police op zijn loonlijst staan.'

'Geef me een paar namen.'

'Ik herinner me geen namen, maar ik weet zeker dat ze er nog steeds zitten. Als u hieraan begint, eindigt u naast uw vader op de begraafplaats.'

Ik begin hier niet aan, wilde Darby zeggen. *Ik zit er al middenin.*

49

Darby voelde zich tot op het bot verkleumd toen ze haar spullen bij de vrouwelijke bewaker ophaalde. Ze was zich er vaag van bewust dat de vrouw iets zei – ze grapte tegen Billy Biceps dat Zeke zich fatsoenlijk moest hebben gedragen omdat ze haar beide oren nog had, hahaha. Darby forceerde een glimlach, bedankte de bewakers en stapte een koele, felverlichte gang in waarin de echo van gedempte gesprekken doorklonk.

Je neemt zomaar alles wat Ezekiel je vertelde voor zoete koek aan, zei haar rationele ik, dat zich al die tijd merkwaardig stil had gehouden.

Een constatering, geen vraag. Geloofde ze echt alles? Eigenlijk wilde ze er helemaal niets van geloven, maar een groot gedeelte van wat hij haar had verteld, zoals dat over Special Agent Alan, was waar. En veel andere dingen die hij had verteld, zaten dicht bij de waarheid, angstaanjagend dicht. En alsof dat nog niet erg genoeg was, het gedrag van de man kwam niet overeen met dat van iemand die aan een schizoaffectieve stoornis leed. Het waanidee dat de kamer werd afgeluisterd, zou het hele gesprek hebben bepaald. Zijn paranoïde denkbeelden zouden voortdurend hebben opgespeeld, maar de man had opmerkelijk samenhangend gesproken. Hij had al haar vragen beantwoord, was moeiteloos overstapt van het ene naar het volgende onderwerp en... toen hij over haar vader sprak, had zijn stem opmerkelijk sympathiek geklonken.

Haar vader. Wat wist ze eigenlijk nog van hem? Ze was negenendertig en haar herinneringen aan Thomas – Big Red – McCormick begonnen te vervagen. En zoveel herinneringen had ze niet. Als kind had ze hem nauwelijks gezien. Big Red had eindeloos overgewerkt terwijl Sheila de avondschool bezocht om haar verpleegstersdiploma te halen. Ze herinnerde zich een paar foto's. Op een ervan klemt ze zich in een stampvolle wagon van de metro vast aan het been van haar vader terwijl het treinstel stotend en slingerend over de rails dendert. Een andere foto toont Big Red in Fenwick Park, terwijl hij pinda's dopt met zijn lange, eeltige vingers.

Maar afgezien van het feit dat haar vader een fanatiek supporter was van de Red Sox en een voorliefde had voor platen van Frank Sinatra, goede bourbon en sigaren, had ze er geen idee van wat hem eigenlijk had gedreven. Hij was een man van weinig woorden geweest, iemand die liever luisterde dan sprak en die de wereld om zich heen goed in zich opnam. In haar herinnering leek hij altijd doodmoe.

Kendra bracht me in contact met uw vader... Ze was erg op uw vader gesteld.

Ik had grote bewondering voor uw vader.

Big Red was een bijzondere man. Zo zijn er maar weinig. Ik betreur nog elke dag wat hem is overkomen.

Darby duwde de buitendeur open. De heldere hemel was strakblauw en ondanks het late middaguur was de lucht nog steeds ondraaglijk warm en vochtig. Ze keek even achterom, want ze had het onzinnige gevoel dat Ezekiel haar naar buiten was gevolgd.

Inspecteur Warner zat achter het stuur van haar auto, die stond geparkeerd op een van de parkeerplaatsen die voor de politie gereserveerd waren. Vanaf die plek had hij goed zicht op het hele parkeerterrein en op de voordeuren van de gevangenis. Hij zag haar en kwam naar haar toe rijden.

Ze wilde hem niet achter het stuur, ze wilde hem überhaupt niet in haar auto. Ze wilde zelf rijden, om in de stilte van haar auto te overdenken wat er net was gebeurd.

Warner sprak door zijn telefoontje.

'De commissaris voor u,' zei hij nadat ze het portier had dichtgetrokken. Hij gaf haar zijn telefoon en reed naar de uitgang. 'Ga uw gang,' zei hij. 'U kunt veilig spreken.'

Chadzynski wilde de laatste stand van zaken weten. Darby had even tijd nodig om haar gedachten te ordenen. Ze sprak langzaam en koos zorgvuldig haar woorden. De commissaris luisterde zonder haar te onderbreken.

Toen Darby was uitgesproken viel er een lange stilte. Even dacht ze dat de verbinding was verbroken. 'Commissaris?'

'Ik ben er nog. Ik... ik probeer nog steeds te verwerken wat je me net hebt verteld.' Opnieuw stilte. 'Dus je beweert dat het hoofd van de Ierse maffia, een man, verantwoordelijk voor zowel de dood van talloze mensen als de verdwijning van meerdere jonge vrouwen, een FBI-agent was.'

‘Ik beweer helemaal niets. Ik vertel u alleen maar wat Ezekiel me heeft verteld.’

‘Maar alleen het idee al... dat is... Darby, Frank Sullivan was een gewelddadige psychopaat. Hij vermoordde agenten van de Boston Police, agenten van de State Police. Hij vermoordde mensen uit Boston en Charleston en god weet wie nog meer. Ik heb hier stapels dossiers met onopgeloste moordzaken die met Sullivan in verband worden gebracht. Ik heb altijd al geruchten gehoord over pogingen van de FBI om een undercoveragent binnen de Ierse en Italiaanse maffia te infiltreren, maar als wat Ezekiel heeft verteld waar is, dan betekent dat dat de Federale overheid niet alleen een undercoveragent binnen de Ierse maffia heeft geplaatst, maar dat ze hem verdomme ook nog aan het hoofd hebben gezet. We hebben het hier over een massamoordenaar, wat inhoudt dat de Federale overheid betrokken is bij moord op en verdwijning van, laten we zeggen, bijna honderd mensen? Besef je de implicaties van je bewering wel?’

Dat besefte ze helaas maar al te goed. De FBI in Boston, en misschien zelfs wel de hele FBI-organisatie, was niet alleen van Sullivans daden op de hoogte, maar ze hadden hem ook nog geholpen die te verhullen.

Uw vader wist met wie hij te maken had, had Ezekiel tegen haar gezegd. *Big Red had de banden beluisterd, wist waar deze FBI-agenten uit Boston mee bezig waren en hij kende de namen van alle agenten die Sullivan betaalde.*

‘Geloof je Ezekiel?’ vroeg Chadzynski.

‘Ja,’ antwoordde Darby. ‘Ik geloof hem. Zelfs als ik zijn verhaal zou afdoen als een soort paranoïde schizofreen verzinsel, dan nog blijft het feit dat Kendra Sheppard hem heeft bezocht. Ezekiel kende haar echte naam. Hij wist waar ze woonde en dat ze een zoon had. Voor een verzonnen verhaal weet hij te veel details. En waarom wilde hij me na al die tijd spreken?’

Ik heb u niet gevraagd me te komen helpen, had Ezekiel gezegd. *Ik heb u gevraagd te komen om u te waarschuwen voor die zogenaamde FBI-agenten.*

‘Alleen de chronologie zit me dwars,’ zei Darby. ‘Kendra’s ouders werden in april 1983 vermoord. Ze verdwijnt, waarna in mei mijn vader wordt neergeschoten. Sullivan en die federale agenten – hoeveel waren het er ook alweer?’

‘Vier,’ antwoordde Chadzynski. ‘Hier heb ik ze, op de website van de *Boston Globe:* Peter Alan, Jack King, Anthony Frissora en Steve

White. Er staat een interessante notitie bij. Ze maakten allen deel uit van het team in Boston dat tot taak had de Ierse en de Italiaanse maffia te ontmantelen. Ik ga nu onze dossiers doorspitten om te zien wat we verder nog aan informatie kunnen vinden.'

Sullivan en zijn federale vrienden waren Charlestowns versie van de Gestapo.

'Ezekiel had het over Jack King,' zei Darby.

'Aangezien we Peter Alans vingerafdrukken in de databank hebben gevonden, vraag ik me af of de FBI iets heeft geweten van wat er in hun kantoor in Boston gaande was. Als ze bij de *cover-up* waren betrokken, dan neem ik aan dat ze die wel hadden gewist. Dat konden ze probleemloos doen. Het is tenslotte hun eigen bestand.'

'We weten pas iets zeker als we die geluidsbanden en wat Kendra Sheppard nog meer had, hebben gevonden.'

'En meneer Ezekiel heeft toevallig niets gezegd over waar je dit bewijsmateriaal zou kunnen vinden?'

'Nee. Het kan goed zijn dat die... deze groep dode FBI-agenten het al heeft.'

'We moeten ervan uitgaan dat dit niet het geval is. Trouwens, ik weet niet of inspecteur Warner het je heeft verteld, maar hij heeft in je auto een microfoon gevonden – onder je dashboard, direct onder de stuurkolom, van hetzelfde type als hij in mijn kantoor heeft gevonden. Hij heeft ook een GPS-volgzender gevonden. Kom je vanmiddag nog terug op het werk?'

'Ik ben op weg naar het lab.'

'Mooi. Inspecteur Warner gaat je kantoor en het lab uitkammen.'

'Ik zie niet goed hoe deze mensen daar binnen kunnen komen.'

'Waarschijnlijk kunnen ze dat ook niet. Maar ik mag de mogelijkheid niet uitsluiten dat deze mannen hulp krijgen van binnenuit. Hoe minder personen hiervan afweten hoe beter.'

Sullivan heeft veel van uw mensen op zijn loonlijst staan.

'Oké,' zei Darby.

'Dan zijn er twee andere zaken waarover we het moeten hebben,' zei Chadzynski. 'De eerste betreft Michelle Baxter. Ze is verdwenen.'

Darby sloot haar ogen en wreef nadenkend over haar neus.

'Na mijn vertrek uit het ziekenhuis heb ik een rechercheur bij haar langs gestuurd om met haar te praten,' zei Chadzynski. 'De deur was niet op slot. Er waren geen sporen van geweld, maar de rechercheur vertelde me dat hij dat gezien de chaotische toestand waarin het appartement zich bevond, niet met zekerheid had kunnen vaststellen.

De rechercheur heeft nergens een handtas, koffer of andersoortige bagage aantroffen, dus het kan zijn dat de vrouw besloten heeft de stad te verlaten.'

'Heeft deze rechercheur ook een naam?'

'Het is iemand van Anti-Corruptie.'

Chadzynski weidde niet verder uit.

'Vat het niet persoonlijk op, Darby. Het heeft niets met vertrouwen te maken. Zo zijn de regels. Ik moet hun identiteit geheimhouden. Alle informatie die ik krijg, hoor je via mij of inspecteur Warner.'

'Ik begrijp het.'

'Wat weet je van rechercheur Pine?'

'Hij was ooit mijn vaders partner. Nadat Artie slaagde voor zijn rechercheursexamen, is hij naar Boston gegaan en bij Moordzaken gaan werken.'

'Zijn werkterrein was South-Boston. Twee agenten van Anti-Corruptie zijn net begonnen Pines oude politierapporten door te spitten, maar het volstaat te zeggen dat het merendeel van de moorden die Pine heeft onderzocht, in meer of mindere mate terugvoeren naar Sullivan. Voor die tijd zat Pine bij de TPF, waar hij tijdens het gedwongen schoolbustransport...'

'Sorry dat ik u onderbreek, commissaris, maar wat is de TPF?'

'De Tactical Patrol Force. Het was een soort ordedienst. De eenheid is aan het eind van de jaren zeventig ontbonden wegens herhaaldelijke klachten over het gebruik van excessief geweld door agenten. Je bent waarschijnlijk te jong om het je te herinneren, maar in 1965 werd in Massachusetts de Elimination of Racial Inbalance Law aangenomen – een wet tegen rassenongelijkheid. Het *Boston school committee*, dat voornamelijk bestond uit blanke, Ierse katholieken, had de wet met succesvol procederen bijna tien jaar tegen weten te houden, tot in 1974 een rechter van een federale rechtbank de desegregatie van alle openbare scholen in Boston gelastte. We hadden overal rellen en president Ford hield een speech waarin hij Boston dringend vroeg om samen te werken.'

Darby wist van de rellen – ze had er tijdens een geschiedenisles op de middelbare school over gelezen.

'Gedurende de eerste schoolweken,' vervolgde Chadzynski, 'werd de TPF gevraagd de bussen te beschermen waarmee de zwarte kinderen naar de scholen in Boston werden gebracht. Leerlingen en agenten werden belaagd door menigten blanke Ierse mannen en vrouwen die de busramen kapot gooiden met klinkers en keien. Voeg daarbij de woedende protesten van sommige zwarte bevolkingsgroepen en je begrijpt dat de spanningen hoog opliepen, waarbij sommige agenten een beetje te enthousiast hun knuppel hanteerden. Naar het schijnt heeft Arthur Pine een zwarte man doodgeschopt. Ik zeg bewust "naar het schijnt", want de getuige die had verklaard dat hij het Pine had zien doen, was plotseling verdwenen.'

Ezekiel had gezegd dat Big Red hem had ondergebracht in een hotel. Alleen.

Hij zei dat hij iemand had die het hotel in de gaten hield – iemand die hij vertrouwde.

Had haar vader Artie vertrouwd?

'Ik zeg niet dat Pine iets te maken heeft met wat er nu is gebeurd,' zei Chadzynski, 'maar, met wat ik nu weet, wil ik dat Anti-Corruptie een keer goed naar hem kijkt. Zolang dat onderzoek duurt, wil ik dat je hem geen nieuwe informatie over deze zaken geeft.'

'En als Artie me belt, wat wilt u dan dat ik hem zeg?'

'De waarheid. Vertel hem dat inspecteur Warner het onderzoek heeft overgenomen. Mocht rechercheur Pine vragen hebben, dan kan hij contact opnemen met inspecteur Warner. Hij heeft nu de leiding. Alle informatie die je hebt loopt via hem. Wanneer denk je met meneer Cooper te praten?'

'Zo gauw ik terug ben op het lab.' Darby kreeg een kil gevoel in haar maag. 'Moet inspecteur Warner daarbij zijn?'

'Nee. Dat hoeft niet. Ik laat inspecteur Warner hem wel op een later tijdstip bij mij op kantoor ondervragen. Bel me nadat je met hem hebt gesproken, maak er dan een verslag van en stuur het door naar Warner.'

'Komt in orde.'

Chadzynski verbrak de verbinding. Darby gaf het telefoontje terug aan Warner, die het in zijn zak liet glijden zonder zijn blik van de weg te halen. Hij sprak geen woord. Hij reed alleen maar. In de verte doemden de hoge gebouwen van de binnenstad van Boston op. Terwijl ze ernaar staarde, moest ze op de een of andere manier denken aan een citaat van een van haar vaders favoriete honkbalspelers, de formidabele pitcher Satchel Paige: 'Kijk niet achterom, anders loop je kans te worden ingehaald.'

50

Jamie zeulde haar koffer het trapje naar de garage af. Het was een groot, zwart, gehavend monster dat ze kort voor haar huwelijksreis had gekocht. Hij was met haar meegereisd naar St. Lucia en later, samen met Dan en de kinderen, door de hele Verenigde Staten.

Ik doe dit echt, dacht ze. *Ik stap straks met de kinderen in mijn auto en rij naar het westen tot we in San Diego komen.*

Bij de bank was er geen enkel probleem geweest. Toen ze de kassier het ondertekende formulier gaf om haar spaar- en betaalrekeningen op te heffen, was ze even bang geweest dat de twijfel zou toeslaan. Maar toen de kassier was teruggekomen en ze de envelop met iets meer dan vijfduizend dollar van hem aanpakte, besefte ze dat weggaan de enige manier was waarop ze nu haar kinderen zou kunnen beschermen. Om het goed te doen, moest ze hen een nieuwe identiteit geven. Ze wist hoe ze dat kon doen. Carter was nog te jong. Hij zou het niet begrijpen, maar Michael wel. Eerst zou ze hem alles over Ben Masters vertellen. Nu nog niet, maar later, als ze zich hadden gesetteld. Ze liep het huis uit, glimlachend bij de gedachte aan een nieuwe start, een schone lei voor hen allemaal.

Een gevoel dat veranderde toen ze naar de drankwinkel ging in Wellesley Hills.

Een jong uitziende man, lang en slank, dik, zwart haar en een glad, gebruind gezicht, kwam achter de toonbank vandaan om een paar grote dozen voor haar te zoeken. Hij stond erop om ze voor haar naar de auto te brengen.

'Bent u Jamie Russo?' vroeg hij.

Ze staarde hem aan, en vroeg zich af hoe hij haar had herkend.

'U lijkt een beetje op haar,' zei hij blozend. 'Daarom vroeg ik het.'

Ze knikte. 'Ik ben... eh... eh... Jamie.'

'Ik kende uw man redelijk goed. Dan kwam hier zo ongeveer om de week een fles Johnnie Walker halen. Dan kletsten we wat over de Sox en over van alles en nog wat. Uw man was een heel geschikte kerel en ik... Ik bedoel, ik vind het vreselijk wat hem is overkomen en ook... al het andere.'

Dan kocht om de week een fles sterkedrank, dacht ze, terwijl ze als verdoofd naar huis reed. *Hoelang deed je dat al, Dan? Ik heb je door de week nooit zien drinken, maar dat had ook niet gekund want je bracht bijna al je tijd in de kelder door. Wat deed je daarbeneden? Waarom dronk je zoveel? En waarom heb ik nooit een lege Johnnie Walkerfles in de glasbak gevonden? Verstopte je die tussen het huisvuil?*

Jamie voelde opeens een gevoel van wrok in zich opkomen tegenover de man in de slijterij die iets van haar man had geweten wat zij niet wist – nooit zou weten. Ze overwoog om te draaien, terug te rijden naar de winkel en hem met vragen te bestoken.

Weet u waarom mijn man zoveel dronk? Leek hij gespannen? Heeft hij u iets verteld? Hoe gedroeg hij zich? Vertel me van elk gesprek waar u zich ook maar iets van herinnert, want ik wil dat verdomde zwarte gat vullen dat ik de afgelopen vijf jaar met me mee heb gezeuld.

Maar ze keerde niet om. Ze bleef gewoon doorrijden, en besefte opeens hoe sterk ze altijd aan Wellesley verankerd zou blijven. Als ze vertrok, zou ze nooit weten waarom Dan was vermoord. Natuurlijk, ze kon enige voldoening putten uit de wetenschap dat Ben Masters dood was, maar Kevin Reynolds was er nog. Hij en die nog onbekende derde man, Judas.

Ze keek voortdurend in haar binnen- en zijspiegels om te zien of ze werd gevolgd. Door nu te vertrekken, besefte ze, zou ze dit de rest van haar leven moeten doen. Waar ze ook heen ging, ze zou altijd in haar achteruitkijkspiegel moeten kijken, altijd over haar schouder.

Jamie gooide de achterklep dicht, ging het huis binnen en pakte uit de keukenla de sleutels van de dodenkamer.

Michael hielp Carter met uitzoeken welk speelgoed hij moest inpakken. Ze had hun elk maar één doos gegeven; naast alle kleding, dozen met documenten en andere papieren die ze niet wilde achterlaten, had ze verder geen ruimte in haar auto. Ze had bij dit plan om zo halsoverkop te vertrekken op het nodige verzet gerekend en zelfs rekening gehouden met een nieuwe verandering van de plannen. Maar Michael was zonder tegenstribbelen direct aan de slag gegaan en Carter had steeds gevraagd of ze in Disney World gingen wonen.

Ze deed de deur van de dodenkamer open en sloot die achter zich af. De kamer baadde in het zonlicht. De meubels, nu schoongeboend van bloed, stonden er nog. Het oude beddengoed had ze weggegooid. Alleen het matras lag er nog, afgedekt met een stoffige beddensprei.

Ze haalde de lijstjes van de muren en legde ze in een doos. Ze dacht aan de auto, aan hoe dichtbij Kevin Reynolds deze ochtend had gestaan.

Zo dichtbij, dacht ze. *Zo verdomd dichtbij. Als ik snel was uitgestapt, dan...*

Ze hoorde een auto de oprit op rijden. Ze liep naar het raam en zag een zwarte Honda.

O, lieve god, dacht ze. *Dat lijkt wel de auto van Kevin Reynolds.*

Jamie liet de doos vallen en wilde net de kinderen roepen toen ze een man, gekleed in een zwarte broek met bijpassend overhemd met korte mouwen zag uitstappen. Het was pater Humphrey.

Ze wilde hem niet binnen uitnodigen, want ze had geen zin om lastige vragen te beantwoorden over haar plotselinge verhuizing. Ze rende de trap af en drukte snel de knop in om de garage te openen.

Pater Humphrey haastte zich met een rood aangelopen gezicht naar binnen.

'Gelukkig, blij dat ik je eindelijk tref,' zei hij. 'Ik heb de hele middag geprobeerd je te bellen.'

'Ik... ben... eh... eh...'

'Maakt niet uit.' Humphrey liep met krakende knieën langs haar heen naar de knop van de garagedeur en drukte erop.

'Wat... eh... eh...' De woorden stokten in haar keel toen Humphrey gehaast om de auto heen liep om door het raam naar buiten te kijken.

'Is er iemand bij het huis geweest?' vroeg hij. 'Iemand die je niet kende?'

Elke vezel in haar lichaam was gespannen.

'Waarvan ken jij Kevin Reynolds?' vroeg hij, weglopend bij het raam.

Jamie opende haar mond, maar kon geen woord uitbrengen. De angst die ze met zich had meegedragen, kronkelde zijn tentakels rond haar keel.

'Zijn zuster woont in Wellesley, hier niet ver vandaan,' zei Humphrey. 'Misschien heb je haar wel eens in de kerk gezien. Ze is erg aardig, iets wat ik niet over zo'n vuile schoft als Kevin kan zeggen.'

'Hoe... eh... eh... hoe... hoe....'

'Luister,' zei hij. 'Luister goed en laat het praten aan mij over.'

Humphreys gerimpelde gezicht en zijn bloeddoorlopen ogen vervaagden voortdurend achter de withete bliksemschichten die over haar netvlies flitsten.

'Kevin komt af en toe bij me biechten. Zo kwam hij ongeveer een uur geleden langs. Na afloop van de biecht, trof ik hem in een kerkbank. Hij wilde even een praatje maken over de kerk, fondsenwerving, en meer van dat soort zaken. Maar uiteindelijk begon hij vragen te stellen over jou. Hij weet wat hier is gebeurd en hij vroeg of ik je kende en of je hier nog steeds in de buurt woonde.'

De kinderen, dacht ze. *Haal de kinderen en vertrek.*

'Als goed katholiek,' zei Humphrey, 'weet je natuurlijk wat het biechtgeheim inhoudt. Een priester mag zijn gelofte tot geheimhouding niet breken, zelfs niet als hij met de dood wordt bedreigd. Ik ben een man van God, maar ik ben ook een man... wacht, Jamie, kom terug!'

Ze rende naar de trap.

Pater Humphrey had haar ingehaald in de hal. Hij greep haar bij de arm. 'Rustig,' zei hij, haar door elkaar schuddend. 'Rustig nou, en luister naar me!'

Ze gilde en probeerde hem van zich weg te duwen.

'Ik ken mensen die je kunnen helpen, Jamie. Mensen die vrouwen hebben geholpen zoals jij, slachtoffers van een misdrijf. Ze hebben hele gezinnen geholpen een nieuw leven te beginnen op een plek waar mannen als Kevin Reynolds je nooit kunnen vinden. Ik ga die mensen nu bellen. Ze zullen over een uur hier zijn.'

'G-g-g-g... ga... eh... weg....'

'Een man als Reynolds heeft de middelen om je te vinden. Deze mensen zullen ervoor zorgen dat hij dat niet kan. En over het geld hoef je niet in te zitten. Ze helpen je tot je bent gesetteld, oké? Ik help je met inpakken tot ze hier zijn.'

Jamie duwde hem weg en rende naar de trap. Ze deed haar mond open om naar de kinderen te roepen dat ze nú naar beneden moesten komen, dat ze nú weggingen, maar de woorden verstomden in haar keel toen een doorzichtige plastic zak over haar hoofd werd getrokken.

51

Toen Darby samen met inspecteur Warner de lift uit kwam, stonden voor de deuren van het forensisch lab twee mannen in een pak met een stropdas geposteerd. Zodra ze Warner zagen, pakten ze de grote plastic koffers op die naast hen op de vloer stonden. *Dat moeten de mannen zijn die de kantoren onderzoeken op afluisterapparatuur,* dacht ze.

Warner stelde haar niet aan de mannen voor. Dat vond ze prima, want ze had schoon genoeg van al dat gepraat en nu moest ze ook nog met Coop praten.

Het was beangstigend stil in het lab. De kantoren waar ze langsliep waren verlaten. De medewerkers waren waarschijnlijk naar Charlestown geroepen om het explosieventeam te helpen bij het verzamelen van bewijsmateriaal en het zoeken naar lichamen en menselijke resten.

Coop was niet in zijn kantoor. Ze controleerde het bestand met vingerafdrukken. IAFIS had een match met een van de vingerafdrukken gevonden.

Ze opende het scherm. Het was de vingerafdruk op de doordrukstrip van de nicotinekauwgum. De afdruk kwam voor 96,4 procent overeen met die van een man die Jack King heette.

Dat was een van de namen die Ezekiel had genoemd – een van de dode FBI-agenten.

En ja hoor, het klopte. Volgens de informatie op het scherm was Jack King op 2 juli 1982 overleden, dezelfde dag dat Sullivan was omgekomen. Alle bijlagen stonden vermeld.

Coop was hier vanmorgen geweest. Het was vrijwel zeker dat hij de databank had gecontroleerd. Waarom had hij haar niet gebeld?

Ook in de andere onderzoeksruimten vond ze hem niet. Wel trof ze Randy en Mark, die op de afdeling Serologie bezig waren de bloederige kleding en persoonlijke bezittingen van Kendra Sheppard te onderzoeken die zij gisteren in het mortuarium van haar lichaam had verwijderd, een zwart, plastic horloge, een zilveren Claddagh-ring en een eenvoudig, gouden halskettinkje.

Randy legde zijn klembord neer en staarde naar de talrijke hechtingen op haar gezicht. Zowel hij als Mark zag er uitgeput uit.

'Het leek ons dat je wel wat hulp met de kleren kon gebruiken,' zei Randy. 'Mark en ik waren al vroeg hier.'

'Bedankt,' zei Darby. 'Erg aardig van jullie. Dat stel ik erg op prijs. Heeft een van jullie Coop gezien?'

Randy schudde zijn hoofd. 'Ik weet dat hij hier vanmorgen was,' zei Mark. 'Maar daarna heb ik hem niet meer gezien.'

Darby vroeg zich af of Coop misschien werkte op de plaats van de explosie. Ze vroeg het aan de secretaresse van het lab.

'Hij heeft een snipperdag opgenomen,' zei de secretaresse.

'Zei hij ook waarom?'

'Nee, niet tegen mij. Maar misschien heeft hij een bericht voor je achtergelaten.'

Darby ging naar haar kantoor. Geen bericht van Coop maar wel eentje van Madeira James.

'Mevrouw McCormick, ik bel als vervolg op ons gesprek van gisteren, betreffende het microstempel op de door u gevonden kogel. Het door mij getekende document tot vrijgave van alle informatie aangaande de testmunitie en de demonstratie ligt bij de directeur. Hij overlegt momenteel met de juridische afdeling. Zodra ik iets weet bel ik u op of stuur ik u een e-mail.' Het bericht was deze morgen om even voor tien uur binnengekomen.

Het tweede bericht kwam van Rob Litzow, de brigadier die verantwoordelijk was voor de stacaravans waarin de oude dossiers waren opgeslagen. Hij had het bewijsmateriaal en het dossier met betrekking tot de Sheppard-moord in april 1983 niet kunnen vinden.

Darby belde Litzow terug. 'Wat is er met het bewijsmateriaal gebeurd?'

'Geen idee. Het kan verkeerd zijn gelabeld of zijn zoekgeraakt. Dat gebeurt wel meer met die oude spullen, maar ik weet zeker dat we het zullen vinden. Het gaat alleen wat tijd kosten.'

Ze herinnerde zich dat Ezekiel haar had verteld dat Sullivan hulp kreeg van diverse afdelingen binnen de politieorganisatie. *U kunt niemand vertrouwen en zeker niemand binnen uw organisatie. Sullivan had een hoop mensen van de Boston Police op zijn loonlijst staan.*

Ze draaide zich naar haar computer. 'Ik heb een lijst nodig van mensen die het Sheppard-dossier hebben laten uitschrijven.'

'Voor zover ik weet, heeft niemand daar in de afgelopen vijf jaar naar gevraagd.'

'Wat doet u met de oude dagstaten?'

'Die liggen opgeslagen.'

'Zoek ze op en zet ze op de fax. En nu ik u toch aan de lijn heb, ik wil dat u me alles bezorgt wat u kunt vinden over de moord op Thomas McCormick.' Ze noemde de nummers van het bewijsmateriaal en het dossiernummer.

Darby hing op en controleerde haar e-mail. Nog niets van Madeira James. Randy had haar een kopie gestuurd van het onderzoeksverslag van de voorwerpen die hij in het bos had gevonden. Ze printte het en belde toen James op haar directe nummer bij Reynolds Engineering Systems. Ze kreeg haar voicemail. Darby vroeg haar terug te bellen voor de laatste stand van zaken.

Daarna probeerde ze in Frankrijk dokter Wexler te bereiken, de eigenaar van het huis in Belham. Er werd niet opgenomen. Ze sprak weer een boodschap in.

Opnieuw belde ze Coop. Op zijn mobiele nummer nam hij niet op. Ze probeerde zijn nummer thuis. Ook daar werd niet opgenomen.

Waarom ontloop je me, Coop?

Darby liep naar de printer. Haar hoofd bonkte in een ander ritme dan de wonden op haar gezicht. *Bonk – bonk,* als een hartslag. Ze ging achterover in haar stoel zitten en drukte haar handpalmen tegen haar ogen. De Percocet die de arts haar had voorgeschreven zou de pijn verminderen, maar het zou haar duf maken en traag van begrip. Ze pakte een paar Advils uit haar bureaula, slikte ze zonder water door en begon het verslag te lezen.

De rookgranaten waren vrij geweest van bloed en vingerafdrukken. Randy had de serienummers doorgegeven aan het explosieventeam. Dat was slim bedacht. Zij zouden wel weten waar ze moesten zoeken om erachter te komen of ze waren gestolen. Al zou het natrekken van serienummers geen prioriteit hebben nu het hele explosieventeam druk bezig was in Charlestown.

Darby bladerde het verslag door en las Randy's notities. De wondertweeling was bij het onderzoek van het bewijsmateriaal uiterst nauwkeurig te werk gegaan. Alleen bij de verrekijker zat haar iets dwars. Ze dacht na over de in vakken verdeelde kaart die Randy had getekend en liep met het verslag naar de vergaderruimte.

52

Darby stond voor het whiteboard. De verrekijker was gevonden in het linksboven gelegen kwadrant van het bos, op grote afstand van de helling die naar de weg voerde. Vlak bij de verrekijker had Randy afdrukken van sneakers gevonden die overeenkwamen met de afdrukken op de trap achter het huis en dus afkomstig moesten zijn van de persoon die zichzelf een weg het huis in had geschoten. Deze persoon had zich op grote afstand van de anderen bevonden. Het was dus mogelijk dat deze persoon onafhankelijk van de andere mannen opereerde en niets met hen te maken had. Oké, wat zat haar dan dwars met de verrekijker? Ze bladerde een paar pagina's terug. Daar was het. Gladde afdrukken van een handschoen en een paar vage vingerafdrukken die Mark zonder succes geprobeerd had te verscherpen.

Ze had de specificaties op de kijker bekeken. Het was een Nikon. Een goedkoop model. Niet het soort dat een professional zou gebruiken. De kale man met het kogelvrije vest had een nachtkijker gehad. Alan, de FBI-agent, had een soort HERF-apparaat waarmee hij de elektronische circuits van de bewakingscamera's in het ziekenhuis had laten doorbranden. De cameraman die bij het huis had gestaan, had een tv-camera met een lasermicrofoon gehad. Hightech apparatuur. Dit was een kleine kijker, eentje die je kon dichtklappen en in je achterzak stoppen. Een waarmee je naar vogels keek of naar een concert, maar die je niet gebruikte voor observatie. Ze haalde de kijker voor haar geest en zag opnieuw het gescheurde plastic en de schroeven. De schroeven...

Darby liep de vergaderruimte uit en haalde de verrekijker uit de kast met bewijsmateriaal. De schroeven waren bekrast. Iemand had de kijker uit elkaar geschroefd om die te repareren. Iemand had de binnenkant ervan aangeraakt. Mark had alleen de buitenkant op vingerafdrukken onderzocht.

Ze liep met de plastic bewijszak terug naar Serologie en vertelde Mark over de verrekijker.

'Shit,' zei hij. 'Dat... Dat is geen moment bij me opgekomen.'
Hij nam de verrekijker mee naar de onderzoeksruimte aan de andere kant van de gang.

'De resultaten van de vingerafdrukken van het huis in Belham zijn binnen,' zei Randy. 'Behalve de vingerafdrukken van Kendra Sheppard en haar zoon zijn er geen matches gevonden. En de afdrukken die we niet konden identificeren, zijn naar ik aanneem afkomstig van de eigenaars van het huis.'

'Wexler,' zei Darby, en ze vroeg zich af waarom zowel de man als de vrouw niet op haar boodschap had gereageerd.

Ze richtte haar aandacht op de bloederige kleding die lag uitgespreid op de werktafel.

Kendra had ontdekt wie Sullivan echt was, had Ezekiel gezegd. *En ook dat FBI-agenten uit Boston plaatselijke getuigen en informanten in de val lieten lopen... Kendra vertelde me dat ze originele banden had bewaard en ook de notities, alles. Ik weet niet waar ze waren; dat heeft ze me niet verteld.*

Geluidsbanden en notities nemen veel ruimte in. Ze kon ze niet steeds bij zich hebben gedragen. Dat zou betekenen dat ze ze ergens veilig moest hebben opgeborgen. Maar waar? Een bankkluisje?

Nee, dacht Darby. *Daarvoor moest je een formulier invullen en jezelf identificeren. En, welke identiteit ze ook gebruikte, haar naam zou worden ingevoerd in het computerbestand van de bank. Kendra vertrouwde computers niet. Ze zou deze mannen niet de kans hebben geboden haar op deze manier te kunnen opsporen.*

Maar waar had ze de banden dan wél opgeborgen?

'De kleren zijn behoorlijk aan flarden,' zei Randy. 'Wel veel bloed, maar bijna zeker alleen van het slachtoffer. We gebruiken...'

Randy's laatste woorden vervaagden. Darby dacht aan een bagagekluisje op een vliegveld. Dat was anoniem. Je bergt je spullen op in een kastje en gooit er wat geld in. Afhankelijk van het vliegveld kon je voor een of twee dagen vooruit betalen. Een vliegveld was anoniem, maar niet erg praktisch. Kendra zou het bewijsmateriaal waarover ze beschikte dicht bij zich in de buurt willen hebben – binnen handbereik, voor het geval ze moest vluchten. Ze was al zo lang op de vlucht geweest.

'...precies wat ze op de radio en de tv over de bomexplosie zeggen,' zei Randy. 'Dr. Edgar en zijn studenten worden nog steeds vermist. Net als Jennings. Veel gewonden, maar geen namen. Veel getuigen...'

Vluchten, dacht Darby. Kendra was meer dan tweeëntwintig jaar op de vlucht geweest, waarbij ze regelmatig haar identiteit en die van haar zoon had veranderd. Ezekiel had iets gezegd over Wisconsin. Kendra had daar gewerkt bij een verzekeringsmaatschappij toen ze Peter Alan het gebouw binnen had zien gaan. Jack King had achter het stuur van een auto gezeten die vlak voor de ingang stond geparkeerd.

Ze had Sean van school gehaald en was zonder iets mee te nemen doorgereden naar een nieuwe plek om te wonen, had Ezekiel gezegd.

'Randy,' zei Darby, 'haal even Kendra's handtas voor me uit de kast met bewijsmateriaal.'

'Die heb ik al doorzocht en niets...'

'Doe nou maar.'

Ze stelde zich Kendra voor toen ze de dode FBI-agenten in het oog kreeg. *Wat deed ze? Ze reed weg om haar zoon van school op te halen.*

Ze reed direct door naar een nieuwe plek om te wonen.

Met achterlating van al haar spullen.

Maar niet alles... niet het allerbelangrijkste, klonk een koele, zakelijke stem. *Kendra zou het bewijsmateriaal niet hebben achtergelaten. Dat had ze nodig. Dus, nadat ze Sean had opgehaald, reed ze direct door, zonder te stoppen, omdat ze het bewijsmateriaal al bij zich had. Ze had een manier gevonden om het voortdurend bij zich te hebben, binnen handbereik, voor het geval ze zou moeten vluchten. Ze had het bewijsmateriaal voortdurend bij zich gehad.*

Randy haalde de tas uit de kast en zette die neer op de werktafel. Darby hield haar blik onafgebroken gericht op de met bloed doorweekte kleding, bang dat ze anders het contact zou verliezen met de innerlijke stem die tegen haar sprak.

Ze had het bewijsmateriaal voortdurend bij zich. Ze had het bewijsmateriaal voortdurend bij zich.

Darby pakte de doos met latex handschoenen, trok er een paar aan en begon de handtas te onderzoeken.

Een zwartleren Liz Claiborne-portefeuille met wat kleingeld en een in Vermont uitgegeven rijbewijs op naam van Amy Hallcox.

Drie tampons.

Een doosje met Tictacs.

Ze had het bewijsmateriaal voortdurend bij zich.

Een handtas had je niet altijd bij je. Kendra moest iets hebben gebruikt dat ze voortdurend bij zich kon hebben.

Wat bleef over? Horloge en sieraden.

Het horloge was al bestoven om op vingerafdrukken te onderzoeken. Darby pakte het op en bekeek het. Een zwartplastic bandje en zwarte wijzerplaat met een geruwde stalen rand. De secondewijzer tikte gestaag verder. Zilverkleurige cijfers, maar geen merknaam of logo.

Ze draaide het om. De onderkant van het horloge zag er normaal uit, maar aan de zijkant, bij het bandje, zag ze een rechthoekig stukje plastic. Ze pakte een pincet en duwde er een zwart kokertje uit. Het bleek een kleine USB-stick te zijn.

'Krijg nou wat,' zei Randy verrast. 'Ik had nooit verwacht dat...' Zijn verrassing maakte plaats voor gêne. 'Ik heb dat horloge zelf onderzocht en het is me helemaal niet opgevallen.'

'Dat was ook de bedoeling. Het was verborgen. Ik moet dit meenemen naar mijn kantoor. O, voordat ik ga, moet ik je zeggen dat hierbinnen momenteel wat mensen rondlopen die de kantoren controleren op afluisterapparatuur.'

'Wat is er aan de hand?'

'Sorry, Randy, daar mag ik niets over zeggen. Orders van de commissaris.'

'Hou maar op.'

Darby dacht na over de USB-stick. Kendra Sheppard had informatie vergaard in een tijd dat zoiets als een USB-stick nog moest worden uitgevonden. Dat hield in dat het geheugen alleen maar kopieën van de originele papieren en de geluidsopnamen kon bevatten. Had ze de originele versies vernietigd of ergens op een veilige plek weggeborgen?

Ze trof Warner en de twee andere mannen in haar kantoor.

'Ik zou u graag even alleen spreken,' zei ze.

Warner wees naar de deur. De twee mannen knikten en vertrokken.

Darby schoof de kleine geheugenstick in het slot van haar computer.

'Wat is er?' vroeg Warner toen de deur zich achter haar sloot.

'Ik heb Kendra's documenten gevonden.' Darby wees naar haar computer. Op het scherm stond een lijst met MP3-audiobestanden en PDF-bestanden.

Warner kwam naast haar staan, boog zich over het bureau en pakte zijn leesbril.

Darby staarde naar de lijst met bestanden. *Lieve help, het moeten er tientallen zijn.* 'Gezien de grootte van de bestanden zou ik zeggen dat ze gescand zijn,' zei ze.

'Kun je ze printen?'

Darby knikte. Ze pakte de muis en klikte op een van de PDF-bestanden.

Er opende zich een scherm dat vroeg om een wachtwoord.

Ze klikte op een audiobestand en kreeg weer hetzelfde scherm.

'Shit.'

'Wat is er?' vroeg Warner. 'Wat is er mis?'

'Ik kan er alleen in met een wachtwoord.'

'En je hebt toevallig geen idee wat dat kan zijn?'

'Nee. En vraag me niet op goed geluk wat wachtwoorden in te typen.'

'Waarom niet?'

'Omdat ik dan misschien de bestanden wis. Ik bel het computerlab even.' Ze pakte de telefoon.

Warner hield haar tegen. 'Dit moet ik even met de commissaris afstemmen,' zei hij. 'Had je iemand in gedachten?'

'Jim Byram,' antwoordde ze. 'Hij is de beste op dit gebied.'

'Oké, zodra hij is vrijgegeven, laat ik hem eraan werken.'

'Deze bestanden zijn waarschijnlijk alleen maar kopieën. Kendra heeft de originelen ergens opgeborgen of ze heeft ze vernietigd.'

Warner knikte. 'Heb je Cooper al gesproken?'

'Hij is niet hier.'

'Waar dan wel?'

'Dat weet ik niet.'

'Ga hem dan zoeken. Vind hem en laat hem tot bezinning komen. En als je weer terugrijdt hiernaartoe, bel me dan op. Ik heb je hulp nodig bij het uitzoeken van deze files.'

Ze duwde haar stoel achteruit en stond op.

'Nog iets anders,' zei Warner. 'De mensen die je volgden... Als je ook maar denkt íéts te zien, dan wil ik dat je belt. Ga niet zelf de Rambo uithangen, oké. We hebben die gasten levend nodig.'

Darby knikte en ging op weg. Ze piekerde over waar ze Coop kon vinden en hoe ze hem zover kon krijgen dat hij zijn stilzwijgen verbrak.

Ze ging langs bij Ballistiek. Maar daar bestonden geen gegevens over een misdrijf waarbij ooit een Glock 18 zou zijn gebruikt.

53

Jamie werd wakker in een wazige draaikolk van gedachten. Ze probeerde haar ogen open te doen toen een gedempte stem, eentje die beangstigend bekend klonk, slaperig protesteerde: *Nee, blijf hier bij me.*

Ze herkende de stem... ze had er bijna vijftien jaar naast geslapen.

Blijf hier bij me, zei Dan. *Blijf hier bij me waar het veilig is.*

Veilig?

Veilig voor wat?

De mist loste geleidelijk op. Ze herinnerde zich dat pater Humphrey naar haar huis was gekomen om haar te waarschuwen voor Kevin Reynolds. *Hij weet wat hier is gebeurd en hij heeft gevraagd of ik je kende en of je hier nog steeds in de buurt woonde,* had hij gezegd.

En... en... toen?

Ze was naar binnen gerend om de kinderen te halen, maar pater Humphrey was haar achternagekomen. Hij had haar vastgepakt en haar gezegd te kalmeren. Ze herinnerde zich dat ze zich had losgerukt en naar de trap was gerend om naar de kinderen te roepen dat ze direct naar beneden moesten komen, toen een plastic zak over haar hoofd werd getrokken.

Dat had pater Humphrey gedaan, dacht ze. *De priester die mijn beide kinderen heeft gedoopt, gast aan mijn tafel is geweest en de begrafenis van mijn man heeft geregeld toen mijn kinderen en ik in het ziekenhuis herstelden. Die man heeft de plastic zak over mijn hoofd getrokken.*

Ze voelde nog hoe het plastic tegen haar lippen had gekleefd toen ze ademhaalde, hoe ze had geprobeerd zijn eeltige handen van haar keel te trekken. Ze herinnerde zich dat ze met haar gezicht tegen de muur sloeg en de explosie van pijn binnen haar schedel... pijn die ze nu, vreemd genoeg, niet voelde. In feite voelde ze helemaal niets, en dat beangstigde haar op de een of andere manier nog het meest.

Ze zou toch minstens...

Ruwe handen streken langs haar wangen. Vingers duwden haar oogleden omhoog en ze zag het gezicht van pater Humphrey en zijn treurige, bloeddoorlopen ogen. Haar ogen leken moeite te hebben zich scherp te stellen op de rest van de kamer, maar vlak bij de priester kon ze wat vormen en kleuren onderscheiden, een smaragdgroene deken op het bed, lavendelkleurige gordijnen voor de ramen, een eikenhouten nachtkastje met daarop een lampje.

Dit is mijn slaapkamer. Ik ben in mijn slaapkamer en ik lijk rechtop te zitten. Waarom kan ik mijn handen en voeten niet bewegen?

Om de een of andere bizarre reden voelde ze geen echte angst. Ze voelde eigenlijk helemaal niets. *Mijn hoofd zou moeten bonken, of in ieder geval pijn moeten doen, maar ik voel helemaal niets. Het liefst zou ik mijn ogen dichtdoen en verder slapen.*

'Kom, liefje,' zei Humphrey, en hij schudde zachtjes haar hoofd heen en weer. Zijn adem stonk naar sigarettenrook en drank. 'Tijd om wakker te worden.'

Hij liet haar hoofd los. Haar kin viel op haar borst en haar lichaam zakte opzij, maar ze viel niet om. Op haar beige korte broek druppelde een lange sliert speeksel. Pater Humphrey had haar met plakband op een van haar keukenstoelen gebonden. Ze zag de stukken tape die om haar scheenbenen waren gewikkeld. Hij had haar handen achter haar rug geboeid en – *de kinderen... O, lieve God, Maria en Jezus... Wat heeft hij met Michael en Carter gedaan? Waren ze in de slaapkamer?*

Met een uiterste krachtsinspanning hief ze haar hoofd.

'Brave meid,' zei hij.

Haar hoofd knikte opzij tegen haar schouder. De slaapkamerdeur stond open en ze kon de gang zien. De deuren van de slaapkamers van de jongens waren dicht. De deur van de dodenkamer stond open. Pater Humphrey had hem ingetrapt. Op de vloer zag ze het slot en versplinterd hout liggen.

Wat heeft hij met de kinderen gedaan? En waarom voel ik geen angst? Waarom ben ik zo verdomde kalm?

'Hierheen, liefje.' Pater Humphrey knipte met zijn vingers.

Jamie rolde haar hoofd terug zijn kant op. Hij zat op de rand van haar bed, met zijn benen over elkaar geslagen. Over zijn glimmende instappers droeg hij blauwe ziekenhuishoezen. Ze kon zich niet concentreren en haar ogen vielen bijna dicht. Ze kon haar hoofd niet rechtop houden en deze serene kalmte of wat het ook was, wilde haar omlaag trekken naar de plek waar Dan nu was, een donkere plek van zalige vergetelheid.

De kinderen, gilde een stem in haar.

Ze deed haar ogen open en zag Humphrey en de blauwe hoezen over zijn schoenen

Nee, geen ziekenhuishoezen, dacht ze. *Het zijn... het zijn... hoe heten ze ook weer, de mensen die een plaats delict onderzoeken... forensisch onderzoekers. Dat is het. Forensische technici dragen deze schoenovertrekken op een plaats delict... zodat ze geen voetafdrukken achterlaten.*

'Ik kon het gewoon niet geloven toen Kevin me vertelde dat hij je vanmorgen had gezien, toen je op hem wachtte in je auto,' zei Humphrey. Met een in een latex handschoen gestoken hand hield hij een mobieltje tegen zijn oor. Het was een Palm Treo, het telefoontje van Ben Masters...

'Wat was je van plan met hem te doen, Jamie?'

De kamer werd beurtelings scherp en dan weer wazig.

Concentreer je. Je moet... je concentreren. Vind... de kinderen.

De kinderen waren niet in de slaapkamer, niet voor zover ze kon zien. Ze keek naar de geopende deur naast het nachtkastje en zag de haar vertrouwde, korte gang met de twee inloopkasten en de kleine ruimte die zij en Dan hadden gebruikt om spullen weg te bergen. Ook daar geen spoor van Michael of Carter, maar...

Haar blik viel op een fles op het nachtkastje die onder het stof zat. Het kostte haar even om haar blik scherp te stellen op het etiket. Johnnie Walker Blue. Had Humphrey een fles drank meegenomen? Nee. Nee. Hij moest hem hier in huis hebben gevonden. Maar waar? Ze kon zich niet herinneren hem ooit te hebben gezien.

Naast de fles zag ze een leeg glas, een beroete lepel, een injectiespuit en een kaars.

'Hoe voel je je, liefje?' vroeg Humphrey, terwijl hij het telefoontje met zijn hand bedekte.

'Ik... eh... eh... kan... me... niet... eh...'

'Concentreren?'

'Nee.'

'Heb je pijn?'

'Eh... eh... Nee.'

'Mooi zo. Ik heb je een kleine shot heroïne gegeven om wat te kalmeren – voelt geweldig, hè? Niet dat ik me er zelf ooit aan heb bezondigd, maar ik dacht...' Hij stak zijn hand op en gebaarde haar om stil te blijven en sprak toen in de telefoon. 'Ik ben in het huis van Russo. Alles hier onder controle. Neem rustig de tijd.'

Humphrey verbrak de verbinding en staarde naar het telefoontje. Er verscheen een grijns op zijn gezicht. 'Ik sta hier vermeld als Judas,' zei hij schamper. 'Wat me eigenlijk niet zou moeten verbazen. Ben is gezegend met een duister gevoel voor humor. De man is een Ierse katholiek in hart en nieren. Ken je hem als Ben of Frank? Onder welke naam?'

Jamie kon haar hoofd niet langer rechtop houden. Ze liet het op haar schouder zakken en staarde door de gang naar de dodenkamer.

'Maakt niet uit,' zei hij. 'Dat komt nog wel ter sprake.'

Ze hoorde het getinkel van glas toen Humphrey voor zichzelf uit de fles een Johnnie Walker inschonk.

'Waar... eh... eh... waar?'

'Waar ik die fles vandaan heb?'

'J-j... eh... ja.'

'Uit Danny's geheime bergplaats in de kelder,' antwoordde Humphrey. 'We hebben daarbeneden die laatste maand heel wat borrels gedronken en veel afgepraat, voornamelijk als je niet thuis was. Triest dat een man een fles voor zijn vrouw moet verstoppen, maar wat moet je? Persoonlijk heb ik je altijd al een bemoeizieke trut gevonden.'

Jamie knipperde met haar ogen. Een ogenblik zag ze het matras in de dodenkamer scherp. Ze knipperde nogmaals om langer scherp te kunnen zien zodat ze... Onder de afhangende sprei kwam een hand tevoorschijn.

'Ik ga er geen doekjes om winden,' zei Humphrey. 'Je zult een moeilijke beslissing moeten nemen. Maar voordat het zover is, wil ik dat je me vertelt hoe je aan Bens telefoon bent gekomen.'

Jamie probeerde haar ogen zo wijd mogelijk open te sperren. Michael had de zijkant van de sprei opzij getrokken. Hij lag naast zijn broertje onder het bed en zijn andere hand hield hij over Carters mond.

Michael fluisterde iets tegen zijn broer. Carter had zijn ogen dicht, maar hij huilde, zijn lichaam schokte.

'Kom op, Jamie,' zei Humphrey. 'Je kunt het me maar beter vertellen.'

Waarom had Humphrey de kinderen niet gevonden?

Hij denkt dat ze nog op kamp zijn. Hij wacht tot ze thuiskomen.

Michael schoof langzaam onder het bed vandaan.

'N-N-NEE!'

'Ik wil redelijk zijn,' zei Humphrey.

'Terug... eh... ga... terug. Blijf... eh... daar.'

'Ik kan je niet helemaal volgen, Jamie.'

Michael gleed terug onder het bed en verdween achter de sprei. Ze draaide haar hoofd terug naar Humphrey toe.

'Ga... eh... terug. Ga.'

'Ik kan niet terug,' zei Humphrey. 'Jij bent begonnen, liefje. En ik kan je maar beter vertellen dat de man die nu onderweg is hiernaartoe, aanmerkelijk minder geduld heeft dan ik.'

Humphrey lag op haar bed, zijn hoofd op haar kussen. Zijn glas rustte op zijn platte buik. De rolgordijnen waren omlaag getrokken. Ze dacht dat ze het hoorde regenen.

'Hoor je wat ik zeg? Luister alsjeblieft goed, want ik wil niet dat er met jou hetzelfde gebeurt als wat Danny is overkomen. Dat meen ik.'

'Met... eh... Dan... gebeurd?'

'Ze hebben zijn hand in een afvalvernietiger geduwd. Enig idee waarom?'

'Ik... weet... eh... eh... niet.'

Humphrey tilde zijn hoofd op van het kussen. 'Heeft Dan je dat nooit verteld?'

'N-n-nee.'

'Asjemenou, wat een giller.'

Hij nam een slok whisky en staarde naar het plafond.

'Kort gezegd komt het erop neer dat je man een koppige klootzak was. Ik vertel je het hele verhaal als ik van jou heb gehoord hoe je aan Bens telefoon bent gekomen. Ontkennen heeft geen zin.'

Jamie likte over haar gezwollen lippen. Op haar been druppelde een nieuwe sliert speeksel.

'Neem je tijd,' zei Humphrey. Hij glimlachte haar vriendelijk toe en wachtte geduldig op haar antwoord.

Ik heb alle tijd van de wereld, betekende die glimlach. *Niets en niemand kan me iets maken. Zelfs God niet.*

54

Coops huis was een architectonisch juweeltje. Het was gebouwd in de koloniale stijl die typerend was voor New England: witgeschilderd, met zwarte luiken en twee schoorstenen. Een houtbaron had het aan het begin van de twintigste eeuw voor zijn minnares laten bouwen. Als een van de weinige huizen bezat het een eigen oprit en een gazon – nauwelijks groter dan een postzegel, maar toch... het was gras.

Het huis stond op een hoek, afgezonderd van de vier blokken verderop in de straat, bekende historische huizen in het centrum.

Darby manoeuvreerde haar auto voorzichtig door de opening in het halfhoge witte hekwerk en parkeerde hem achter Coops Mustang. De zon was verdwenen en er dreigde een nieuwe onweersbui.

Toen ze uitstapte in de plensregen, zag ze dat de luiken naar de kelder openstonden. Ze deed de aluminium afdekdeuren zachtjes dicht, rende toen het trapje op en zocht haar toevlucht onder een afdakje boven een klein plankier. Door het ivoorkleurige, gaasachtige gordijn dat het glas in de achterdeur bedekte, zag ze Coops silhouet uit de woonkamer naar de gang komen.

Toen ze aanbelde dook hij weg en verdween uit het zicht.

'Wie is daar?'

'Darby.'

'Ik ben nu ergens mee bezig. Ik bel je later wel.'

'Ik moet je spreken, Coop. Nu. Doe open.'

Even later zag ze zijn schaduw door de gang naderen. Grendels werden opzijgeschoven en de deur ging open.

Voor haar stond Coop. In spijkerbroek en op blote voeten. Zijn strakke, olijfgroene hemd was besmeurd met stof, vuil en zweetplekken. Olivia, zijn acht maanden oude nichtje, lag tegen zijn borst te slapen.

'De oppas van mijn zus heeft het vanmorgen laten afweten, dus belde ze me in tranen op om te vragen of ik op haar wilde passen,' zei hij.

Coop deed de deur een stukje verder open en wierp een snelle blik door de straat. Zijn gezicht zat vol schrammen en sommige plekken waren gezwollen. Stukken met bloed doortrokken verbandgaas bedekten zijn armen.

'Jackies baas heeft maar weinig compassie waar het de problemen van werkende, alleenstaande moeders betreft,' zei hij. 'Je zou toch mogen verwachten dat hij na drie echtscheidingen en met twee eigen kinderen wat meer begrip zou kunnen...'

'Drink je altijd als je babysit?'

'Mag ik soms niks drinken?'

'Dat lijkt me anders niets voor jou.'

'Goh, mam, ik zou graag de preek horen die je nu gaat afsteken – hij lijkt me vast erg leerzaam, echt waar, maar ik ben nu even bezig. Ik bel je later wel en...'

Darby schoof langs hem heen door de geelgeverfde gang en ging de woonkamer binnen waar bijna elk stukje van de beige vloerbedekking schuilging onder lege en dichtgeplakte kartonnen verhuisdozen. Ze kreeg een wee, misselijkmakend gevoel in haar maag en het was alsof zich een kille hand om haar hart sloot.

Uit de draagbare cd-speler op de bruinleren bank klonk zachte muziek – 'Wake Up Dead Man' gezongen door Bono, opgenomen tijdens een concert van U2 bij Slane Castle, County Meath, Ierland. Ze had hem de illegale cd vorig jaar als kerstcadeautje gegeven.

Coop kwam ook de woonkamer binnen. Met zijn hand ondersteunde hij de rug van zijn slapende nichtje.

'Wanneer had je het me willen vertellen? Nadat je was vertrokken?'

'Nadat ik klaar was met inpakken,' antwoordde hij.

'Je gaat dus naar Londen?'

'De kans was te mooi om te laten schieten.'

Darby slikte. Haar hart ging als een razende tekeer.

Coop pakte een longdrinkglas dat op een oude hutkoffer stond.

'Wil je wat drinken?' vroeg hij. 'In de keuken staat een fles Middleton Ierse whisky.'

Ze antwoordde niet.

Hij liet zich voorzichtig in een leren fauteuil zakken.

'Kijk me niet zo verwijtend aan,' zei hij. 'Het is niets persoonlijks. Ik heb je niets verteld omdat ik bang was dat je me zou ompraten.'

Haar gezicht gloeide. 'Wanneer vertrek je?'

'Vanavond.'

Darby wist niet waar ze haar handen moest laten.

'Ik neem de nachtvlucht,' zei hij.
'Vanwaar die plotselinge haast?'
'Ze hebben me nodig bij dat komende project, bij die nieuwe vingerafdruktechnologie die ze ontwikkelen.'
'Onzin.'
'Ik weet niet hoe vaak ik je dit nog moet zeggen. Ik heb geen idee wie die jonge vrouwen zijn.'
'Hoe weet je dat ze jong waren?'
'Frank had ze graag jong.'
'Hoe weet je dat ze iets te maken hadden met Sullivan?'
'Dit begint te lijken op een kruisverhoor. Zal ik mijn advocaat even bellen en vragen of hij langskomt?'
'Ik weet het niet, Coop. Heb je iets verkeerds gedaan?'
Hij schudde zijn hoofd en zuchtte, nam nog een slok whisky, sloeg zijn benen over elkaar en leunde naar rechts in de stoel.
'Pak je altijd in met het licht uit?'
'Olivia viel in slaap.'
'Toen ik aanbelde, zag ik je gehaast uit de woonkamer komen.'
'Ik wilde mijn nichtje pakken. Ze was op de vloer in slaap gevallen.'
'Je hebt nooit goed kunnen liegen, Coop.'
'Ben je helemaal hierheen gekomen om me af te zeiken?'
'Nee, ik ben hier gekomen uit bezorgdheid. De commissaris heeft je in haar vizier. Ze denk dat je iets verbergt. Ik ook trouwens.'
'Sorry, maar ik kan je niet helpen.'
'Meer heb je niet te zeggen?'
'Meer heb ik niet te zeggen.'
'Nou, in dat geval kan ik misschien maar beter afscheid nemen.'
'Ik zou je later hebben gebeld, echt. Ik zou je mee uit eten hebben genomen en je hebben verteld over de baan.'
'Omdat ik in een restaurant waarschijnlijk niet zo snel een scène zou schoppen.'
'Het spijt me, Darby, ik ben niet goed in afscheid nemen.'
'Dat is niemand.'
'Jij wel. Niets doorboort dat taaie Ierse pantser van je.'
Mis, Coop. Dat deed jij, ondanks al mijn verzet.
'Laten we nu wat drinken,' zei hij. 'Pak een glas uit de keuken. Je weet waar ze staan.'
'Ik moet ervandoor.'
'Dat bedoel ik nou,' zei Coop. 'Het werk gaat voor.' Hij legde zijn

voeten op de salontafel en zakte achterover in zijn stoel. 'Dat is nou eenmaal de aard van het beestje.'

Darby haalde diep adem, in een poging haar gekrenkte gevoelens niet in haar stem te laten doorklinken. Ze ging voor zijn stoel staan, steunde met haar handen op de armleuningen en boog zich voorover.

'Ik ben erg blij voor je, Coop.'

'Bedankt.'

'Ik zal je missen.'

'Ik jou ook.' Hij nam een grote slok uit zijn glas. 'Je bent...'

'Wat?'

'Je was... een geweldige vriend.' Zijn stem klonk zwaar van de drank. 'De allerbeste.'

Darby dwong zich tot een glimlach. Ze boog zich naar hem toe en kuste hem op zijn wang, terwijl haar rechterarm om hem heen naar zijn rug reikte.

'Maar voordat ik ga,' zei ze, en ze trok het pistool uit zijn broeksband, 'zou je me misschien ook kunnen vertellen waarom je tijdens het babysitten een Glock bij je draagt?'

55

Darby zat op de leren bank, vlak naast de stoel waar Coop in zat.

'Het serienummer is keurig afgevijld,' zei ze, en ze draaide het wapen in haar handen rond. 'Heb je het zelf gedaan of heb je dit illegale wapen van iemand gekregen?'

Coop gaf geen antwoord.

Haar mobiel trilde. 'Michelle Baxter wordt vermist,' zei ze, de oproep negerend.

'Ze is de stad uit.'

'Hoe weet je dat?'

'Omdat ik vanmorgen na ons gesprek geld heb gepind en weer terug ben gegaan naar haar appartement. Ik heb haar geld gegeven en helpen inpakken.'

'Omdat je de man kent met wie ze stond te praten, toch?'

Hij gaf geen antwoord.

'Toen ik vanmiddag terugkwam op het lab, ben ik naar je kantoor gegaan om je te zoeken,' zei ze. 'Ik heb ook het IAFIS-bestand gecontroleerd. De vingerafdruk op de verpakking van de nicotinekauwgum is geïdentificeerd. Zijn naam is Jack King.'

'Weet ik. Ik heb al die tijd gedacht dat hij dood was.'

'Wanneer ontdekte je dat hij dat niet was?'

'Toen ik hem aan de overkant van de straat met Baxter zag praten,' antwoordde Coop. 'Hij is... meedogenloos.'

'Heb je me daarom niet gebeld? Omdat je niet wilde dat ik hem zou tegenkomen?'

'Ja.'

'Waar ken je hem van?'

Coop ademde diep in door zijn neus en liet Olivia van zijn schouder naar zijn borst zakken. De baby bewoog even. Haar vingertjes balden zich tot een knuistje.

'Herinner jij je dit?' vroeg hij.

'Herinner ik me wat?'

'Dat je ooit zo jong was,' zei hij, en hij streelde het zachte, donzige haar van de baby. 'Het is het mooiste deel van je leven en je kunt je niet herinneren zo onschuldig te zijn geweest. Onbezoedeld en ongeschonden. Op onze leeftijd herinneren we ons alleen nog maar de littekens, de dingen die onderweg verkeerd zijn gegaan en waar we een potje van hebben gemaakt.'

Darby wilde iets terugzeggen. Ze wilde hem terugbrengen naar het heden, om hem, zo behoedzaam mogelijk, met haar vragen te sturen. Maar ze voelde dat Coop ergens mee worstelde, dus wachtte ze af.

'Zoals toen ik twaalf was,' zei hij na een ogenblik. 'Ik lig diep in slaap op de bank als ik een uitlaat hoor knallen en ik denk dat het mijn ouweheer is die elke avond in die roestbak van een Buick naar de General Electric-fabriek in Lynn reed om als monteur zijn avonddienst te draaien. Maar als ik de deur opendoe in de veronderstelling dat hij thuiskomt, zie ik Tommy Callahan, een gozer uit de buurt, aan de overkant van de straat de traptreden van de kerk op rennen. Hij strekt zijn handen uit naar de deur, schreeuwend. Op dat moment begint meneer Sullivan te schieten. *Pang-pang-pang*, net rotjes die afgaan. Ik zie Tommy C. op de trap van de kerk in elkaar zakken en zie hoe hij daar zomaar dood ligt te gaan.'

Coop strijkt afwezig met een vinger over Olivia's gebalde vuistje. 'Meneer Sullivan staat naast hem en kijkt op hem neer. Tommy C. steekt huilend en smekend zijn hand naar hem op. Meneer Sullivan ziet me bij de voordeur staan kijken en schiet drie kogels in Tommy's hoofd. Hij veegt fronsend het bloed op zijn schoen af aan Tommy's spijkerbroek en zegt dan: "Hé, Coops, wat doe jij zo laat nog op? Moet je morgen niet naar school?"'

Coop nam een slok. 'Terwijl Kevin Reynolds het lichaam van Tommy C. naar de achterkant van een auto sleept, komt meneer Sullivan met een glimlach op zijn gezicht naar het huis slenteren, alsof hij gewoon even een praatje komt maken. Hij komt naast me op de bank zitten. Het is een uur 's nachts. Mijn moeder komt beneden om te zien wat er aan de hand is. "Rustig maar, Martha," zegt meneer Sullivan. "Ik neem Coop alleen even mee naar mijn auto om van man tot man met hem te praten. We zijn zo weer terug." Ik kijk mijn moeder aan, maar ze zegt geen woord. Het volgende dat ik weet is dat ik achter in de auto zit en dat ik meneer Sullivan tegen me hoor zeggen: "Heb je vanavond iets gezien, Coops?" Waarop ik antwoord: "Nee, meneer Sullivan, ik heb niets gezien."

"Dat dacht ik al," zegt hij. "Want mocht dat wel zo zijn, dan hebben we een probleem. En zelfs als je iets hebt gezien en je komt toevallig op het idee naar de politie te gaan, dan kom ik het te weten, en ik moet er niet aan denken als er met je moeder of een van je zussen zoiets als dit zou gebeuren."

Toen liet hij me de foto's zien, polaroids van een meisje zonder handen en tanden.'

Darby moest haar keel schrapen voor ze weer iets kon zeggen. 'Was Jack King hierbij betrokken?'

'Ik heb mijn moeder alles verteld, over de foto's, wat ik zag op de trap van de kerk en wat Jack Sullivan tegen me had gezegd... alles.' Coop slikte. 'Ik ben doodsbang en totaal overstuur, dus belt ze mijn ouweheer en om vijf uur 's nachts zitten we opeens bij McKinney's Diner, waar mijn vader me vertelt hoe meneer Sullivan Charlestown veilig en leefbaar houdt. "Hij houdt het schorriemorrie buiten de deur," zegt hij. "Mannen zoals Tommy C." zegt mijn vader. "Een man die in onze stad drugs probeert te verkopen, heeft er gewoon om gevraagd. Meneer Sullivan," zo noemde mijn vader hem, "meneer Sullivan," zegt hij, "is een rechtschapen man en rechtschapen mannen moeten soms harde beslissingen nemen. Beslissingen die de politie niet begrijpt. Vergeet wat je hebt gezien en houd je mond," zei mijn vader. En dat niet één keer, hij heeft het de hele week daarna in mijn hoofd gehamerd. En wat denk je dat ik deed?'

'Je hield je mond.'

'Ja, natuurlijk. Ik had het mijn ouders beloofd. Het waren goede, hardwerkende mensen. Liefdevol, maar ze behoorden niet tot de slimsten. Net als iedereen die daar toen woonde, beschouwden ze meneer Sullivan als een soort... Robin Hood. De criminaliteit was nog nooit zo laag geweest. Geen drugs, geen meisjes op straat op zoek naar crack in ruil voor een pijpbeurt. In die tijd liepen we 's avonds gewoon op straat "omdat je wist dat je veilig was".'

Coop nam nog een slok, hield toen het glas voor zijn gezicht en staarde ernaar. 'Maar het punt is,' vervolgde hij, 'Wát zag ik? Het blijft me achtervolgen. Het vreet me vanbinnen op, want ik ben tenslotte een godvrezende Ierse katholiek en we hebben het hier wel over mijn zielenheil. Dus ga ik biechten en vertel de priester wat er is gebeurd... de foto's, alles. Ik vertel hem dat ik naar de politie wil gaan, omdat dat zo hoort en ik vraag hem of hij misschien een agent weet die ik kan vertrouwen. En wat denk je dat die klootzak tegen me zei?'

'Ik neem aan dat hij zei dat je niet naar de politie moest gaan.'

'Klopt. Zeg drie Weesgegroetjes en twee Onzevaders en alles is voor eeuwig vergeven. En dat is wat ik deed, Darby. Maar de Grote Baas hierboven had andere plannen met me. De volgende dag loop ik van school naar huis. Ik probeer net om... weet je... met mezelf in het reine te komen, als naast me een auto stopt en een enorme kerel met een kop als Frankenstein, maar dan zonder bouten in zijn nek, me zijn badge laat zien.'

'Jack King.'

Coop knikte. 'Hij zei dat ik als de sodemieter achterin moest gaan zitten. En, brave jongen die ik ben, wat denk je dat ik deed?'

'Je bent als de sodemieter achterin gaan zitten.'

'Je bent hier behoorlijk goed in.'

'Ik ken je al een poosje,' antwoordde ze. Ze sprak zacht en beheerst, in de hoop dat de ondertoon van hysterie uit Coops stem zou verdwijnen. 'Ik ken je al...'

'Je kent me niet, Darby.' Hij dronk zijn glas leeg en zette het terug op de hutkoffer. 'Je denkt me te kennen omdat we samen zoveel tijd hebben doorgebracht. Maar tenzij je over helderziende gaven beschikt en in staat bent elke gedachte op ieder gewenst ogenblik te lezen, zul je iemand anders nooit écht leren kennen. Daarom zie ik de zin er niet van in om te trouwen. Je kunt je vrouw elke avond hartstochtelijk beminnen en je hart loopt over van liefde voor haar... ik heb het over de "ware liefde" uit de film, het soort liefde dat mensen maar zelden in werkelijkheid overkomt. Van het soort waarbij het pijn doet om adem te halen, snap je? Maar voor hetzelfde geld fantaseert je grote liefde, terwijl je bovenop haar ligt, dat je George Clooney bent, of de badmeester, of wie dan ook. Waarmee ik maar wil zeggen dat je iemand, hoeveel je ook van die persoon houdt, nooit helemaal zult kennen. Niet zoals je jezelf kent en vertrouwt.'

'Volgens mij heb ik in al die jaren je vertrouwen wel verdiend.'

'Dat heb je,' zei Coop. 'Dat heb je zeker. En daarom ga ik je nu het beste deel van het verhaal vertellen, waarin Special Agent King me meeneemt naar de kelder van Kevin Reynolds.'

56

Darby zat gespannen op de bank. De nervositeit die ze in Coops stem had gehoord, was verdwenen. Zijn stem klonk nu vlak, emotieloos, zoals Michelle Baxters stem had geklonken. Op de een of andere manier riep het de herinnering bij haar op aan het moment waarop ze door de kleine ruit in de deur van de intensive care keek en de vlakke lijn op de hartmonitor van haar vader zag nadat haar moeder besloten had hem van de hart-longmachine te laten halen.

'Special Agent King stopt voor Reynolds' huis en beveelt me uit te stappen,' zegt Coop. 'O, shit, denk ik in paniek. Deze kerel weet wat ik heb gezien en hij is nu hier om Reynolds en Sullivan te arresteren. King klopt niet en belt niet aan, hij grijpt me bij mijn arm en sleurt me naar binnen, door de keuken naar de kelder. Pas dan dringt tot me door dat er iets vreselijk mis is.'

Starend naar zijn hand streelde Coop het hoofdje van Olivia. 'Ik sta in de kelder. King staat achter me. Voor me zit Sullivan op een keukenstoel. Hij is pinda's aan het doppen en zegt tegen me dat ik diep in de problemen zit. Wat me al duidelijk is, want ik zie dat jonge meisje dat hij met plakband aan een keukenstoel heeft vastgebonden en het grote gat vlak achter haar in de grond.'

Darby staarde naar de deur. Ze wilde het liefst vluchten, zo ver mogelijk weg, om maar niet te hoeven luisteren naar wat Coop haar ging vertellen.

'Wil je de rest horen, Darby?'

Nee, dat wil ik niet.

'Ik hoef het je niet vertellen,' zei hij. Zijn ogen waren wijd opengesperd en zijn lippen trilden. 'De doos van Pandora kan nog dicht. Je kunt nu nog weg, met een zuiver geweten en onbevangen de deur uit gaan.'

'Misschien zou je met een advocaat moeten praten.'

'Ik praat niet met een advocaat, Darby. Ik praat met jou. Wil je de rest horen of niet?'

'Ja.'

'De handen, armen en kleren van het meisje zitten onder de aarde, want meneer Sullivan heeft haar in de kelder met haar blote handen haar eigen graf laten graven. Haar mond is dichtgeplakt met plakband. Ze beeft en huilt. Ik huil ook, want King houdt nu een revolver tegen de zijkant van mijn hoofd... ik voel de loop in mijn huid drukken als meneer Sullivan tegen me zegt dat ik op het punt sta een cruciale beslissing te nemen. Een zaak van leven en dood. "Een van jullie gaat in dat gat verdwijnen," zegt hij.'

Darby huiverde. Coop staarde naar het plafond, naar de snelbewegende schaduwen van het regenwater dat langs de ramen van de woonkamer stroomde.

'Meneer Sullivan kijkt me aan. "Wie moet daar volgens jou liggen, Coops?" vraagt hij. "Deze jongedame hier, die besloot naar de FBI te gaan om daar over mijn hotelfeestjes te vertellen, of jij? Er wordt gezegd dat je plannen hebt om naar de politie te gaan. Heb je niet mij én je ouweheer beloofd je mond te houden over zaken die alleen de buurt aangaan?"

Op dat moment besefte ik dat mijn parochiepriester meneer Sullivan moest hebben verteld wat ik hem had opgebiecht. Ik had het niemand anders verteld. Niet aan mijn vrienden of mijn zussen, uit angst dat meneer Sullivan het te horen zou krijgen. Maar ik was stom genoeg om pater Humphrey en zijn biechtgeheim te vertrouwen.'

Darby klemde haar handen om de rand van de bank. 'Dat meisje in de kelder,' vroeg ze. 'Kende ze Kendra Sheppard of Michelle Baxter?'

'Vast wel, maar ik kreeg niet de kans om met haar te praten. Huilend van angst bezweer ik meneer Sullivan dat ik niemand iets heb verteld, en hij staart me alleen maar aan, terwijl hij pinda's dopt alsof hij bij een honkbalwedstrijd zit. En steeds weer stelt hij me dezelfde vraag. "Wie moet volgens jou in dat gat liggen, Coops? Neem een besluit, anders doe ik het voor je." En, Darby, wat denk je dat ik besloot?'

Haar maag trok zich samen en ze proefde de bittere smaak van gal. Ze moest een paar keer slikken voor ze een woord kon uitbrengen.

'Hoe heette ze?'

'Dat weet ik niet,' antwoordde Coop. Zijn ogen werden vochtig. 'Ik moet bekennen dat ik er niet aan heb gedacht het haar te vragen. Misschien was dat ook maar beter, aangezien meneer Sullivan me dwong een plastic zak over haar hoofd te trekken.'

Darby snakte naar adem.

'Uiteraard bood meneer Sullivan – fantastische Robin Hood-figuur als hij was – me de gelegenheid met haar te praten en hij rukte het plakband van haar mond. Voor het geval ik sorry tegen haar wilde zeggen voordat ik haar liet stikken, snap je?'

Coops woorden kwamen moeizaam. Zijn hese stem sloeg over.

'Ik merkte dat ze iets tegen me probeerde te zeggen, maar ik kan me er geen woord meer van herinneren, omdat ik al die tijd dat ik die plastic zak over haar hoofd hield alleen maar aan mijn moeder kon denken, over wat er met haar en mijn zusjes zou gebeuren als ik daar in die kuil eindigde en verdween. Dat was meneer Sullivans specialiteit. Ik had er verhalen over gehoord, maar nu was ik er zelf bij.'

Er liepen tranen over zijn wangen en zijn gezicht vertrok. 'Ze verzette zich niet eens, Darby. Het was alsof ze erin berustte.'

Darby kon zich niet bewegen. Ze wenste dat ze een of andere magische knop kon indrukken waardoor ze kon teruggaan in de tijd, terug naar haar kantoor en vergeten dat ze hier ooit was geweest.

Coop veegde zijn tranen weg. 'Toen het voorbij was, liet hij me haar lichaam in de kuil leggen. Ik begroef haar zonder er veel bij te voelen. Ik was als verdoofd. Wat ik wél besefte, was dat ik nu naar de hel zou gaan. Meneer Sullivan was opgetogen. Hij bleef maar zeggen hoe trots hij op me was. Nadat ze was begraven, stopte hij een bundeltje bankbiljetten in mijn zak. Tweehonderd dollar. Zoveel was haar leven waard. Hij zei dat ik vanaf dat moment voor hem werkte, en dat mijn nieuwe baantje inhield dat ik de buurt in de gaten zou houden en hem verslag zou doen als ik iets opvallends zag of hoorde.

Maar eerst moest ik mijn schuld inlossen, zei hij. En als ik dat niet zou doen, dan zou hij de telefoon pakken en een van zijn vrienden bij de FBI bellen om hem te vertellen wat hier net was gebeurd en hem de plastic zak geven met al mijn vingerafdrukken erop. En deze FBI-agent zou zijn verhaal bevestigen. Hij zou verklaren dat ik voor meneer Sullivan werkte en dat hij me met het meisje het huis binnen had zien gaan en dat hij haar had horen gillen. En als ik dan in de gevangenis zat, zei meneer Sullivan, dan zou hij mijn moeder een keer een speciaal bezoekje brengen.'

Zijn echte naam is niet Frank Sullivan, Coop. In werkelijkheid heet hij Ben Masters, een FBI-agent die binnen de maffia werd geplaatst, en ik denk niet dat hij is omgekomen en ik weet niet hoe het hem, King en de andere twee agenten op dat schip gelukt is hun dood te ensceneren. Wat ik wel weet, is dat dit alles steeds ondoorzichtiger wordt, en ik vraag me af hoelang het zal duren voor ik weet wie of wat hierachter zit, als ik er ooit achterkom.

Ik heb u niet gevraagd om me te komen helpen, hoorde ze opnieuw Ezekiel tegen haar fluisteren. *Ik heb u laten komen om u voor deze zogenaamde FBI-agenten te waarschuwen. Ik heb geen idee of ze nog steeds voor de FBI werken... U weet wat ze uw vader hebben aangedaan; u hebt gezien wat Kendra is overkomen... Denk niet dat u deze mensen kunt ontmaskeren. U kunt niemand vertrouwen.*

Coop verlegde zijn nichtje op zijn borst, haar hoofdje vlak onder zijn kin. 'Meneer Sullivan nam me mee naar een kamer boven, waarvan ik aannam dat het de slaapkamer van Kevins moeder was of van zijn zuster. De zon scheen naar binnen door kanten gordijnen en de muren hingen vol met afbeeldingen van Jezus, Maria en de paus. En daar was pater Humphrey. Hij zat op de rand van het bed, met zijn boord losgeknoopt en in zijn hand een glas whisky.

Achter me werd de deur op slot gedaan... aan de buitenkant, zodat ik niet kon weglopen. Pater Humphrey bleef me glimlachend aankijken terwijl hij met zijn hand klopte op de plek naast zich op het bed. Wil je weten wat hij toen deed?'

'Nee,' wist ze gesmoord uit te brengen.

'Mooi,' zei hij. 'Dan kan ik mezelf de gore details besparen. En ik zie je niet graag blozen.'

'Coop...'

'Die plastic zak heb ik trouwens gevonden. Daarom had ik zo'n haast om het huis binnen te komen. Ik vond hem in die doos vol botten.'

'Wat heb je ermee gedaan?'

'Weggegooid.'

Darby staarde als verdoofd naar het tapijt.

'Als je de commissaris spreekt,' zei hij. 'Dan zou ik het waarderen als je dit kleine detail wegliet. Ik wil niet dat ze gaat zoeken. Dat doen de anderen al.'

'Welke anderen?'

'Wie denk je? De Bond van Buitengewone Dode Federale Agenten, natuurlijk. Ze dwalen hier ergens rond in Charlestown. Waarschijnlijk observeren ze nu het huis.'

'Het meisje dat je... ontmoette in de kelder.'

'Ik weet haar naam niet. En ik kan met trots zeggen dat ik, rechtdoorzee als ik ben, nooit de moeite heb genomen om dat uit te zoeken. Voel je niet bezwaard je psychologische graad te gebruiken om je eigen conclusies te trekken. Deel ze alleen niet met mij.'

'Ezekiel vertelde me dat Kendra mijn vader hielp om Sullivan te ontmaskeren.'

'En zie waar dat toe heeft geleid.'

'Wist je het?'

'Ik wist dat Sullivan een zwak voor haar had en haar dicht in zijn buurt hield. Ik kwam erachter nadat ze was opgepakt wegens prostitutie.'

'En de andere overblijfselen in de kelder?'

'Geen idee. Luister, je moet iets voor me doen.'

'Wat?'

'Neem heel lang vrij, ga met vakantie en wacht tot dit overgewaaid. Wend een hartaanval voor, of koop een vliegticket en ga ergens heen, maar doe iets. Je moet zo ver mogelijk van dit alles vandaan.'

'Daar is het nu wel wat laat voor.'

Coop stond op. 'Weet je nog hoe mijn ouweheer aan zijn eind kwam?' vroeg hij terwijl hij zijn slapende nichtje op de bank legde.

'Aangereden door een auto toen hij dronken uit een bar in Lynn kwam lopen. De bestuurder is doorgereden.

Wat ik je niet heb verteld, is het telefoontje dat ik kreeg nadat we hem hadden begraven. Het was die FBI-agent die me naar Reynolds' huis had gebracht – "Special Agent" King. Hij belde me thuis op en zei me dat ik mijn mond moest houden, of dat ik anders mijn moeder naast mijn ouweheer kon begraven. Daarom besloten Jackie en ik in Charlestown te blijven, om een oogje op mijn moeder te kunnen houden. Godzijdank is ze aan het begin van dat jaar naar Florida verhuisd.'

'Kendra Sheppard heeft gesprekken opgenomen van...'

'Niet zeggen. Ik wil het niet weten en wat het ook is, het maakt nu toch niet meer uit. Je kunt deze kerels niet pakken. Het zijn net vampiers. Ze zijn hier zo'n twintig jaar geleden opgedoken en ze hebben van Charlestown een spookstad gemaakt. Nu zijn ze terug, en als je denkt dat je ze voorgoed kunt uitschakelen dan heb je het mis. Je legt er een om en een ander verschijnt om zijn plaats in te nemen. Het zijn...'

Darby hoorde met gierende banden een auto stoppen.

Coop greep zijn Glock en rende naar de voordeur.

57

Darby sprong overeind en greep naar haar wapen. Coop leunde tegen de muur bij de trap en tuurde door het raam dat uitkeek op straat.

Zijn lichaam ontspande en hij haalde opgelucht adem.

'Het is Jackie.' Hij stak het pistool op zijn rug achter de broeksband van zijn spijkerbroek, trok zijn shirt eroverheen, en rende toen naar de bank om zijn nichtje te pakken. 'Blijf hier,' zei hij.

Nog wat onzeker op haar benen, zag Darby hoe Coop op blote voeten door de regen rende die op de geparkeerde auto's en de straat neerkletterde. Hij opende het achterportier van de auto en zette de baby in het kinderzitje.

Jackie draaide het raampje open. Darby zag dat de vrouw had gehuild.

Terwijl Coop met zijn zus praatte keek ze de straat rond. Veel geparkeerde auto's. Zo te zien zat er niemand in.

Coop rende terug het huis binnen. Hij deed de deur niet dicht en Jackie reed niet weg. Het gezicht van de vrouw was bleek en er stond angst op te lezen.

'Ze wil dat ik met haar meega,' zei hij, en hij pakte zijn sneakers. Water droop langs zijn gezicht. 'Ze denkt dat ze een paar mannen heeft gezien die haar huis in de gaten houden.'

'Ik zal een paar mensen bellen om haar te bewaken tot...'

'Tot wanneer? Ga me nu niet vertellen dat dit zomaar voorbijgaat.'

'De commissaris heeft de zaak in handen gegeven van het hoofd van Anti-Corruptie. De man heet Warner. Hij kan...'

'Ik wil er geen politie bij... niemand. Kerels als King opereren niet in hun eentje. Ze worden altijd geholpen.'

'Walter weet dat ik hiernaartoe ben gegaan om met je te praten.'

'Zeg hem dat je me niet hebt kunnen vinden.'

'Hij zal je komen zoeken.'

'Laat hem maar zoeken. Prima zelfs, het geeft me wat extra tijd.

Vertel hem dat ik heb gebeld en je heb beloofd dat ik je later zou spreken, laten we zeggen rond een uur of acht. Dan ben ik al op het vliegveld.'

'En als ze je daar gaan zoeken?'

'Dan zie ik wel hoe ik dat oplos.'

'Blijf hier, Coop. We kunnen een manier vinden om...'

'Ik blijf niet hier. Ik kan het niet. Ik moet dit doen. Ik kan niet riskeren dat er iets met Jackie of mijn moeder gebeurt.'

'Je moeder is in Florida.'

'Niet lang meer.' Hij keek haar aan en pakte haar zacht bij haar schouders. 'Laat me dit alsjeblieft op mijn manier doen, oké?'

'Wat kan ik voor je doen?'

'Sluit voor je hier vertrekt mijn huis af.'

'Als je me belooft je telefoon aan te laten staan en op te nemen als ik bel.'

'Dat beloof ik. Hetzelfde geldt voor jou. Ik bel je zodra ik Jackie in veiligheid heb gebracht.'

Coop stapte weer de regen in. Ze wilde hem achterna gaan, maar haar voeten leken aan de grond genageld.

Toen draaide hij zich om en liep snel op haar toe. Hij klemde haar gezicht zacht tussen zijn beide handen, boog zich naar haar toe en kuste haar heftig op haar lippen. Ze beantwoordde zijn kus even hartstochtelijk en wilde hem niet meer loslaten.

Hij liet haar los en slikte zijn tranen weg.

'Ik zou blijven als ik dacht dat ik een kans zou hebben, Darby. Dat zweer ik, bij alles wat me lief is. Maar deze kerels zijn geslepen. Die krijg je nooit achter tralies. Ze krijgen altijd hulp van binnenuit. Hoe denk je verdomme dat het ze is gelukt om een bom in het huis en de Explorer te plaatsen?'

'Ik moet dit doorzetten, Coop. Ik kan niet zomaar ophouden.'

Hij sloot even zijn ogen en slikte. 'Pas goed op jezelf, Darby, wees voorzichtig.'

'Jij ook.'

Darby zag hem bij zijn zus in de auto stappen. *Stap uit,* wilde ze zeggen. *Kom terug.*

De Honda trok snel op en verdween uit het zicht. Ze sloot de deur en liep terug het lege huis in. Waterdruppels liepen over haar gezicht en haar rug.

Bono was gestopt met zingen. Haar ogen gingen langs de dozen, langs de afbeeldingen die nog aan de muren hingen, de stapel vuile borden in de gootsteen. Ze stond in de kamer en keek om zich heen, in een poging de indrukken in zich op te nemen en daarmee iets van hem vast te houden. Want dit was het dan, besefte ze. Coop ging weg. Hij zou niet meer terugkomen.

Darby sloot de voordeur af en controleerde alle ramen beneden. Toen ze de trap op liep naar de eerste verdieping, dacht ze eraan om in de kelder nog even te controleren of de kelderluiken wel goed dicht waren.

Ze was op weg naar beneden toen haar telefoon ging.

'Je bent een genie,' zei Randy Scott. 'Mark heeft de binnenkant van de kijker opgedampt en een vingerafdruk gevonden en bingo! Hij heeft alle bellen van de database doen rinkelen, maar hier wordt het vreemd. De afdruk is namelijk afkomstig van nog een andere dode en wel van een zekere Daniël Russo uit Wellesley.'

'Wat is er gebeurd?'

'Hij kwam een jaar of vijf geleden om bij een soort inval in zijn huis. De database geeft niet alle informatie. Ik heb wel een dossiernummer maar geen toegang tot het computersysteem – ik ben niet geautoriseerd. Maar jij wel.'

'Is Warner daar nog steeds?'

'Nee, hij is weg. In feite zijn ze allemaal weg.'

Hij zit waarschijnlijk nog met de USB-stick van Kendra bij die computerknaap, dacht ze. 'Ik ben op weg naar het lab. Ik zie je zo.'

Darby hing op en belde het nummer van Warner.

'Warner.'

'Met Darby. Ik heb...'

'Dat computergenie van je is nog steeds niet achter het wachtwoord gekomen. De commissaris is hier en ze wil weten of je al hebt gesproken met...'

'Luister even naar me.' Darby liep door de woonkamer naar de deur van de kelder om daar het luik af te sluiten. 'Ik weet wat meer over de verrekijker die we in het bos hebben gevonden. Een vingerafdruk, afkomstig van...'

In haar ooghoek bewoog een schaduw. Ze draaide zich om naar de donkere gang en zag nog net de geweerkolf die met kracht tegen de zijkant van haar hoofd werd geslagen.

58

'Het was typisch zo'n geval van de verkeerde tijd en de verkeerde plaats,' zei pater Humphrey.

Jamies ogen knipperden. Hij lag nog steeds op het bed met het glas op zijn buik naar het plafond te staren. De Johnnie Walkerfles was bijna leeg, zag ze. *Hoelang ben ik bewusteloos geweest?*

'Danny was bezig met een verbouwingsklus voor... een gemeenschappelijke vriend, zou je kunnen zeggen. Deze heer had een huis gekocht met de bedoeling het te laten opknappen om het daarna met dikke winst weer door te verkopen. De man is een waar genie waar het onroerend goed betreft. Hij heeft er een fortuin mee verdiend. Ik wist dat Danny problemen had zijn zaak van de grond te krijgen, dus gaf ik hem Danny's naam.

Je man greep de kans met beide handen aan, Jamie. Ik bedoel, hij liep het vuur uit zijn sloffen toen hij begreep dat de man bereid was handje contantje te betalen als de klus snel werd gedaan. Geen rekeningen, geen aangifte bij de belastingdienst. Je had zijn gezicht moeten zien toen. Het was alsof ik hem het winnende lot uit de loterij gaf.'

Humphrey glimlachte, trots op zijn edelmoedige gebaar en nam nog een slok whisky.

Jamie slaagde erin haar hoofd op te heffen. Het leek haar minder moeite te kosten dan eerst. Het warme, weldadige gevoel van naar het scheen uren geleden begon weg te trekken en plaats te maken voor pijn. Ze voelde het doffe bonzen waar haar hoofd de muur had geraakt, de gekneusde en geschaafde plekken waar de vingers van de priester haar keel hadden omklemd.

'De heer die je man had ingehuurd, was zeer ingenomen met de kwaliteit van zijn werk. Danny had werkelijk gouden handen en, mijn god, wat een arbeidsethos! Aan het eind van elke werkdag ruimde hij alles op, hoe laat het ook was, alleen maar voor het geval dat de heer die ik eerder noemde toevallig zou langskomen om een kijkje te nemen. Danny besefte dat deze klus belangrijk voor hem was en hij wilde een goede indruk maken. Misschien had hij toen maar beter naar huis kunnen gaan in plaats van weer terug te gaan om op te ruimen.'

Ze draaide moeizaam haar hoofd opzij en liet het op haar schouder rusten zodat ze de gang kon zien.

'Je man gaat dus terug naar het huis om op te ruimen, waar hij op het aanrecht van de halfafgebouwde keuken de portefeuille van de man ziet liggen. Danny belt de man en laat op de voicemail van zijn mobieltje een boodschap achter. Je man wil indruk maken en laten zien wat voor geschikte kerel hij is, dus wat denk je dat hij deed?'

Jamie gaf geen antwoord. Ze slikte en proefde bloed.

Michael had de sprei weer weggetrokken en ze zag Carter. Hij was bang, maar hij huilde niet meer. Hij draaide zijn hoofd opzij en fluisterde iets tegen zijn broer.

'Je man,' vervolgde Humphrey, 'herinnert zich dat zijn klant het grootste gedeelte van zijn tijd doorbrengt op zijn schip in de Marblehead Yacht Club. Gezien Danny's interesse als beginnend zeiler, hadden ze het kennelijk samen regelmatig over boten gehad. Dus in plaats van de portefeuille mee naar huis te nemen, stapt jouw man, fatsoenlijke vent als hij is, in zijn auto en rijdt een uur in noordelijke richting naar de jachthaven, vindt de boot en wie denk je dat hij daar samen met zijn klant op het dek of hoe het ook mag heten, een biertje ziet drinken?'

Ze wilde Carter vasthouden. Ze wilde hem en Michael in haar armen nemen, hun wangen tegen die van haar drukken en tegen ze zeggen hoe erg het haar speet dat ze hen aan hun lot had overgelaten. Opnieuw. Ze zou haar woorden van spijt, haar pijn, haar schuld wel willen uitschreeuwen, zodat haar jongens ze zouden horen.

'Danny overhandigt zijn klant de portefeuille,' zegt Humphrey. 'Deze vraagt hem een biertje te blijven drinken, maar Danny weigert, want hij herkent de andere man op het dek... Frank Sullivan. Niet dat Francis nog zo heet, na zijn overlijden en zo. Hij lijkt zelfs niet meer op Frank, na al die plastische chirurgie en... wacht, dat is waar ook, dit deel van het verhaal ken je al, is het niet?'

Jamie zag Michaels been langzaam onder het bed vandaan komen.

'*Nee.*'

'Heeft Danny je dat niet verteld?' vroeg Humphrey verbaasd. 'Aangezien je bij de politie zat, had ik toch verwacht dat hij het je wel zou vertellen.'

Michael schoof steeds verder onder het bed vandaan.

'Politie,' zei Jamie. 'Bel... eh... politie.'
Humphreys hoofd kwam omhoog van het kussen. 'Heb je de politie gebeld?'
'Nee,' zei ze. 'Dan... eh... heeft me... eh... niet verteld.'
'Danny herkende Francis,' zei Humphrey. 'Dat vertelde hij me. Ik weet niet precies wat er toen in die jachthaven is gebeurd, aangezien Danny me niet alle details vertelde toen hij kwam biechten. Maar het was duidelijk dat je man gebukt ging onder een soort gewetensconflict vanwege het twijfelachtige genoegen Francis Sullivan daadwerkelijk te hebben herkend. Danny speurde wat rond op internet, ontdekte dat Francis tragisch was omgekomen op zee, waarna hij zich geroepen voelde om wereldkundig te maken wat hij had gezien. Hij wist niet honderd procent zeker dat de man die hij had gezien Frank Sullivan was, maar wel dat hij er verdomd veel op leek. Dat risico mocht ik niet nemen.'
Michael was nu helemaal onder het bed vandaan gekomen. Carter, die de sprei omhooghield, gebaarde met zijn vinger tegen zijn lippen dat ze stil moest zijn.
'Ik ben een man van God,' zei Humphrey. 'En ik wil niet dat jij wordt doodgemarteld. Maar de man die hier straks komt, die... die zal dingen met je doen totdat je hem de waarheid zegt. Vertel me wat je met Francis hebt gedaan, dan stuur ik je in een zalige heroïneroes naar de Lieve Heer Zelf.'
Zorg dat hij het huis verlaat. Alleen dan zijn de kinderen veilig.
'Ik breng... eh... u... erheen.'
Humphrey ging rechtop zitten en hield zijn hand bij zijn oor.
'Wat zeg je, liefje?'
'Ik... breng u... naar... eh... Sullivan.'
'Waar is hij?'
'Ik laat... u... eh... zien.'
Beneden werd een deur geopend en hard weer dichtgeslagen.
'Te laat,' zei Humphrey met een zucht. 'Je hebt je kans gehad.'

59

Darby dreef langzaam terug in een wereld vol intense, withete pijn die zich in haar hoofd, kaak en gezicht leek te concentreren. Ze meende gefrituurde vis te ruiken. De lucht riep een vage jeugdherinnering (*of droomde ze het?*) bij haar op van een zomerse zonsondergang op het strand van Kennebunk Beach, Maine. Ze zat naast haar vader op een deken, met tussen hen in gefrituurde mosselen op dunne, kartonnen borden. Het witte, wasachtige karton flapperde in het zachte, zwoele briesje over het water waar haar moeder langs het strand schelpen liep te zoeken die ze later in een glazen vaas in de keuken zou bewaren. Darby kon zich niet herinneren hoe oud ze toen was of wat haar vader tegen haar had gezegd (hoewel het, gezien het seizoen, wel over honkbal zou zijn gegaan) en toen haar ogen trillend opengingen, had ze het gevoel gehad dat haar vader, in elk geval op dat moment in zijn leven, echt gelukkig was geweest.

Het was halfdonker in de kamer. Benauwd. Haar hoofd hing voorover en ze zag haar schoot. Ze was vastgebonden aan een bureaustoel, met haar armen achter haar rug. Dikke touwen zaten strak rond haar dijbenen en enkels. Haar hoofd bonsde niet langer meer, maar leek bijna te exploderen. Angst vloog haar naar de keel.

Pijn is te beheersen, hield ze zichzelf voor. *Pijn is te beheersen.*

Ze ademde diep in. Naast de lucht van gefrituurde vis rook ze vaag machineolie.

'Hoe is het met je hoofd?' vroeg een man.

Darby slikte en proefde bloed. Ze haalde nog een keer diep adem en hield die zo lang mogelijk in terwijl ze langzaam haar hoofd ophief.

Links van haar zag ze grote erkerramen. De regen gutste langs de ruiten. Ze keken uit op een straatlantaarn tegen een donkere hemel, die matgele vierkanten met schaduwen van de regendruppels op de witte muur voor haar wierp. Vlakbij, op nog geen meter afstand, stond een haveloze houten tafel vol kartonnen bekertjes, groene bierflesjes en een doos die waarschijnlijk was gebruikt om de vettige bakjes met gefrituurde mosselen, jakobsschelpen en garnalen in te vervoeren die voor de man stonden die ze met Baxter had zien praten.

De bestuurder van de bruine bestelbus – de man met het kogelvrije vest die de kauwgumverpakking had achtergelaten – zat aan de andere kant van de tafel. Special Agent King, of hoe hij tegenwoordig ook mocht heten, droeg een donker overhemd zonder das. Om zijn nek droeg hij een kettinkje met daaraan een klein, gouden kruis.

Darby opende haar mond en ontdekte tot haar opluchting dat ze haar kaak nog kon bewegen. 'Hoeveel keer heb je me met dat geweer geslagen?' vroeg ze.

'Maar één keer,' antwoordde King. Zweetdruppels parelden omlaag langs zijn kale hoofd. 'Nadat je tegen de vlakte ging, ben ik overgeschakeld op deze.' Hij hief zijn handen, met zwarte, leren handschoenen. 'Ze zijn verzwaard met loodpoeder.'

Dat verklaarde hoe het hem was gelukt haar kaakbeenimplantaat los te slaan. Ze voelde het onder de bonkende, gezwollen massa van weefsel en opengescheurde huid heen en weer bewegen. Hij had haar hechtingen kapotgeslagen.

'Mijn excuses dat ik je zo hard heb geslagen,' zei hij, en hij pakte een plastic vorkje. 'Maar ze hadden me voor je gewaarschuwd. "Ze is net James Bond met tieten," zeiden ze tegen me. Dus heb ik je een paar extra klappen gegeven om er zeker van te zijn dat ik je zonder problemen zou kunnen boeien en in de kofferbak leggen.'

Hij spietste grijnzend een gefrituurde coquille aan het vorkje en doopte die in een bakje tartaarsaus.

Darby ademde nog een keer diep in, voor zover het touw om haar borst dat toeliet, en hield haar adem drie tellen vast.

'Mooie auto, trouwens,' zei King. 'Doodzonde om zo'n auto te ruïneren, maar het kon niet anders.'

Darby ademde langzaam uit door haar neus. Diep inademen, langzaam uitblazen; dat was de manier om de pijn onder controle te houden. Zo hield ze haar hartslag laag en haar spieren ontspannen. *De pijn kan ik beheersen,* hield ze zichzelf voor, terwijl ze opnieuw langzaam door haar neus uitademde. *De pijn kan ik aan. De pijn kan ik aan. De pijn kan ik aan.*

'Je vindt het toch niet erg als ik eet?' vroeg King. 'Ik heb nog een lange nacht voor de boeg en ik haat het om te werken op een lege maag.'

'Ga gerust je gang, Special Agent King.'

'Hoe ben je erachter gekomen?' vroeg hij en hij nam nog een garnaal.

'Sorry, die informatie is vertrouwelijk.'

King kauwde grijnzend. Darby zag haar SIG naast haar telefoon op de tafel liggen. Het pistool lag minder dan een halve meter bij haar vandaan.

Als ik dat touw kon loskrijgen, dan...

Ze ging rechtop zitten en duwde haar rug tegen de rugleuning van de stoel. Een verzengende pijn boorde zich vanuit het midden van haar schedel een weg omlaag door haar ruggengraat. Knarsetandend snakte ze naar adem. *PIJN IS BEHEERSBAAR.*

'Wil je wat Percocet?' vroeg King, die opnieuw een garnaal aan zijn vork prikte.

IK KAN DE PIJN BEHEERSEN.

'Ik kan je wat Percocet geven,' zei hij. 'Percocet, aspirine, wat je maar wilt.'

'Nee.'

'Een biertje misschien? Ik heb Rolling Rock en Becks.'

'Later misschien, als je gearresteerd bent.'

'Je hebt klasse, McCormick, dat moet ik je nageven. Je ouweheer zou trots op je zijn.'

'Kende je hem dan?' Darby wriemelde met haar vingers. Ze voelde de vochtige stof van haar shirt, haar broeksband. Het touw zat strak, ze voelde hoe het in de huid van haar polsen sneed.

'Ik heb hem nooit ontmoet,' zei King. 'Maar ik heb wel verhalen gehoord.'

'Ben jij het geweest die hem heeft vermoord?'

Hij leek even over de vraag na te denken toen het geluid van een telefoon klonk. Het was die van haar. Ze zag het gebarsten schermpje oplichten.

King nam op. Geen gesprek maar een sms-bericht. Hij las de boodschap en hield op met kauwen.

Ze klemde haar koppelriem tussen haar vingers en begon te trekken. 'Is het interessant?' vroeg ze.

'Een zekere Madeira James heeft je een e-mail gestuurd. Ze vraagt of je haar direct terugbelt.'

'Prima. Kan ik mijn telefoon even lenen?'

King gaf geen antwoord en las de rest van het bericht.

Darby verschoof de riem nog een paar centimeter. De gesp bleef achter een lusje van haar broek steken.

Hij las het bericht langdurig door. Toen legde hij het telefoontje neer en pakte een flesje bier. De uitdrukking op zijn gezicht was veranderd.

'Slecht nieuws?' vroeg ze.

'Niets wat we niet aankunnen,' antwoordde hij, terwijl hij zijn mond afveegde. 'Ik wil je een voorstel doen.'

'Ik ben een en al oor.'

'Kendra Sheppard had originele geluidsbanden, foto's en lijsten met namen van bepaalde personen. Die hebben we tot nu toe niet kunnen vinden.'

'Jammer dan.'

'We willen die informatie hebben, dus zul jij me moeten vertellen waar we die kunnen vinden. Als je me vertelt waar Kendra die geluidsbanden, notities en wat al niet meer verborgen hield, dan ben ik misschien genegen een paar kwellende vragen over je ouweheer te beantwoorden.'

'Jij bent degene die haar heeft doodgemarteld. Wat heeft ze jou verteld?'

'Ik was daar niet, ik was...'

'In het bos. Je was daar om je vriend op te halen.'

'Bingo. Kendra gaf ons... eh, niet de gewenste informatie. Mijn belang, en dat van jou, betreft deze banden en wat Kendra nog meer had. Ik moet weten waar ze zijn.'

'Dan hebben we een klein probleem.'

'En dat is?'

'Toen ik Kendra vond was ze al dood. Echt dood, bedoel ik. In tegenstelling tot wat jou is overkomen, is het haar niet gelukt uit de as te herrijzen. Hoe heb je zo'n schitterende verdwijntruc voor elkaar gekregen?'

'Wat heeft Sean je verteld?'

'Hij heeft me niets verteld.'

'Je heb met Ezekiel gesproken.'

'Met wie?'

Hij zuchtte. 'We weten dat Kendra bij hem is geweest. En we weten dat je met hem hebt gesproken.'

'Hoe weet je dat?'

'Dat heeft een klein vogeltje me verteld. Het probleem was alleen dat die schizofrene mafkees die fluistertruc uithaalde, waardoor we het niet zo goed konden horen. De afluisterapparaatjes die we daar hadden geplaatst mogen dan goed zijn, je hebt nog steeds veel interferentie. We kunnen het gesprek dat je met hem had laten versterken, maar dat kost tijd, dus besloot ik je hiernaartoe te brengen en meteen ter zake te komen.'

Darby trok weer aan haar riem, wat niet eenvoudig was met maar twee vingers.

'Hou maar op met dat gewriemel,' zei King. 'Zelfs als het je zou lukken een of andere Houdini-act uit te halen, dan kom je nog nergens. Je zou al dood zijn voor je de voordeur had bereikt.'

'Heb je je vrienden meegenomen?'

'Inderdaad. De hele club is hier. Oké, terug naar Ezekiel. Waar hebben jullie over gepraat?'

'Vraag het hem zelf maar.'

'Gaat niet. Hij heeft zichzelf vanmiddag in zijn cel opgehangen,' antwoordde King knipogend. Hij stak nog een mossel in zijn mond.

'Het was geen vrijwillige zelfmoord, veronderstel ik?' Darby bleef aan haar riem trekken.

'We hebben iemand van binnen ingehuurd. We hebben overal mensen zitten.'

'Hoeveel personen telt dat clubje van je ook weer?'

'Te veel, eigenlijk.'

'Je had iemand moeten inhuren om je vingerafdrukken uit de database te laten verwijderen.'

Kings gezicht verstrakte.

'Daarom heb je zeker zo'n haast, hè?' Darby gaf nog een ruk aan haar riem. 'Nu jouw vingerafdrukken en die van Special Agent Alan alle bellen hebben laten rinkelen van de *eigen* databank van de FBI, veronderstel ik dat het hoofd van de vestiging in Boston een telefoontje krijgt met de vraag waarom opeens de vingerafdrukken van niet één maar twee dode federale agenten zijn opgedoken. O ja, en een lichaam. Ik vergat even dat we het lichaam van Special Agent Alan in de vriescel hebben liggen.'

'Het hoeft niet pijnlijk te zijn,' zei King. 'Ik kan het snel laten gebeuren.'

'Fijn om te horen.'

'Hoelang blijf je nog de held uithangen?'

'Geen idee, hoeveel tijd hebben we nog?'

King stond op. Darby liet haar riem los toen hij om de tafel heen liep. Hij kwam achter haar staan en greep de rugleuning van haar stoel.

60

Darby probeerde haar paniek de baas te blijven.

Wat er ook gebeurt, hield ze zichzelf voor, *pijn kan worden beheerst. De pijn kan ik aan.* DE PIJN KAN IK...

King reed haar naar een lange, brede gang met lege werkruimtes in verschillende staat van verval, zo te zien een verlaten garage. Hij duwde haar voort over de hobbelige, betonnen vloer. Sommige ramen waren dichtgespijkerd. Links van haar kon ze een deur onderscheiden. Er was hier niemand anders.

De stoel hield op met bewegen. Achter haar hoorde ze een deur opengaan. King pakte opnieuw de rugleuning van de stoel en duwde haar een ander halfdonker vertrek binnen met een enkel raam. De wieltjes piepten luidruchtig over de vloer. Het was hier donkerder, maar net zo benauwd.

Haar knieën bonkten tegen een muur. Een misselijkmakende pijn sneed door haar hoofd en even dacht ze dat haar schedel zou openbarsten.

King draaide de stoel een halve slag. In een hoek tegenover haar, half in de schaduw, stond een lege bureaustoel. King pakte de stoel... nee, niet King. Het was Artie Pine.

'Breng jij het haar aan haar verstand, Artie?' zei King terwijl hij wegliep. 'Anders doen we het op mijn manier.'

Pine ging zitten. De stoel protesteerde kreunend onder zijn enorme gewicht. Hij droeg andere kleren dan diezelfde ochtend in het ziekenhuis. Er was te veel schaduw om zijn gezicht te kunnen zien, maar ze zag zijn borst op en neer gaan en ze hoorde hem moeizaam ademhalen.

Ergens buiten de kamer sloeg een deur dicht. *De deur is aan het eind van de gang,* dacht ze, en ze vroeg zich af of het de enige in- of uitgang was.

Zonder dat Pine het kon zien, pakte ze opnieuw haar riem en begon te trekken.

'Voor wat het waard is,' zei Pine zachtjes, 'het spijt me. Ik wilde niet dat het zo zou aflopen.'

Ze gaf geen antwoord. *Laat hem denken dat ik in verwarring ben.*

'Wie... is daar?'

'Ik ben het. Artie.'

Ze likte over haar lippen en rukte opnieuw aan de riem die weer achter een lusje bleef haken.

'Artie, wat... wat doe jij hier?'

'Je hebt King gehoord. Ik probeer je iets aan je verstand te brengen.' Zijn stem klonk zacht en vriendelijk. 'Darby, deze gasten hebben een hoop tijd en energie besteed aan het vinden van die banden. Als je me niet vertelt waar ze zijn, dan krijg je met King te maken. En ik verzeker je dat je dat niet wilt.'

'Sta jij op die banden? Werk je daarom met ze samen?'

'Dit is niet een van die belachelijke Bondfilms waarin ik vlak voor je sterft alle geheimen onthul.'

De gesp gleed eindelijk onder het lusje door. Nu nog eentje.

'Zeg me waar Kendra die banden verstopt heeft,' zei hij. 'Anders laat ik King terugkomen.'

'Heb jij de trekker overgehaald, Artie? Of heb je mijn vader in de val laten lopen? Hoe is het gegaan?'

Pine schraapte zijn keel. 'Wat heeft Ezekiel je verteld?'

Probeer tijd te winnen.

'Hij vertelde me dat Kendra het had ontdekt over de FBI en dat ze een agent aan het hoofd van de Ierse maffia hadden geplaatst. Ben Masters. Is dat waar?'

Pine zuchtte. 'Hier hebben we geen tijd voor.'

'Je hoeft alleen maar ja of nee te zeggen.'

'Ja. Ja, het is waar. De Feds hebben een van hun eigen agenten aan het hoofd van de maffia geplaatst.'

'Een man die een seriemoordenaar bleek te zijn.'

'Gefeliciteerd, je hebt alle puzzelstukjes in elkaar gepast.'

De gesp bleef steken achter het laatste lusje.

'En de bewering dat de FBI getuigen en informanten in een beschermingsprogramma plaatste en vervolgens liet verdwijnen?'

'Er was geen beschermingsprogramma.'

'Ze verdwenen gewoon.'

'Ja. En nu zou ik...'

'Jij hebt mijn vader erin geluisd, hè?'

Pine gaf geen antwoord.

'Ezekiel vertelde me dat mijn vader iemand had die het hotel voor hem bewaakte, iemand die hij vertrouwde,' zei ze. 'Ik neem aan dat jij dat was.'

'Ik moet weten waar Kendra die banden heeft verborgen. We kunnen ons niet veroorloven dat ze zomaar ergens rondslingeren. Je snapt zelf wel waarom ze die beslist in handen willen hebben.'

'Ze heeft Ezekiel niet verteld waar ze de originele banden, foto's en notities over Frank Sullivan, Ben Masters bedoel ik, had verborgen.' De gesp haakte nog steeds achter het lusje. 'En dat is de volledige waarheid. Daar durf ik een eed op te doen, maar zoals je ziet, mijn handen...'

Pine stond op.

Hou hem bezig.

'Maar ik weet waar de kopieën zijn.' Worstelend met haar touwen rukte ze nog een keer hard aan de riem. Haar hoofd verdroeg al die inspanning slecht en gal kwam omhoog in haar keel. Ze rukte nog een keer, en nog eens... Gelukt.

'Ik luister,' zei hij.

'Ogenblikje, mijn hoofd... ik heb moeite me te concentreren.' Ze strekte haar vingers. Het touw sneed in haar polsen. Ze voelde haar gesp. 'Ik geloof dat ik moet overgeven.'

Pine leunde opzij tegen de vensterbank, met zijn armen over elkaar geslagen. Ze greep de gesp en trok haar dunne mes.

'Ik weet niet waar ze de originele banden bewaarde, maar ik weet wel dat ze kopieën bij zich droeg.' Darby sprak traag, om zo veel mogelijk tijd te winnen. 'Ze had alles gekopieerd op een USB-stick. Gescande documenten, foto's, geluidsbestanden, alles. Ik weet niet waar de originelen zijn.'

'Heb je ze gezien? Die gescande documenten?'

'Ja. Het zijn er tientallen.'

Ze draaide de gesp tussen haar vingers en begon met de pin het touw om haar polsen door te zagen.

'Wat stond erop?' vroeg Pine, die ongeduldig begon te worden.

'Beloof je dat je er snel een eind aan zult maken? Ik geloof niet dat ik nog meer pijn kan verdragen.'

Pine ging weer zitten en rolde zijn stoel dichterbij. Zijn onderkinnen trilden. Hij legde zijn handen op haar knieën en ze rook de sigarenrook in zijn kleren. 'Dat beloof ik,' zei hij.

'Maar eerst wil ik dat je me antwoord geeft op een paar vragen. Daar heb ik wel recht op.'

Hij zuchtte. 'Nou snel dan.'

Darby voelde een stuk touw plotseling slapper worden. 'Hoe hebben ze Kendra gevonden?'

'Wexler... Dokter Wexler, de eigenaar van het huis, belde me op en vertelde me dat Kendra hem had gebeld en gevraagd of ze een paar dagen in zijn huis mocht logeren.'

'Waarom belde Wexler jou?'

'We hebben... samengewerkt. Toen hij in Charlestown woonde, verrichtte hij bepaalde medische handelingen voor ons. Je kunt niet zomaar met een kogel of een steekwond in je lijf naar een ziekenhuis gaan.'

'Hoe kende Kendra hem?'

'Wexler was in Charlestown haar huisarts. Ze bleef bij hem komen nadat hij naar Belham verhuisde.'

'Ze belde hem zomaar?'

'Ja. Het was pure mazzel.'

Voor jou wel. Darby bleef driftig het touw bewerken en vroeg zich tegelijkertijd af hoeveel mensen deze FBI-agenten wel niet op hun loonlijst hadden staan.

Ze dacht aan wat Coop had gezegd: *Deze kerels zijn geslepen. Die krijg je nooit achter tralies. Ze krijgen altijd hulp van binnenuit.*

'Kendra kon geen hotel nemen,' zei Pine. 'Tegenwoordig kun je niet meer contant betalen. Je hebt een creditcard nodig. Kendra zocht een plek waar ze een paar dagen kon blijven en het mocht niet te dicht in de buurt zijn van Charlestown. Dus besloot ze het erop te wagen. Ze vond Wexlers nummer, belde hem op en hij bood haar zijn huis aan.'

'Om daarna plotseling met vakantie te gaan zodat jij je vrienden kon bellen.'

'Nu is het jouw beurt.'

Zijn telefoon ging. Zonder iets te zeggen nam hij op.

Ze wurmde haar rechterhand uit het touw en voelde hoe het tussen haar vingers wegglipte en op de vloer viel. Verdomme. *Het is donker hier, hopelijk ziet Pine het niet.* Ze zaagde verwoed aan het touw om haar linkerhand. Het mes sneed door de huid van haar pols, handpalm en vingers.

'We hebben nog twee minuten. Dan komt King terug.'

'De bestanden zijn met een wachtwoord beveiligd.'

'Het zijn geluidsbanden. Cassettebandjes beveilig je niet met een wachtwoord.'

'Het zijn geluids*bestanden*. Weet je wat een flashgeheugen is?'
'Nee.'
'Dat is een kleine harddisk. Je steekt hem in de USB-poort van je computer. Kendra zette de geluidsbanden over in MP3-geluidsbestanden, scande haar notities en schreef alles weg naar een USB-stick die precies in haar horloge paste.'
'Ik wil de oorspronkelijke informatie.'
'Ik weet niet waar die is. Maar de commissaris heeft de USB-stick. Zodra de computerjongens het wachtwoord weten te kraken, weten ze alles.'
Pines ogen vernauwden zich. 'Zit je me nou te belazeren?'
'Bel haar op. Ze zal vast dolblij zijn weer van je te horen.'
Hij stond op en pakte zijn telefoon. Darby probeerde haar linkerhand vrij te krijgen.
Het lukte niet.
Pine belde niet naar Chadzynski maar naar King. Ze kon in de stille kamer zijn stem door de kleine luidspreker horen klinken.
Pines gezicht bleef uitdrukkingsloos, als dat van een man die op de bus staat te wachten. Hij stond nauwelijks een meter bij haar vandaan. Ze kon niet opstaan, haar enkels waren nog steeds vastgebonden aan de stoelpoten. Kreeg ze maar één voet vrij, dan...
Je beide handen zijn vrij en hij heeft alleen zijn telefoon vast, geen wapen. Je moet nu iets doen, voordat hij...
Pine hing op. Darby klemde het tien centimeter lange lemmet tussen haar vingers en haalde uit.

61

Darby joeg het mes diep in Pines scrotum. Hij schreeuwde het uit en ze draaide het mes een keer rond voordat ze het terugtrok.

Zijn handen vlogen naar zijn kruis. Toen hij ineenkromp haalde ze uit naar zijn keel, maar hij draaide zich snel weg, waardoor het mes zijn wang raakte en die tot het kaakbeen openhaalde. Hij wankelde en viel struikelend tegen haar aan. Door zijn enorme massa schoot de stoel naar achteren. Ze sloeg met een klap tegen de muur, maar het mes liet ze niet vallen en ze begon het touw om haar rechterenkel door te snijden.

Pine rolde jankend over de vloer. Hij hield zijn handen in zijn kruis geklemd en bloed gutste tussen zijn vingers door. Zijn geschreeuw galmde door de kleine ruimte en ze was er zeker van dat King, of wie hier nog meer was, het moest hebben gehoord en nu gealarmeerd aan kwam rennen.

Knap... Een stuk touw rafelde los.

'Vuile teef,' jankte hij. 'Godvergeten kutwijf dat je bent, hiervoor zul je boeten. BOETEN zul je.'

Een... twee... drie keer snijden en haar rechtervoet was bevrijd.

Pine, schreeuwend, zijn gezicht purperrood van de ondraaglijke pijn, tastte hijgend naar het wapen aan zijn riem. Ze stond op en liep naar hem toe, de bureaustoel achter zich aan slepend.

Ze stortte zich op hem en ramde daarbij haar knie diep in zijn kruis. Toen hij brulde, haalde ze met de zijkant van haar hand uit naar zijn keel. Hij begon te rochelen. Opnieuw hakte ze in op zijn keel en brak zijn neus. Toen draaide ze zich achter hem en brak zijn nek. Zijn armen en benen werden slap, alsof ze plotseling alle verzet hadden opgegeven.

Ze trok het pistool uit zijn holster, een Glock. Ze vond het mes op de vloer, legde het wapen naast zich neer en begon te snijden.

Knap... een touw rond haar linkerenkel werd slap.

Ergens buiten de kamer werd een deur opengegooid.

Knap... nog een stuk touw rafelde los.

Voetstappen... lopend, niet rennend.

Knap, knap, knap... ze wist haar enkel los te wringen.

King verscheen in de deuropening, in de verwachting Artie levend aan te treffen en haar dood. Er verscheen een verbijsterde uitdrukking op zijn gezicht toen hij haar op haar zij op de grond zag liggen met een pistool in haar handen.

Ze vuurde. De kogel sloeg zijn halve gezicht weg. Ze sprong overeind. Kings lichaam lag stuiptrekkend op de vloer. Dood. Nu écht.

'Alsjeblieft.'

Pine. Zijn stem, hees, nauwelijks verstaanbaar.

Hij staarde naar haar omhoog. In zijn ogen stond doodsangst te lezen. Hij lag nog steeds op de grond, bloedend uit zijn kruis.

'Ik kan niet... Ik voel niets... Ik kan mijn armen en benen niet bewegen.'

'Je bent verlamd,' zei ze. 'Ik heb je armen en benen verlamd. Denk nog eens aan me als ze in de gevangenis je luier verschonen.'

'Alsjeblieft, laat me hier zo niet alleen. De pijn... alsjeblieft...'

Zijn woorden stierven weg toen Darby over het lijk van King heen stapte en haar blik door de garage liet gaan. Niemand. Ze haastte zich naar de tafel waarop haar SIG en haar telefoon lagen. Ze liet het pistool in haar holster glijden. Tegen de muur stond een hagelgeweer – een Remington 870-politiewapen met een 14inch-loop, verlengd magazijn en een telescoopvizier. Aan de zijkant ervan zat een klemhouder met zes patronen met beperkte terugslag. Perfect. Ze stak Pines Glock tussen haar rug en haar broekband, pakte het geweer en bewoog zich behoedzaam door de ruimte, haar ogen strak gericht op de deur aan de andere kant van de werkplaats.

Ze herinnerde zich de sms die Madeira Jones haar had gestuurd. *Bel me zo snel mogelijk terug,* had King haar voorgelezen voordat hij haar hele bericht had gelezen. Toen hij het telefoontje weer had neergelegd, was de uitdrukking op zijn gezicht veranderd.

Slecht nieuws? had ze gevraagd.

Niets dat we niet aankunnen, had hij geantwoord.

Ze glipte een van de lege kamers binnen en haalde haar telefoon tevoorschijn. Ze zette het aan, vond de boodschap van de vrouw en las snel de bijlage. Daarna schakelde ze het toestelletje weer uit en stopte het terug in haar zak.

Darby verliet de kamer en sloop, kijkend over de loop van haar wapen, in de richting van de deur. Er had een schot geklonken. Als hier nog andere mensen waren, dan zouden ze zeker komen. Wat sowieso ging gebeuren als King en Pine niet terugkwamen. Ze vroeg zich af hoeveel mensen hierbinnen nog konden zijn. Munitie genoeg, maar ze had geen kogelvrij vest, geen helm en geen rookgranaten. Er zijn geen gijzelaars, dus neem geen risico. Wees geduldig.

Rechts van de deur was voldoende ruimte. Wacht daar tot hij opengaat en kom er dan achter vandaan.

Ze wachtte.

Twee minuten verstreken.

Vier minuten.

Zes.

Ze kroop naar de deur, gooide hem open en trok zich snel weer terug.

Er klonk geen schot.

Ze draaide zich met haar geweer in de aanslag snel om de deurpost, om daar alleen maar een smalle, korte, schaduwrijke gang te zien. Ze sloop naar het eind van de gang en knielde daar weer tegen de muur. Ze hoorde het snorrende geluid van een stationair draaiende automotor.

Razendsnel zwaaide ze met het geweer de hoek om. Weer een gang. Aan het eind ervan een vaag lichtschijnsel. Muisstil liep ze verder en ademde de verstikkend warme, vochtige lucht in. Bij de volgende hoek bleef ze staan en wachtte, terwijl ze geconcentreerd luisterde of ze enige beweging hoorde, naast het onafgebroken geroffel van de regen op het dak en het geluid dat van een stationair lopende auto afkomstig leek te zijn.

Toen Darby snel de hoek om draaide en door het telescoopvizier van haar geweer keek, zag ze het kalme gezicht van de hoofdcommissaris van de Boston Police, Christina Chadzynski.

62

Chadzynski zat achter een oud bureau. Voor haar stond een laptop. Het lichtschijnsel van het beeldscherm gaf het gezicht van de vrouw een bijna sereen uiterlijk. Darby zag dat ze een koptelefoon ophad.

Darby hoorde een deur dichtslaan, gevolgd door het geluid van een wegrijdende auto.

Ze schatte de gang zes meter lang. Toen ze dichterbij kwam, hoorde ze een telefoon gaan. Op het bureau lichtte een vierkantje op. Chadzynski hing de koptelefoon om haar nek en reikte naar het telefoontje dat naast een geweer lag. Om beide handen droeg ze latex handschoenen.

'Geen beweging,' zei Darby, en ze schakelde het tactische licht van het geweer in.

Chadzynski keek verrast op, maar die uitdrukking ging al snel weer schuil achter haar gebruikelijke pokerface.

'Handen tegen het hoofd.'

Chadzynski zette de koptelefoon af en legde die op het bureau. Ze bleef zitten.

Darby kwam voor haar staan. Chadzynski liet zich achteroverzakken in haar stoel en sloeg haar benen over elkaar. Stofdeeltjes dansten in het licht van het computerscherm.

'Wie is hier nog meer?'

'Dat weet ik niet,' antwoordde Chadzynski. Geen enkel teken van nervositeit. Ze had haar emoties volkomen onder controle. 'Ik ben hier pas een paar minuten. Je zou het meneer King kunnen vragen, maar aangezien ik hem niet gezien heb, ga ik ervan uit dat hij dood is.'

'Dat heb je goed begrepen. Handen op je hoofd.'

'Ik kan je een uitweg bieden.'

'Kop dicht.'

'Mijn auto staat hierbuiten. We kunnen samen weggaan. Als je het spel handig speelt, dan kun je uit dit alles als een held tevoorschijn komen. Daarbij kan ik je helpen. Ik stel voor dat...'

Darby haalde uit met de kolf van haar geweer en raakte de vrouw vol op haar kaak. De kracht sloeg de commissaris uit haar stoel.

Darby hing het geweer over haar schouder en pakte Pines Glock. Daarna pakte ze haar telefoon en toetste een nummer in.

'Behalve wij tweeën is hier verder niemand,' zei Chadzynski vanaf de vloer. 'Het wordt mijn woord tegen het jouwe en ik kan je verzekeren dat ik zal winnen. Ik stel je dan ook voor mijn eerdere aanbod te accepteren. Zo niet, dan is er geen weg terug voor jou. Alle bewijzen wijzen in jouw richting.'

Darby legde het telefoontje op het bureau. 'Welke bewijzen?' vroeg ze.

'Herken je deze computer? Hij is van jou.'

Darby wierp een snelle blik op de laptop, een witte Apple iMac. Ze had er net zo een. Op het scherm zag ze de files van Kendra Sheppards flashdrive. 'Jullie hebben het wachtwoord gekraakt.'

'En de bestanden vervolgens naar jouw computer gekopieerd,' zei Chadzynski. 'Vaststaat dat jij Kendra Sheppards flashdrive uit de bewijzenkast hebt uitgeboekt, Anti-Corruptie houdt zich er nu mee bezig. En aangezien de flashdrive nergens meer is te vinden, rest Interne Zaken weinig anders dan aan te nemen dat jij die hebt vernietigd – wat ik overigens met één telefoontje weer ongedaan kan maken.'

'Je hebt het allemaal goed uitgekiend, nietwaar? Je laat bewijsmateriaal verdwijnen, je laat mensen bommen plaatsen in het huis en in het busje van...'

'Wil je de rest van je leven in de gevangenis doorbrengen? We kunnen overtuigend aantonen dat je opzettelijk met deze zaken hebt geknoeid en dat je welbewust bewijsmateriaal hebt vernietigd om je vader te beschermen. De dozen met bewijsmateriaal en het dossier over je vader, weet je nog? Materiaal dat zich normaal gesproken in het archief zou moeten bevinden? Het bevindt zich momenteel op een veilige plek, samen met papierwerk dat terugvoert naar jou. Het zal tot de conclusie leiden dat jij bewijzen hebt gevonden waaruit blijkt dat je vader voor Frank Sullivan werkte. Hij zal voortaan te boek staan als een corrupte agent. Ik geloof niet dat je dat wilt.'

'Ik weet van je uitstapje naar Reynolds Engineering Systems. Je bent daar afgelopen jaar samen met inspecteur Warner geweest. De patronen die we hebben aangetroffen in het huis in Belham en in de kelder van Kevin Reynolds? Die bleken afkomstig van een partij testmunitie die op geheimzinnige wijze verdween op de dag dat jij en Warner daar waren. Het bedrijf was zo vriendelijk me een bezoekerslijst te sturen.'

Chadzynski ging met een schok rechtop zitten. Haar ogen knipperden nerveus en haar tengere hand met de perfect gemanicuurde nagels en grote, flonkerende diamanten trilde toen ze de zijkant van haar gezicht betastte. De kolf had de huid boven haar kaak opengespleten. Ze had moeite rechtop te blijven zitten en leunde met een hand op de vloer om haar evenwicht te bewaren.

'Heb je de munitie en de Glock 18 zelf gestolen, of heb je het je waakhond laten doen?' vroeg Darby.

Chadzynski pakte de rand van het bureau vast en kwam moeizaam overeind.

'Volgens mij heb je het Warner laten doen,' zei Darby. 'Je wist dat dit soort munitie vrijwel niet op te sporen zou zijn omdat het niet op de markt is. Hij was in het huis in Belham, hè? Hij was daar toen Kendra Sheppard werd vermoord.'

'Ik kan je verzekeren dat hij daar niet was.'

'Waarom heeft hij dan Special Agent Alan vermoord?'

'Dat heeft hij niet gedaan.'

'Wie dan wel?'

'Dat weet je al.'

'Vertel het me toch maar.'

'Russo,' zei Chadzynski.

'Die is dood.'

'Maar zijn vrouw niet. Zij leeft nog en woont nog steeds in hetzelfde huis. Ze heeft bekend dat ze Ben Masters en Special Agent Alan heeft vermoord.'

Darby dacht terug aan het ogenblik in het lab met Randy Scott en Mark Alves. De voetafdrukken die op de verandatrap en het bos waren aangetroffen, op korte afstand van de verrekijker, hadden maat 39 gehad. De schoenmaat van een vrouw. Het was een vrouw geweest die vanuit het bos had toegekeken.

'Waar is ze?'

'Ze woont nog steeds in Wellesley.'

'Waar is ze nú?'

Chadzynski gaf geen antwoord.

'Bel op en zoek het uit,' zei Darby.

'Nee.'

'Handen op je hoofd, commissaris, je staat onder arrest.'
Chadzynski trok met een woedende ruk de revers van haar mantelpakje strak.
'Met die bezoekerslijst van RES kom je bij de rechtbank niet ver. Dat weet je zelf ook.'
'Dat zullen we moeten afwachten.'
'Je hebt met machtige mensen te maken, mensen die je nooit zult kunnen vinden,' zei Chadzynski. 'Als je mij arresteert, teken je je eigen aanhoudingsbevel.'
'Daar zou je wel eens gelijk in kunnen hebben.' Darby pakte haar telefoontje van het bureau. 'Daarom heb ik ons gesprek opgenomen. Wie heeft mijn vader vermoord?'
'Laat me mijn telefoon gebruiken en ik vertel het je.'
'Nee.'
'Ik weet waar alle ontbrekende bewijzen zich bevinden. Je hebt me nodig.'
Chadzynski glimlachte. Waarschijnlijk dacht ze aan haar kaartenbak met mensen die de nodige raderen in beweging konden zetten om dit ogenblik uit te wissen alsof het alleen maar een nare droom was geweest. De Anti-Corruptie Eenheid had ze al in haar zak.
Ze heeft Warner of een van haar andere handlangers de verdenking op haar laten schuiven en het dossier en bewijsmateriaal van haar vader uit het archief laten verdwijnen. Ze heeft jarenlang bewijsmateriaal gemanipuleerd of laten verdwijnen om er zelf beter van te worden. Ze heeft mijn vader vermoord en...
Darby haalde de trekker over.
Het schot sloeg het achterhoofd van de politiecommissaris weg.
Darby rende terug naar de werkplaats waar Pine lag. Ze voelde zijn pols en het verbaasde haar niet dat hij dood was. Hij was leeggebloed.
Ze veegde de Glock schoon met de onderkant van haar shirt en liet hem op de vloer vallen.
Achter het bureau met haar laptop gebruikte Darby haar shirt om het geweer op te pakken. Ze liet het naast Chadzynski vallen en dacht aan Sean Sheppard, die in coma lag. Hersendood, net als haar vader.

63

Darby knielde neer naast het lichaam van Chadzynski en doorzocht haar zakken. Ze voelde tegen haar huid het warme bloed dat zich over de vloer verspreidde. Ze vond geen flashdrive, maar wel autosleutels. Ze pakte het geweer dat ze over haar schouder droeg en opende de buitendeur. De glanzende, zwarte Mercedes van de commissaris stond op een paar meter afstand.

Er stonden geen andere auto's op het parkeerterrein.

Met het tactische licht van het geweer aan, rende ze door de regen naar de voorkant van het gebouw. De deur en de ramen waren dichtgetimmerd. Ze zocht een nummer... daar, boven de deur hing een bord. Met een hand schermde ze haar ogen af tegen de regen en las de vervaagde letters: DELANEY'S AUTOMOTIVE GARAGE.

Ze ging achter het stuur zitten, legde het geweer op de passagiersstoel en startte de auto. Het dashboard van de Mercedes was uitgerust met een ingebouwd GPS-navigatiesysteem. Het scherm gaf haar huidige locatie aan. Perfect.

Ze reed weg van het gebouw en keerde toen weer om, zodat ze het van een afstand in de gaten kon houden.

Terwijl de ruitenwissers heen en weer zwiepten, toetste ze het mobiele nummer in van Randy.

'Randy Scott.'

'Zeg alsjeblieft dat je nog in het lab bent.'

'Daar ben ik.'

Een golf van opluchting overspoelde haar.

'Darby,' zijn stem klonk aarzelend en nerveus. 'Ik weet niet of...'

'Niet praten, alleen luisteren. Ik heb het adres van Jamie Russo nodig.'

'Ik heb geen toegang tot de database van Moordzaken.'

'Weet ik. Ik geef je mijn wachtwoord. Ga mijn kantoor binnen en...'

'Dat kan niet. Ze hebben het verzegeld.'

'Wie?'

'De commissaris was hier eerder en ze... ze vertelde ons dat je met het bewijs had geknoeid. Ze heeft het halve departement van de Boston Police achter jou en Coop aan gestuurd.'

'Allemaal gelul. En ik zal het je bewijzen ook. Ik heb Chadzynski's bekentenis opgenomen op mijn telefoon. Ik stuur het naar je door. Daarna krijg je aanwijzingen waar jij en Mark haar lichaam kunnen vinden. Ik wil...'

'Is ze dood?'

'Luister naar me! Ik heb jullie hier nodig om de plaats delict veilig te stellen. Maar zoek eerst even in de database met vingerafdrukken het adres voor me op dat onder de naam van Dan Russo staat vermeld. Wil je dat voor me doen?'

'Ogenblikje.'

Darby reed de poort uit. De garage lag aan het eind van een doodlopende straat. Afgaande op de huurflats, moest ze zich ergens in East Boston of Chelsea bevinden. Het was een buurt waar schoten uit vuurwapens niets bijzonders waren. De garage lag op vrij grote afstand van de flatgebouwen en met de stromende regen betwijfelde ze het of iemand iets had gehoord.

Randy kwam eindelijk weer terug aan de lijn en gaf haar het adres in Wellesley, dat ze invoerde in de TomTom.

'Je moet een adres opschrijven.'

'Zeg het maar.'

Darby gaf het hem. 'Ik wil dat je met Mark hierheen komt en elk document en bewijsstuk fotografeert. Ga naar binnen via de zijdeur. Op een bureau staat een laptop met daarop geluidsbestanden. Confisqueer die onmiddellijk. Laat er onder geen beding iemand anders aankomen. Stop hem in de bewijzenkast en verlies hem niet uit het oog. Bel daarna de politie en vertel alles wat ik jou heb verteld.'

'Begrepen.'

'Kan jouw telefoon overweg met geluidsbestanden?'

'Voor zover ik weet wel.'

'Dan stuur ik je het geluidsbestand van mijn gesprek met de commissaris.'

Ze verbrak de verbinding en belde de telefoondienst. Er stond maar één Russo vermeld. Het adres kwam overeen met dat wat Randy haar had gegeven.

Terwijl ze reed verdeelde Darby haar aandacht tussen de weg en haar telefoon. Ze stuurde Randy en Mark een kopie van haar opgenomen gesprek met de commissaris. Ook stuurde ze een kopie naar Coop.

64

Jamie kon niet langer scherp zien. Nadat ze geen antwoord had willen geven op zijn vragen over de verblijfplaats van zijn partner Ben Masters, had Kevin Reynolds weinig tijd verspild. Hij had haar zo vaak in haar gezicht geslagen dat haar ogen helemaal dichtzaten. Toen ze nog steeds niets wilde zeggen, had hij haar zo hard tegen haar borst geschopt dat ze met haar stoel tegen de vloer was geslagen waarbij ze de hele tijd het woord 'blijf' had geroepen. Michael was geweldig. Michael had zijn kalmte weten te bewaren. Hij hield zich nog steeds schuil en beschermde zijn broertje in plaats van de held uit te hangen.

Reynolds was blijven schoppen, in haar maag, tegen haar schenen. Hij had met zijn voet op haar hand gestampt en een paar vingers gebroken. Uiteindelijk had de folterende pijn haar wil gebroken en ze had bekend dat ze Ben Masters had vermoord. Ze had zich ervoor geschaamd. Reynolds wilde bijzonderheden weten, over hoe ze hem had vermoord en waar ze hem had begraven. Bijna had ze het verteld. Ze was uitzinnig van de pijn en kon niet langer helder denken. Maar ondanks alle pijn besefte ze dat ze één ding niet mocht zeggen, het enige wat haar leven kon redden: de plaats waar Ben Masters' lichaam lag. Ze moest Reynolds en Humphrey zover zien te krijgen om met haar naar de plek te rijden waar zich het lichaam van Ben Masters bevond. Als het huis verlaten was, zouden de kinderen veilig zijn en Michael zou de politie bellen.

Jamie lag op haar zij naar adem te happen. Ze wist bijna zeker dat Reynolds een paar ribben had gebroken.

'Breng... je...' zei ze.

Reynolds stond ergens voor haar. Ze hoorde hem op zijn sneakers over de vloerbedekking bij haar hoofd heen en weer lopen. Hij ademde zwaar, niet van vermoeidheid maar van woede.

'Breng...' zei ze weer. 'Breng... eh... eh... je.'

'Ze zegt iets,' zei Humphrey.

Jamie slaagde erin een oog open te doen en zag een wazige Reynolds met zijn hoofd naar haar toe gebukt staan.

'Wat zeg je, liefje?'

'Breng... je... eh... daar.'

'Ik wil dat je me vertelt waar hij is.'

'Breng... breng... je.'

'Laat haar ons erheen brengen, Kevin,' zei Humphrey. 'Wat kan het voor kwaad.'

'Ik geloof haar nog steeds niet,' zei Reynolds. 'Volgens mij houdt ze hem ergens verstopt. Ik ruik een val. Ze is een doortrapt kreng. Ze wilde me vanmorgen al te grazen nemen. Nietwaar, liefje?'

Reynolds boog zich dieper naar haar voorover. 'Je weet wie Ben is, toch? Je hebt bij de politie gezeten. Dan moet het je hebben verteld. Ben is voor jou levend meer waard dan dood. Heb je een van je maatjes bij de politie gebeld en ze verteld wat je in de kelder hebt gezien?'

Jamie bevochtigde haar lippen. Het kostte haar grote moeite om te spreken.

'N-Nee.'

'Je bent koppiger dan die man van je. Maar dat probleem los ik wel op.'

Jamie dacht dat ze een autoportier hoorde dichtslaan.

'De schoonmaakploeg is er,' zei Humphrey.

'Zeg dat ze de garage in rijden,' zei Reynolds. 'Ik wil haar overbrengen in het busje.' Voetstappen verplaatsten zich om haar heen en ze voelde Reynolds de rugleuning van haar stoel beetpakken en omhoogtrekken tot ze weer rechtop zat.

Ze voelde zijn naar drank en sigaretten stinkende adem tegen haar oor. 'Ik krijg je wel aan de praat,' zei hij. 'Het maakt me niet uit hoelang het duurt of wat ik ervoor moet doen. Je gaat me alles vertellen, tot in het kleinste detail.'

65

Darby nam de hoek te snel. De banden slipten op het natte wegdek toen ze in een buitenwijk een lange straat in reed met grote huizen met keurige gazons. Er was veel ruimte tussen de huizen, veel van de ramen waren donker.

Ze kreeg de auto weer onder controle en hoorde ondertussen de computerstem van de TomTom. Het huis dat ze zocht lag op minder dan zevenhonderd meter aan de linkerkant van de weg.

Terwijl ze door de straat scheurde, zag ze opeens een bruine bestelbus op een oprit staan. Door een geopende garagedeur zag ze drie mannen gehaast naar binnen lopen. Ze waren gekleed in donkere pakken en droegen grote plastic opbergkoffers en leren aktetassen. Haar aandacht richtte zich op de man die bij het geopende portier van de bestelbus stond en een sigaret opstak. Het was de man die haar auto had onderzocht op afluisterapparatuur, Chadzynski's hoofd van de Anti-Corruptie Eenheid, inspecteur Warner.

Warner zag de Mercedes naderen. Hij keek niet bang maar eerder verbaasd, alsof hij zich afvroeg waarom zijn baas, de politiecommissaris, besloten had hierheen te komen.

Bezorgd keek hij naar het getinte glas van de Mercedes terwijl hij op een drafje over het gazon kwam aanlopen. Darby klemde de SIG tussen de onderkant van haar been en de zitting van de stoel en gaf toen vol gas.

De auto vloog het trottoir op en daarna dwars over het gazon. Kluiten aarde en gras vlogen door de lucht.

Warner keek opzij. Zijn sigaret viel uit zijn mond en hij begon te rennen.

Darby raakte zijn benen. Hij stuiterde over de motorkap, zijn hoofd sloeg tegen de versplinterende voorruit en ze zag zijn goedkope pak boven haar verdwijnen toen hij over het dak tuimelde.

Met haar beide handen om het stuur geklemd remde ze zo hard mogelijk en probeerde de wegslippende auto weer onder controle te krijgen om zo een frontale botsing te voorkomen met de auto die aan het eind van de oprit geparkeerd stond. Ze raakte de auto in de flank met een oorverdovend geraas van krijsend metaal en versplinterend glas.

De Mercedes kwam met een schok tot stilstand. Darby werd door de gordel tegen haar stoel gedrukt. Ze klikte hem los, trok de draagriem van het geweer over haar hoofd en smeet het portier open.

Warner lag op het gazon. Toen ze zag dat hij probeerde overeind te komen, richtte ze met gestrekte armen haar SIG en stelde hem met twee snelle schoten buiten gevecht.

Ze zwaaide haar wapen naar de garage, naar een man in een donker pak in de deuropening boven aan de garagetrap. Hij liet een blauwe koffer uit zijn handen vallen en greep onder zijn jasje naar zijn wapen. Twee schoten in zijn borst zorgden ervoor dat hij achterover het huis in tuimelde.

Ze wilde net naar de minivan lopen die in de garage stond, toen een tweede man verscheen en een Glock op haar richtte.

Darby dook weg achter het busje toen hij vuurde. De ramen boven haar hoofd explodeerden, glassplinters regenden op haar neer. De man bleef vuren. Terwijl ze wegkroop achter de achterbumper telde ze de schoten. Ze wachtte tot ze hem hoorde wegrennen.

De deur sloeg dicht. Ze kwam overeind en vuurde tweemaal op de deur. Ze inspecteerde vluchtig de garage. Niemand.

Ze liep de garagetrap op en voelde aan de deurknop. Op slot. Ze drukte de knop in om de garagedeur te sluiten en knipte het licht uit.

Ze verwisselde haar pistool voor het geweer en schoot de scharnieren kapot. Daarna knalde ze de deurknop eruit, trapte de deur weg en dook achter de deurpost. Mondingsvuur lichtte op in de gang. Ze zwaaide haar geweer om de deurpost heen en vuurde. Ze hoorde iemand schreeuwen en haalde opnieuw de trekker over. *Klik*. Ze pompte meer patronen in het geweer, vuurde toen met een snelle draai opnieuw de gang in en nog eens toen ze het huis binnen ging.

66

De ongeveer zes meter lange gang voerde rechtstreeks naar een helder verlichte, beige betegelde keuken met eiken keukenkastjes. Een man lag dood op de vloer, een andere probeerde kruipend dekking te zoeken achter het kookeiland. Het geweer had het grootste gedeelte van een van zijn benen in een bloederige massa veranderd.

Darby schoot hem nog een keer in de borst en zwaaide toen haar geweer in de richting vanwaar ze gevaar liep – de halfgesloten houten deur rechts van haar. Ze trapte hem open en dook weg, voor het geval ze beschoten zou worden. Stilte. Geen beweging. Ze keek snel naar binnen en zag een kleine kamer met een plafonnière en een werkblad aan de muur. Ze dook weg in de kleine kamer. Bij een gijzeling kon ze het geweer vanwege de grote spreiding niet gebruiken. Ze hing de Remington over haar rug en pakte haar SIG. Er zaten nog zes patronen in de houder en ze had nog een volle in haar zak.

Ze liet haar blik door de gang gaan. Niemand. Ze keek naar de man die bloedend op de vloer lag. Roerloos. Ze moest er zeker van zijn dat hij dood was, dus schoot ze een kogel in zijn rug. Hij bewoog niet. Een schot uit haar geweer had een plastic koffer doorzeefd. Hij leek sterk op haar eigen forensische koffer. Door het gescheurde plastic zag ze reinigingsmiddelen – handdoeken, latex handschoenen en flesjes bleekmiddel waarvan de inhoud op de tegelvloer druppelde.

Glibberend met haar schoenen over de bloederige vloer, stapte ze over het lichaam van de dode man en schoof met haar rug tegen de muur in de richting van de keuken, dankbaar dat het huis verlicht was.

Voorbij de keuken zag ze een woonkamer. Het licht brandde. In de verste hoek een televisie, een bank en een stoel. Tegenover het kookeiland was een doorgang, waarschijnlijk naar de eetkamer. Het waren allebei goede plaatsen voor een hinderlaag, maar ze konden zich ook boven schuilhouden. Ze wilde dat ze haar kogelvrij vest droeg, dat ze het licht uit kon doen en met een nachtkijker dit onbekende huis kon doorzoeken.

Warner was dood. Twee van zijn kompanen waren dood. Hoeveel anderen waren hier nog?

Het was stil... te stil.

Waar hielden ze zich schuil?

Overrompel ze. Schiet snel en zorg dat het raak is.

Ze bleef bewegen, de SIG klaar om te vuren.

Eén fout en je bent er geweest.

Ze liep geconcentreerd verder.

Eén fout en je bent er geweest.

Ze hoorde iets bewegen.

Om de hoek van de woonkamer dook een man op. Darby schoot hem in zijn borst. Ze schoot nog drie keer toen hij struikelde. Een kogel ging over hem heen, trof de televisie en verbrijzelde het beeldscherm.

Vanuit haar linkerooghoek zag ze een andere man de keuken binnen rennen. Geen tijd om te draaien en te vuren, dus ze dook naar de vloer.

Een salvo ratelde over haar hoofd... een automatisch wapen.

Het geweer sloeg tegen haar rug. Lege hulzen vielen rinkelend op de vloer toen ze met een zwaai van haar been haar aanvaller met al haar kracht achter in zijn knieholten trapte.

Kevin Reynolds verloor zijn evenwicht en viel achterover tegen een barkruk van het kookeiland. Ze bracht haar SIG omhoog, schoot hem een keer in zijn buik en zwaaide het wapen toen razendsnel in de richting van het halletje. Niemand.

Darby sprong overeind en ging met haar rug tegen de muur staan. Ze voelde haar telefoontje in haar broekzak trillen terwijl Reynolds schreeuwend van pijn op de vloer lag te kronkelen. Zijn wapen, een Glock met een verlengde patroonhouder, lag op nog geen halve meter afstand van zijn gezicht. Hij keek ernaar. Hij bewoog zijn hand er voorzichtig naartoe.

'Niet doen,' zei ze.

Hij reikte ernaar.

Darby schoot hem in zijn hand. Reynolds brulde. Ze glipte het halletje in en richtte haar wapen op de trap. Ze draaide zich weer razendsnel om en controleerde de woonkamer. Niemand. Ze liep terug naar de keuken en schopte zijn wapen weg. Toen hij haar met zijn goede hand bij haar enkel greep, schopte ze hem tegen zijn hoofd en brak zijn neus. Hij jammerde en spartelde wild met zijn benen, en gooide daarmee nog meer krukken om en een tafeltje met een vaas.

Overstemd door het geluid van het brekende glas en zijn geschreeuw haastte ze zich, verwachtend opnieuw te worden beschoten, naar de andere kant van de keuken.

Er klonken geen schoten. Ze was nu in de woonkamer en controleerde al haar blinde hoeken. Ze zag alleen de dode man. Ze ging weer terug naar de keuken, waar Reynolds, die steunend op zijn ellebogen, jammerend over de vloer kroop en de kapotgeschoten deur naar de garage probeerde te bereiken.

Ze schopte hem tegen het achterhoofd. Terwijl haar ogen tussen het halletje en de keuken heen en weer schoten, trok ze haar handboeien van haar riem. Ze liet ze op Reynolds' rug vallen, greep toen zijn beide handen en boeide hem.

Ze greep Reynolds van achteren bij zijn haar, met de bedoeling zijn nek te breken.

'Hoeveel anderen zijn hier nog?'

Reynolds weigerde te antwoorden.

Darby ging rechtop staan en joeg een kogel in zijn achterwerk.

Reynolds brulde van pijn. Zijn gekerm overstemde haar voetstappen toen ze nogmaals de eetkamer controleerde. Darby bewoog zich om de hoek van de kamer en richtte haar wapen op de bovenkant van de trap.

Uit een openstaande deur rechts kwam een vaag lichtschijnsel. Direct boven aan de trap was een badkamer. Aan haar linkerkant zag ze in het schemerdonker een gesloten deur.

Reynolds bleef kermen toen ze met haar rug tegen de muur gedrukt de trap naderde, gespitst op elke beweging, elke schaduw. Haar blik flitste heen en weer tussen de kamer waaruit het licht scheen en het donkere halletje achter haar, haar onbeschermde kant. Eerst de verlichte kamer. Ze maakte zich los van de muur en beklom met haar ogen strak op het licht gericht behoedzaam de traptreden. Boven aan de trap gekomen, zag ze de gesloten slaapkamerdeur. De deur van de slaapkamer ernaast stond open. Binnen was het pikdonker. Had ze maar een tactisch licht, of een rook- of flitsgranaat.

Ze voelde zich onbeschut en dook weg in de badkamer.

Ze hoorde iemand roepen... een vrouw. Het geluid kwam uit de kamer links van haar, daar waar licht brandde.

De gijzelaar.

Aan de overkant van de gang zag ze een vierde deur. De kamer erachter was grotendeels in schaduwen gehuld. Ze zag een bed en op de vloer lag speelgoed. Met haar rug tegen de badkamermuur schoof ze naar de deuropening en wierp een snelle blik op de openstaande deur in het midden van de gang. Op de vloer ervoor lag een slot en een stuk versplinterd hout. De kamer erachter was pikdonker.

In een van die kamers kan iemand zich schuilhouden, dacht ze. Als ze zich in de gang waagde om de gegijzelde te hulp te komen, zou iemand vanuit een van die kamers tevoorschijn kunnen springen en haar in de rug schieten.

Maar niemand had geschoten toen ze was weggedoken in de badkamer.

Het roepen van de vrouw had een vreemde, gesmoorde klank, alsof ze bijna geen adem kreeg.

Doorboorde long, dacht Darby. Ze rende gebukt de gang op.

Vastgebonden op een stoel bij de muur zat een vrouw. Ze was ernstig mishandeld. Achter haar stond een man met een zwart overhemd en een witte boord, een katholieke priester. In zijn handen hield hij een .32-revolver geklemd.

De priester schoot. Hout versplinterde boven haar hoofd. Darby dook naar de vloer toen hij het wapen op de vrouw richtte.

Darby schoot terug. Het schot trof de priester in zijn schouder. Hij viel achterover tegen de deur achter hem, die dichtsloeg. Ze schoot opnieuw en zag de priester tegen de lamp op het nachtkastje vallen. Toen trok ze zich snel in de badkamer terug.

Er klonken geen schoten. Ze controleerde de slaapkamer rechts van haar. Niemand. Ze haastte zich terug naar de gegijzelde vrouw, gooide de deur van de kamer achter zich dicht en schopte de revolver van de priester onder het bed. Ze controleerde de badkamer van de grote slaapkamer. Niemand. De slaapkamerdeur had een drukknopslot. Ze sloeg erop met haar vuist.

De priester had tijdens zijn val zijn bril verloren. Hij lag op zijn rug. Kermend hield hij zijn bevende hand tegen de schotwond in zijn linkerschouder gedrukt. Beide schoten hadden hem hoog in de borststreek getroffen en hij bloedde langzaam dood op het tapijt.

Het hoofd van de vrouw hing slap voorover, haar schedel was bedekt met een wirwar van wat chirurgische littekens leken te zijn. Uit haar gezwollen lippen druppelde bloed. Haar T-shirt en korte broek zaten vol bloedvlekken. Overal zat bloed: op de stoel, op de vloerbedekking en op de muren. Op het kleedje lag een tand.

Darby veegde het zweet van haar gezicht. Met haar blik op de priester gericht, liep ze naar de vrouw toe. 'Ik ben van de politie,' zei ze. 'U bent nu veilig.'

Ze pakte haar telefoontje en belde 911. 'Ik denk dat u een doorboorde long hebt, dus ik laat u zo zitten tot de ambulance komt. Als ik u op de vloer leg, kunt u misschien niet ademhalen.'

Terwijl de vrouw snikkend van pijn om adem vocht, gaf Darby de telefonist van de meldkamer het adres en vroeg om uiterste spoed. In de verte hoorde ze politiesirenes.

Darby verbrak de verbinding en liep naar de priester. Verspreid over de vloer rond zijn benen lagen een lege whiskyfles, een versleten leren aktetas, een injectiespuit, een kaars en een zwartgeblakerde lepel.

'Wat is uw naam, pater?'

De priester verbeet knarsetandend zijn pijn. 'Ik wil een advocaat,' siste hij door zijn tanden.

De vrouw hief haar hoofd.

'Preee,' stootte ze hijgend uit. 'Hump... eh... prey.'

Darby voelde de huid van haar gezicht verstrakken. 'Pater Humphrey? Uit Charlestown?'

De man antwoordde niet. Hij snikte van de pijn en in zijn ogen verschenen tranen.

'Ik heb u iets gevraagd,' zei Darby, terwijl ze haar voet op zijn schouder drukte.

De priester brulde het uit. Hij greep haar enkel vast en probeerde hem weg te duwen. Darby draaide met haar voet.

'Ja! Ja. Ik ben ooit in Charlestown geweest. Genoeg nu! STOP. IN GODSNAAM, HOU OP, ALSJEBLIEFT!!!'

Ze bleef met haar voet draaien. Ze sidderde over haar hele lichaam.

'Herinnert u zich een jongen die Jackson Cooper heet? Hij woonde in Charlestown.'

'Nee, ik ken hem niet.'

'En of u hem kent! U hebt hem verkracht. Herhaaldelijk.'

'IK WIL EEN ADVOCAAT!'

Darby trok haar voet weg.

De priester rolde zich op in foetushouding en snikte.

'Kijk me aan,' zei ze, en ze hief haar pistool.

Zijn lippen beefden. 'Dit kun je niet doen,' zei hij snikkend. 'Ik ben een dienaar van God.'

'Niet mijn god,' antwoordde Darby. Ze haalde de trekker over en schoot hem door het hoofd.

67

Het schot had de vrouw opgeschrikt. Haar hoofd kwam schokkend omhoog en ze begon bloed op te hoesten.

Darby boog zich over haar heen. 'Je bent nu veilig,' zei ze. 'Ze zijn allemaal dood.'

De vrouw worstelde koortsachtig met haar boeien. Bloeddruppels lekten van haar kin. Ze probeerde iets te zeggen.

'Wat zeg je?' Darby bracht haar oor dichter naar de mond van de vrouw.

'Kevin... eh... eh... '

'Reynolds?'

'Ja.'

'Hij ligt beneden, geboeid. Hij kan je niets doen.'

'Kinderen,' hijgde ze.

'Welke kinderen?'

'Zoons... eh... Michael, Carter.'

'Zijn ze hier? In het huis?'

'Michael... eh... heeft eh... zijn broer... verstopt. Veilig.'

'Waar hebben ze zich verstopt?'

'Doden... eh... kamer?'

Dodenkamer? De vrouw was nauwelijks te verstaan.

'Veilig,' zei de vrouw. 'Verstopt onder... eh... bed.'

'Ik ga ze halen.' Darby opende de deur.

'Ma-Ma-Ma-Michael!' stootte Russo uit, een schorre, rochelende kreet. 'Kom... eh... tevoorschijn.'

Darby haastte zich door de donkere gang.

'Kom. eh... eh... Veilig. Oké.'

Darby bleef staan bij de deur met het kapotte slot. Binnen was het vrijwel donker. De rolgordijnen waren omlaag. Tastend over de muur vond ze de lichtschakelaar...

De muren waren bespat met geronnen bloed. Donkere plekken bedekten de vloer en de bedsprei.

'Bed,' rochelde Russo. 'Onder... eh... eh... bed.'

Darby liet zich op handen en knieën zakken en tilde de sprei op. Stofvlokken dwarrelden in haar gezicht toen ze zich vooroverboog en onder het bed keek.

Er was niemand.

68

Jamie dwong zich een oog open te doen. Alles was onscherp, maar aan het einde van de gang, in de dodenkamer, zag ze licht branden. Een van haar jongens, Carter, kwam onder het bed vandaan krabbelen. Ze herkende het Batman-masker dat om zijn nek hing.

Ze zijn veilig. Mijn jongens zijn veilig.

Jamie begon te huilen. 'Oké... Carter. Alles... eh... goed... nu.'

Carters rennende voetjes bonsden door de gang. De vrouwelijke rechercheur deed niets om hem tegen te houden.

Michael was snel en hij wist zijn broertje tegen te houden voor hij de deuropening had bereikt. Carter stribbelde tegen en probeerde schoppend en schreeuwend los te komen. Michael draaide hem naar zich toe en klemde hem stevig tegen zijn borst om te voorkomen dat Carter de slaapkamer zou zien.

Michael keek wel. Met opengesperde ogen staarde hij ontzet naar pater Humphreys lichaam en het weinige dat van het hoofd van de priester was overgebleven.

Jamie haalde diep adem – het was alsof er met een scheermes door haar longen werd gesneden – en probeerde te roepen.

'Weg Michael!' gilde ze. 'Ga... eh... eh... weg!'

Michael ging niet weg. Zijn blik verplaatste zich van pater Humphrey naar haar en hij snakte naar adem. Carter bleef huilen en die verrekte rechercheur stond daar maar aan het einde van de gang zonder een woord te zeggen of ook maar iets te doen.

Jamie staarde naar de rechercheur. 'Haal... ze... eh... daar weg', probeerde ze te roepen.

De vrouw bewoog zich niet. Ze stond daar maar en staarde haar aan met die groene, doordringende ogen.

Jamie worstelde wanhopig met haar touwen. Bijna viel ze om met stoel en al.

'HAAL...'

Haar raspende stem scheurde door haar longen.
'HAAL... KINDEREN... WEG.'

Darby hoorde de politieagenten beneden door de kamers rennen. Bevelen werden geschreeuwd, deuren werden open en dicht gegooid. Ze bewoog niet en sprak geen woord. Als aan de grond genageld keek ze vol ontzetting toe hoe de in de stoel vastgebonden vrouw een gesprek met haar twee denkbeeldige kinderen voerde, twee jongens die zich verstopt zouden hebben onder het bed in een kamer die onder zat met opgedroogd bloed.

'Haal... eh... alsjeblieft,' smeekte de vrouw met haar gebroken stem. 'Weg.'

Over de muur bij de trap bewoog een schaduw. Op de trap zag Darby een jonge politieagent verschijnen. Hij hield zijn wapen op haar gericht.

'Geen beweging,' zei hij, terwijl hij de volgende tree nam.

Darby stak haar handen langzaam omhoog. Toen vouwde ze haar handen achter haar nek en sprak met luide, duidelijke stem: 'Mijn naam is Darby McCormick. Ik ben wetenschappelijk onderzoeker bij het CSU in Boston. Mijn portefeuille en mijn identificatiebewijs zitten in mijn achterzak.'

'Op de vloer. Op je buik.'

'Ik ben gewapend,' zei ze, terwijl ze zich langzaam op haar knieën liet zakken. 'Een geweer en in mijn rechterzak zit een SIG.'

Darby lag op haar buik op de vloer, met haar handen achter haar hoofd. De politieman deed wat hem was geleerd. Hij greep haar polsen, trok ze op haar rug en boeide ze.

Darby draaide haar hoofd opzij. 'De vrouw in de slaapkamer is vastgebonden aan een stoel,' zei ze. 'Ze heeft een doorboorde long. Verplaats haar niet. En als de ambulance komt, vergeet het ze dan niet te zeggen.'

Kniehoge laarzen over donkerblauwe uniformbroeken stampten de trap op. Een paar daarvan kwam naast haar staan, drie andere verdwenen in de slaapkamer.

'Maak haar niet los,' riep de jonge politieagent. 'Ze heeft misschien een doorboorde long.'

Darby voelde de loop die tegen haar achterhoofd werd gedrukt. Ze hoorde hoe iemand probeerde de draagriem van het geweer los te klikken. Handen drukten haar tegen de vloer terwijl andere handen alles uit haar zakken haalden.

Een paar ambulancebroeders kwamen de trap op lopen. Darby staarde voor zich uit en probeerde uit de bevelen die de mannen beneden elkaar toeschreeuwden, iets op te maken. Door al het statische gekraak van de mobilofoons om haar heen waren hun stemmen nauwelijks te verstaan. Een van hen hoorde ze herhaaldelijk 'jezus christus' zeggen.

Een koffermicrofoon kraakte en in een zee van ruis hoorde ze de centralist haar persoonsgegevens oplezen.

'Zo te horen ben je gerechtigd,' zei de jonge politieagent. Hij maakte haar handboeien los.

Darby stond op. Vijf mannen staarden haar aan.

'Zou je ons misschien kunnen vertellen wat hier verdomme aan de hand is?' vroeg de grootste met het ronde gezicht.

'Welke rechercheur heeft hier de leiding?' vroeg ze en ze pakte haar spullen bij elkaar.

'Branham.'

'Dan praat ik met hem zodra hij hier is.'

'Ik heb je iets gevraagd, juffie.'

'Wegwezen. Allemaal. Jullie verstoren een plaats delict.'

Darby schoof langs de man met het ronde gezicht en liep naar de andere kamers.

De kamer van een peuter, ingericht als uit een catalogus van Pottery Barn. Boven een wit ledikantje, op een blauw geschilderde muur, stond in grote sjabloonletters de naam CARTER. Een mobiel was bedekt met een dikke laag stof – net als de ladekast en de bijpassende commode en de eiken legplanken vol met luiers, flacons en tubes met babylotion.

De kamer ertegenover was die van een oudere jongen. Het bed had de vorm van een racewagen. De opengeslagen laken waren verkreukeld. Star Wars-figuurtjes en ruimteschepen, her en der verspreid over de vloer, de speeltafel... alles was bedekt met stof.

In beide kamers was jarenlang niemand meer geweest.

Op het bed lag een met potlood geschreven briefje: *Michael, ik ben gauw weer thuis. Moest naar het ziekenhuis. Vandaag geen sportkamp, dus je kunt thuisblijven bij Carter. Blijf binnen tot ik terugben en zorg ervoor dat de ramen en deuren zijn afgesloten. Hou van je, mam.*

Darby liep terug de gang op. Ze dacht aan Sean Sheppard.

Een ambulancebroeder, een korte, gezette man, kwam de gang in lopen. Hij keek verbaasd toen hij Darby ongeboeid aantrof. Ze legitimeerde zich.

'Zijn de kinderen beneden?' vroeg hij.
'Er zijn geen kinderen.'
De man fronste zijn wenkbrauwen. 'Ze zei dat ze naar beneden waren gegaan. Ze vroeg me of ik wilde gaan kijken of alles goed met ze was.'
'De kinderen zijn hier niet. Ze zijn dood.'
'Ik begrijp het niet.'
'Dat verwacht ook niemand van je,' antwoordde Darby, en ze liep de trap af. De lucht was zwaar van de kruitdamp.
Kevin Reynolds lag dood op de keukenvloer. Een oudere politieman met een bierbuik en blozende wangen stond over zijn lichaam gebogen.
'Is rechercheur Branham hier?' vroeg Darby.
'Nog niet.'
'Ziet u die Glock daar op de vloer? Dat wapen en die kogelhulzen vormen waarschijnlijk een match met een recente moord in een huis in Charlestown. Als rechercheur Branham komt, zegt u hem dan dat hij me buiten voor het huis kan vinden. Ik wil hem spreken over deze man hier.'
'Kevin Reynolds.'
'U kent hem?'
'We zijn jaren bezig geweest om deze klootzak te pakken voor wat we denken dat hij deze vrouw, Jamie Russo, ongeveer vijf jaar geleden heeft aangedaan. Hij viel het huis binnen, gijzelde het hele gezin in de slaapkamer boven en schoot de twee jongens dood. De vrouw overleefde het.'
'En de man?'
'Hij duwde zijn hand in een afvalvernietiger en wurgde hem. Vraag me niet waarom. Ik weet het niet. Niemand weet het.'
Darby staarde omlaag naar Reynolds. Ze dacht aan de kamer boven, de kamer met het kapotte slot en het opgedroogde bloed op de vloer en de muren.
'Hoe oud waren de jongens toen ze stierven?'
'De jongste was nog een peuter... een of twee jaar oud. Ik weet het niet meer precies.'
Darby zag weer de kamer met het ledikantje en de met stof bedekte mobiel voor zich. 'En de oudere jongen?'
'Ik zou het niet weten.'
Ze hoorde voetstappen de trap af komen. Ze liep naar het halletje en zag twee ambulancebroeders die de vrouw op een brancard naar

beneden droegen. Ze had een infuus in haar arm en een zuurstofmasker op haar gezicht.

Darby merkte pas dat de oudere politieman naast haar was komen staan toen hij zei: 'Godallemachtig. Dat is haar... Dat is Jamie Russo.'

Darby zag hoe de broeders de vrouw door de voordeur naar buiten rolden en voorzichtig de stoeptreden afdroegen.

'Hoe heette hij?' vroeg ze.

'Wie?'

'Russo's oudste zoon.'

'Dat weet ik niet meer.'

'Zij wel,' zei Darby.

69

Darby wankelde als verdoofd de klamme avondlucht in. Het motregende. Overal om haar heen flitsten rode, blauwe en witte zwaailichten. Ten minste zes patrouillewagens van de Wellesley Police vormden aan het eind van de straat een blokkade om de twee ambulances, en inmiddels ook een brandweerwagen, vrije doorgang te verschaffen. Ze hoorde in de verte het hoge, aanzwellende, gejank van de sirene.

De oprit, die vol lag met glasscherven en kogelhulzen, was met roodwit lint afgezet. Vanonder de gekreukelde motorkap van Chadzynski's Mercedes kringelde grijze rook, waarschijnlijk de reden waarom de brandweer was gewaarschuwd. Twee politiemannen waren bezig met lint het lichaam van een man af te bakenen. Zijn benen lagen verdraaid en gebroken op het gras. Het was Warner, het hoofd van Chadzynski's Anti-Corruptie Eenheid.

Eerder haar persoonlijke moordbrigade, dacht Darby toen ze het glimmende bloed zag op de gescheurde kleren van de man.

Ze moest een rustige plek vinden waar ze Coop kon bellen. Ze liep afwezig over het vochtige gazon naar een grote tuin met verwilderd gras.

Achter in de tuin zag ze tussen twee dikke sparren een hangmat hangen. Dat zag er goed uit. Haar benen wisten haar er nog heen te dragen, maar begonnen van vermoeidheid en ontspanning te trillen nadat ze zich op de vochtige stof had laten vallen. Haar hart klopte traag in haar borst, alsof het wilde gaan slapen.

Schaduwen trokken over het gras, dat werd verlicht door licht uit het huis. Achter elk raam brandde nu licht. Darby's blik ging omhoog naar de ramen van de kamer met het opgedroogde bloed op het tapijt en de muren. Ze dacht aan haar moeder, die op de rand van het ziekenhuisbed van haar vader had gezeten. Sheila had Big Reds grote, eeltige hand vastgehouden op haar schoot terwijl ze citeerde uit 'Ga toch niet vredig in die goede nacht' van Dylan Thomas, een gedicht dat haar moeder uit haar hoofd kende. 'Vloek, zegen me met je woedende tranen, maar vecht door,' had Sheila gezegd toen de arts de hart-longmachine uitschakelde. En toen haar moeder aan het eind van het gedicht was gekomen, was ze opnieuw begonnen, met vaste stem, haar tranen bedwingend, terwijl ze wachtte tot Big Red zijn laatste adem zou uitblazen.

Toen de sirene was verstomd en alleen het ronkende geluid van de motor nog klonk, haalde ze haar telefoontje uit haar zak en belde Coops nummer. Hij nam direct op.

'Jezus, Darby, waar ben jij in godsnaam geweest? Ik probeer je al een uur te bereiken.'

Bij het horen van zijn stem verdween het beklemmende gevoel in haar borst op slag. 'Alles goed met je?'

'Met mij wel, maar over jou heb ik me doodongerust gemaakt. Ik heb die geluidsopname gehoord die je me hebt gestuurd. Wat is er allemaal aan de hand? Waarom heb je niet teruggebeld?'

'Ik heb pater Humphrey ontmoet.'

Coop antwoordde niet. Aan de andere kant van de lijn geroezemoes en stemmen. *Hij is op het vliegveld,* dacht ze en haar hart begon wild te bonzen.

'Hij is dood, Coop. Kevin Reynolds ook. Je hoeft niet weg te gaan.'

'Wat is er gebeurd?'

'Dat vertel ik je als ik je zie. Waar kan ik je ontmoeten?'

'Ik ben op het vliegveld.'

'Je hoeft niet weg te gaan,' zei ze weer. 'Jij en je zus kunnen weer naar huis.'

'Ik ga naar Londen.'

Ze snakte naar adem.

Ga niet weg, wilde ze zeggen. *Ik wil dat je blijft. Bij mij.*

'Ik moet gaan, Darby. Laatste oproep.'

Ze hoorde het verdriet in zijn stem. *Nee, niet alleen verdriet.* Ze hoorde ook opluchting. Over zes uur, duizenden kilometers ver weg, zou hij op een andere luchthaven lopen, in een ander land, waar niemand zijn geheimen kende, waar hij een nieuwe start kon maken, misschien zelfs kon loskomen van het verleden.

'Neem een latere vlucht, Coop. Ik zal het betalen. Ik wil je zien voordat je gaat.'

'Het zou niets veranderen.'

'Luister nu even naar me.' Ze wist wat ze wilde zeggen, woorden die de laatste tijd voortdurend door haar heen waren gegaan wanneer ze Coop zag, maar die ze nu niet op een rijtje kreeg.

Begin met wat er in het huis is gebeurd.

'Deze middag, toen je op het punt stond weg te gaan, kwam je terug.'

'Dat had ik niet moeten doen.'

'Ik ben blij dat je dat deed. Ik...' *Waarom is dit zo verdomde moeilijk?* 'Ik wil alleen maar zeggen... Ik...'

'Ik weet het,' zei hij. 'Ik voel het net zo, voor wat het waard is.'

'Het is veel waard.' *En ik was te stom, te bang, te egoïstisch of wat dan ook om je gevoelens te beantwoorden. Maar ik wil dat je blijft. Ik denk dat ik anders niet verder kan leven.*

'Als je dat zo voelt,' zei Darby, 'ga dan niet weg.'

'Ik moet gaan. Ik wilde hier al veel eerder weg. Er is geen reden om te blijven.'

En ik dan? Ben ik geen reden genoeg?

'Ik moet nu echt gaan,' zei hij.

Darby kneep haar ogen dicht.

'Oké,' zei ze, met een gebroken stem. 'Ik wens je een veilige vlucht.'

'Dag, Darby.'

'Dag.'

Een zachte klik en de achtergrondgeluiden op het vliegveld verstomden.

Coop was weg.

70

Jamie lag op een brancard in een ambulance met gierende sirenes. Met haar goede oog zag ze de ambulancebroeder met het mollige gezicht en het krulhaar boven haar hoofd een infuuszak ophangen. Ze wilde iets tegen hem zeggen, maar haar woorden gingen verloren onder het zuurstofmasker over haar mond.

Pijn voelde ze niet. De injectie die ze haar hadden gegeven, had de pijn verdreven maar niet haar angst. Geen enkel verdovingsmiddel, hoe sterk ook, zou dat kunnen wegnemen. Maar ook de liefde niet.

De ambulancebroeder verdween in een mist. Michael nam zijn plaats in. Hij knielde naast haar neer en een ogenblik later voelde ze zijn koude handen om die van haar geklemd. Haar bezorgdheid verdween en haar hart zwol van opluchting en liefde. Hij mocht dan een dwarse lastpak zijn, ze hield van hem. God, ze hield zielsveel van hem, en als ze nu een wens mocht doen, dan was het dat Michael zou weten wat ze in haar hart voor hem voelde.

Michael keek haar verdrietig aan. 'Het spijt me zo, mam.'

Ze wilde haar masker afnemen om met hem te praten, maar de ambulancebroeders hadden haar vastgesnoerd en ze kon zich niet bewegen.

'Je... hebt... eh... juist... eh... goed gedaan.' Ze besefte dat Michael haar woorden niet kon horen, maar desondanks voelde ze de behoefte om ze te zeggen.

'Ik wilde naar beneden rennen, naar de telefoon, maar ik was bang om Carter alleen te laten. Ik wilde niet dat hem iets zou overkomen. Dat zou je me nooit vergeven.'

'Trots,' zei ze. 'Trots op... eh... je.'

Michael begon te snikken. 'Hij was zo bang, mam. Zó bang. Toen je begon te gillen, heb ik mijn handen tegen zijn oren gedrukt en zijn gezicht zo gedraaid dat hij niets kon zien. Ik hield zijn oren dicht, maar toch hoorde hij je gillen en hij begon te huilen en toen wilde ik vluchten – wij allebei – maar ik bleef tegen hem fluisteren dat hij stil moest zijn. Dat hij geen geluid mocht maken, hoe bang hij ook was, want dat was de enige manier waarop we je konden beschermen.' Hij duwde huilend zijn gezicht in haar schoot en omklemde haar hand. Ze voelde zijn lichaam schokken.

'Hou van je, Michael. Trots.'

Ze draaide haar gezicht naar de ambulancebroeder om hem te vragen waarom hij daar zomaar zat, toen Carters gezichtje boven de schouders van zijn broer verscheen. Zijn wangen waren nat van de tranen. Ze bewoog haar vingers in een poging hem gedag te zeggen.

Carter kroop boven op de brancard. De ambulancebroeder deed godzijdank niets om hem tegen te houden. Carter gaf haar een kusje op het voorhoofd en kroop toen met zijn kleine lichaampje dicht tegen haar aan. Zijn stekelhaartjes kriebelden tegen haar wang. Zijn hoofdje vol littekens rook nog vaag naar zeep.

Hij legde zacht zijn armpje over haar borst en gaf een kus op haar wang.

Jamie sloot haar ogen. Nu kon ze gaan slapen. Michael en Carter waren veilig. Ze hoefde nergens meer bang voor te zijn. Michael en Carter waren veilig.

'Mammie?'

Ze opende haar ogen en zag Carters gezichtje vlak boven het hare.

'Michael en ik zijn hier,' zei Carter. 'Ga maar slapen en als je wakker wordt, dan zijn we hier.'

Ze glimlachte achter haar masker. Carter glimlachte terug.

Haar jongens. Haar twee dappere jongens.

'We gaan nergens heen, mammie,' zei Carter. 'We gaan nooit meer bij je weg. Je zult nooit meer eenzaam zijn. Hand erop.'

Dit is het enige wat telt, dacht Jamie. *Hier heb je het voor gedaan, uit liefde voor je kinderen. En niets ter wereld – zelfs God niet – kan daar tussenkomen.*

Epiloog

Christina Chadzynski werd op een zonnige zomermorgen in haar woonplaats Roxbury begraven. De politie van Boston had de omliggende straten afgezet om de aanzwellende stroom van belangstellende agenten en politici een parkeerplaats te kunnen bieden.

De media waren toegestroomd. Achter de politieafzetting vormde zich een groeiende menigte om het spektakel in beeld te brengen.

Maar al was de moord op een commissaris van politie voorpagina-nieuws, de ware reden van hun aanwezigheid was hun jacht op informatie. Hoe konden dode FBI-agenten op de een of andere manier uit hun as zijn herrezen? Had de FBI hiervan geweten? Waren ze welbewust bij deze misleidingsactie betrokken geweest? Tot nu toe hadden de Boston Police en de FBI de zaak stil weten te houden.

Maar niet lang meer, dacht Darby, en ze keek op haar horloge.

Ze stond samen met honderden andere rouwenden op het kerkhof. Benjamin Jones, haar advocaat die een onderzoek tegen veel andere agenten van de Boston Police succesvol had behartigd, had erop gestaan dat ze zou gaan. Hij wilde dat ze vooraan stond, om iedereen te laten zien dat ze niets te verbergen had.

Ze had niets te verbergen, wat overigens niet had kunnen voorkomen dat ze gedurende het onderzoek was geschorst met behoud van salaris.

Ze herinnerde zich de waarschuwing van haar SWAT-instructeur: *Op elke kogel staat de naam van een advocaat.*

Vanachter haar donkere zonnebril keek ze naar de voornamelijk mannelijke gezichten tegenover haar. Hun starende blikken waren gericht op haar. Ze was eraan gewend geraakt. Ze was ervan overtuigd dat er agenten waren die inmiddels wisten wat er echt gebeurd was. Geheimen binnen het politiekorps van Boston waren geen lang leven beschoren. Wat ze ook zeker wist, was dat sommige van deze agenten zich afvroegen of hun stemmen of namen voorkwamen op Kendra Sheppards flashdrive. Hij was geconfisqueerd door de leiding van de Boston Police, evenals haar telefoontje met het gesprek met Chadzynski.

De afgelopen week was de dood van de commissaris voorpaginanieuws geweest.

De nationale media daarentegen waren meer geïnteresseerd geweest in de ontdekking van een lichaam in een verlaten garage in East Bosten. Het lichaam van Special Agent Jack King, een man die samen met Frank Sullivan en drie andere FBI-agenten al in 1983 zou zijn overleden.

Hoewel een officiële verklaring van de FBI tot nu toe was uitgebleven, draaide de pr-machine van de Boston Police al op volle toeren.

De woordvoerder had verklaard hoe een agente van de Criminal Service Unit van de commissaris de lichamen van twee andere 'dode' federale agenten had ontdekt: Peter Alan, doodgeschoten aangetroffen in de kelder van een huis dat toebehoorde aan Kevin Reynolds, en Steven White, doodgeschoten in een huis in Wellesley, eigendom van Jamie Russo, voormalig slachtoffer van een onopgeloste overval in haar huis. Hoewel de woordvoerder geen specifieke informatie had willen geven over het 'lopend onderzoek', werd gemeld dat hoofdcommissaris Chadzynski was doodgeschoten met een 9 mm-handwapen dat op naam stond van Arthur Pine, een rechercheur uit Belham, die samen met voormalig federaal agent King in de garage om het leven was gekomen.

De media in Boston wisten echter via dicht bij het onderzoek betrokken bronnen te melden dat Chadzynski was vermoord om ontmaskering te voorkomen van de vier FBI-agenten die samen met Frank Sullivan in juli 1983 zouden zijn omgekomen.

De woordvoerder weigerde in te gaan op de vraag wat de commissaris in een verlaten garage te zoeken had.

Hoewel in de pers druk werd gespeculeerd of Frank Sullivan al dan niet in leven was, werd nergens zijn echte naam genoemd, of het feit dat hij een federaal agent was geweest.

Darby keek op haar horloge. En Anthony Frissora? vroeg ze zich af. De vierde en laatste agent. Voor zover ze wist was hij niet gevonden en ze betwijfelde of dat ooit zou gebeuren.

De priester stak een bevlogen lofrede af over Chadzynski's jaren van toewijding aan de gerechtigheid en haar 'onvermoeibare strijd om Bostons straten veilig te houden'.

Darby luisterde niet meer. Ze staarde naar de talloze bloemstukken die de kist omringden en dacht aan Jamie Russo.

Ze had bij twee afzonderlijke gelegenheden geprobeerd met de vrouw te praten, maar elke keer had Russo haar hetzelfde papier laten zien met dezelfde mededeling: 'Mijn advocaat heeft me geadviseerd met niemand te praten. En ik kan je niet toestaan met Michael of Carter te praten. Zoals je zeker zult begrijpen, zijn ze getraumatiseerd door wat er is gebeurd. Ze worden hier in het ziekenhuis behandeld. De artsen zijn zo genereus geweest om me hier te laten blijven tot ze weer beter zijn.'

Darby wist dat de vrouw een advocaat had. De politie van Wellesley had een portefeuille gevonden die toebehoorde aan Ben Masters en een mobiele telefoon die niet het eigendom was van Russo. Tevens hadden ze een .44 Magnum-revolver aangetroffen. Aangezien Wellesley zich buiten de jurisdictie van Boston bevond, was het forensisch lab van de staat gevraagd het bewijsmateriaal te onderzoeken. Randy Scott had haar verteld dat ballistisch onderzoek had aangetoond dat de Magnum was gebruikt in het huis in Belham. Jamie Russo had het huis vanuit het bos met de verrekijker van haar man in de gaten gehouden en zich een weg naar binnen geschoten om Sean Sheppard te redden.

Eindelijk was de hypocriete toespraak afgelopen.

Iedereen boog het hoofd en bad.

Darby voelde haar nieuwe telefoon, een BlackBerry, tegen haar dijbeen trillen.

Coop had haar een sms gestuurd. Ze las het bericht en wachtte.

Darby zag hoe de lijkkist in de grond zakte. In gedachten zag ze de stijlvolle kist van haar vader afdalen naar zijn laatste rustplaats. Het gras om haar heen was vergeeld en tranen liepen over haar wangen. Haar vader was gekleed geweest in een zwart kostuum, het enige pak dat hij had bezeten. Ze wist nog dat ze zich had afgevraagd of mensen die pas dood waren hitte konden voelen, en of haar vader daar in die kist nog steeds leed. Ze wist nog dat ze het aan haar moeder had willen vragen, maar had gezwegen toen Sheila haar wegvoerde van het graf.

Nu was haar moeder dood en begraven naast haar vader. En hier stond ze dan, hun dochter, bij het graf van de vrouw die betrokken was geweest bij de moord op haar vader. En waarom? Omdat haar advocaat het haar had gezegd. Vanwege de goede indruk die het zou maken. Ze was hier om de schijn op te houden. Darby vroeg zich af wat haar vader ervan zou vinden als hij haar hier zo zag staan.

Plotseling klonk overal om haar heen het geluid van mobiele telefoons. De priester was daar niet blij mee en keek met een bestraffende blik om zich heen, wat overigens niemand ervan weerhield naar hun telefoon te kijken.

Darby probeerde de uitdrukking op elk van hun gezichten te lezen. Ze was bijzonder in haar nopjes door de wezenloze uitdrukking op het gezicht van de burgemeester toen hij de opname van haar gesprek met de commissaris beluisterde. Coop was de afgelopen week onvermoeibaar in de weer geweest met het bellen naar vrienden en oude relaties om de mobiele nummers te achterhalen van elke hoge piet in Boston. Darby had hem de nummers gegeven van alle hier aanwezige hoge functionarissen binnen de Boston Police. Dat was fase één.

Fase twee was geweest het versturen van boodschappen naar de media, om ze te laten weten dat Christina Chadzynski's gesprek op de uiterst populaire website YouTube was te beluisteren.

De burgemeester verbrak de verbinding en staarde haar aan. Zijn ogen spuwden vuur. Hij mompelde iets in het oor van Chadzynski's rouwende echtgenoot en draaide zich toen om en baande zich een weg door de menigte. Daarna verontschuldigde ook de senator zich en ook hij vertrok.

De menigte rondom haar begon zich langzaam op te lossen. De priester keek verward om zich heen.

Darby sloeg het schouwspel gade en merkte pas dat Randy Scott naast haar stond toen hij iets zei: 'Wat is er aan de hand?'

'Geen idee, maar het ziet er niet goed uit,' antwoordde Darby. 'Wat doe jij hier?'

'Ze hebben in Frankrijk dokter Wexler gevonden. Ik dacht dat je dat wel zou willen weten. Ze zijn bezig met zijn uitlevering naar de States. Hij is bereid te praten met de FBI, in ruil voor strafvermindering.'

Een deal, dacht Darby, terwijl iedereen zich over het gras verspreidde.

'De Feds werken zich langzaam door het onderzoek,' zei Randy. 'Nu ze Wexler hebben, vroegen ze naar de foto's die jij de fotografische dienst hebt gegeven. Ik heb gehoord dat de Boston Police het spelletje meespeelt. Het is een handeltje. Als ik jou dit vertel, dan vertel jij me dat.'

Een ultieme poging de schade zo beperkt mogelijk te houden. Ik krab jouw rug, jij krabt de mijne.

'Ik ken iemand bij het forensisch staatslab,' zei Randy. 'We zijn de afgelopen week bezig geweest met het combineren van bewijsmateriaal. Hij vertelde me dat hij uit betrouwbare bron had vernomen dat Kevin Reynolds een federaal agent is.'

'Tjonge, is me dat een verrassing.'

'Nou ja, ik dacht dat je het wel wilde weten. En wat dat belastende materiaal betreft waarmee de commissaris jou zou hebben opgezadeld – het moorddossier van je vader en het bijbehorende bewijsmateriaal – ik heb nog niets gevonden. En dat zal waarschijnlijk ook niet gebeuren. De hoogste leiding is bezig een onafhankelijke commissie in te stellen, een speciale eenheid die zich verder met de zaak en met Chadzynski gaat bezighouden. Ook hebben ze al het bewijsmateriaal in beslag genomen, om er zeker van te zijn dat er niet mee wordt geknoeid. Met andere woorden: ze hebben iedereen op het lab van de zaak gehaald.'

'Geweldig.'

'Dan nog iets... Sean Sheppard is vanmorgen overleden.'

Darby haalde diep adem.

'Het spijt me.'

Ze knikte. 'En bedankt voor alles. Dat was ik je nog vergeten te zeggen.'

Randy dwong zich tot een grijns. 'Fluitje van een cent. Tot gauw.'

'Ik denk het niet,' zei ze en ze begon te lopen.

'Waar ga je heen?'

Darby antwoordde niet. Ze gooide haar badge in het graf en keek uit over de straten, terwijl ze zich afvroeg welke naar huis leidde.